ज्योतिष में स्वर विज्ञान का महत्व

केदारदत्त जोशी
ज्योतिषाचार्य

मोतीलाल बनारसीदास इंटरनेशनल
दिल्ली, चेन्नई, कोलकाता

पुनर्मुद्रण: दिल्ली: 2022
परिवर्द्धित एवं संशोधित द्वितीय संस्करण: वाराणसी, 1982

ISBN: 978-93-92510-38-0

मोतीलाल बनारसीदास इंटरनेशनल
41, यू॰ए॰ बंगलो रोड, (पीछे वाली गली) जवाहर नगर, दिल्ली-110 007
4361 (तलघर), गली नं. 3, अंसारी रोड, दरियागंज, नई दिल्ली-110002
203 रायपेट्टा हाई रोड, मैलापोर, चेन्नई-600004
समर ऑडडी 56/2, अहिरिटोला स्ट्रीट, कोलकाता-700005

मुद्रक:
मोतीलाल बनारसीदास इंटरनेशनल
41, यू॰ए॰ बंगलो रोड, (पीछे वाली गली) जवाहर नगर, दिल्ली-110 007

॥ श्रीः ॥

नम्र निवेदन

नमो देवि ! महाविद्ये ! नमामि चरणौ तव ।
सदा ज्ञानप्रकाशं मे देहि सर्वार्थदे ! शिवे ॥ १ ॥
ऐश्वर्यवचनः "शश्च क्तिः" पराक्रम एव च ।
तत्स्वरूपा तयोर्दात्री सा शक्तिः प्रकीर्तिता ॥ २ ॥

भविष्य ज्ञान के लिए फलित ज्यौतिष की अनेक विध सरणियों में स्वर-विज्ञान, ज्योतिष-शास्त्र की एक सर्वमान्य प्राचीन पद्धति है, जिसमें मनुष्य के नाम के अनुसार भविष्य का ज्ञान किया जाता है। लेकिन आज यह पद्धति प्रायः लुप्त ही है।

ज्योतिषशास्त्र की इस शाखा का उल्लेख भारतीय धर्मग्रन्थों में भी पर्याप्त विस्तार से मिलता है। "शक्ति" 'ब्रह्म" "रुद्र" और "विष्णु" प्रभृति प्राचीन यामल ग्रन्थों में भो इस विज्ञान पर विस्तृत विचार-विमर्श हुआ है।

वाल्मीकि रामायण श्रीमद्भागवत में भी भिन्न-भिन्न स्थानों पर ज्यौतिष शास्त्र के अंगों उपांगों का विशद परिचय और विश्लेषण ग्रन्थ में (वर्णित) चित्रित नाम आदि के चरित्र के माध्यम से हुआ है। इस तरह पूर्ववर्त्ती ग्रन्थों में इस शास्त्र की परम्परा का निर्वाह सुन्दर ढंग से मिलता है। (देखें परि-शिष्ट क और ख)

कालान्तर में गोरख-पन्थियों और नाथ-पन्थियों के यौगिक साधनाओं से सम्बन्धित योग शास्त्र के ग्रन्थों (शिवस्वरोदय-हठयोग) ने इस स्वर विज्ञान के विकास में काफी योगदान किया।[1]

१—"हठयोग प्रदीप" ग्रन्थ में (सहजानन्द सन्तान चिन्तामणि स्वात्मा-राम योगीन्द्र-विरचित जिसमें ज्योत्स्ना टीका है) "राज योग द्वारा कैवल्यफल-

अब प्रश्न यह उठता है कि जिसने इस संसार को छोड़ दिया, जिसे कोई इच्छा नहीं. जो निर्लोभी है उसे अपने भविष्य चिन्ता की क्या इच्छा ? इसके उत्तर में यही कहा जा सकता है कि मनुष्य जीवित रहते इच्छा विहीन नहीं हो सकता, किसी न किसी तरह की आकांक्षा उसे अवश्य रहती है। चाहे वह निज स्वार्थ की हो अथवा परमार्थ की अत:—जहाँ साधारण गृहस्थों में पुत्रैषणा, वित्तैषणा, लोकैषणा आदि व्यक्तिगत स्वार्थ सम्बन्धी आकांक्षाएँ होती हैं वहीं परोपकार भावना में जीवन समर्पण करने वाले परमहंस योगियों या सिद्धों को परोपकार रूप स्वार्थसिद्धि की आकांक्षा "सर्वः स्वार्थं समीहते" प्रबल रहती है। यही कारण है कि प्राचीन धर्मग्रन्थों के अतिरिक्त हठ-योगियों और सिद्ध साधकों ने भी ज्योतिष एवं स्वर विज्ञान का साहाय लिया।

आदि काल से ज्योतिषी का समाज में आदर रहा है। इस प्रकार भविष्य ज्ञान को अपने गर्भ में समेटे हुए यह प्राचीन शास्त्र, युग-युगों से समाज के प्रत्येक वर्ग और आश्रमों की सेवा करता आ रहा है। यही कारण है कि इस

प्रद के लिए······आदिनाथ शिव ने गिरजा को हठ योग विद्या बताई है। अर्थात् प्राण और अपान की (सूर्य + चन्द्र) एकता, प्राणायाम या हठ योग है" हठ योग का यही तात्पर्य है। इसी आशय को "सिद्धसिद्धान्त" पद्धति में "गोरक्षनाथ" ने "हकारः कीत्तितः सूर्यः ठकारस्तु चन्द्रमा" इत्यादि से स्पष्ट किया है।

प्रत्येक मानव के २४ घण्टा = ६० घटी = ३६०० पल × ६ (६ प्राण = असु = पल) = २१६०० प्राणों से एक अहोरात्र में श्वास का आदान-प्रदान होता रहता है। श्वास की आदान-प्रदान क्रिया हंसः या सोऽहं यह जीव की स्वाभाविकता है। इसी को शि+व, या, ता+ल आदि शब्द संकेतों से व्यक्त किया गया है (शिव स्वरोदय)

संगीत शास्त्र के गर्भ में भी

"त कारः शंकरः प्रोक्तः लकारः पार्वती स्मृत"

शिवशंकरसंयोगात्ताल इत्यभिधीयते" यही योग विद्या निहित है।

शास्त्र का ज्ञाता भारतीय समाज और संस्कृति में पूजनीय और महनीय स्वीकार किया गया है। क्योंकि दैवज्ञ संज्ञाधारी, समाज का यह प्राणी, ग्रह-चार का सम्यक् ज्ञाता होते हुए तपोमय जीवन व्यतीत करता है और यही कारण है कि मुमुक्ष भी इससे अपने भविष्य ज्ञान काल की जिज्ञासा रखते हैं।

"एकासनस्था जलवायुभक्षा मुमुक्षवस्त्यक्तपरिग्रहाश्च
पृच्छन्ति तेऽप्यम्बरचारिचारं दैवज्ञमन्ये किमुतार्थ चित्ताः"।

स्वभावतः मानव सरलता की ओर उन्मुख होता है। इसलिए उसका हृदय और मस्तिष्क दोनों ही शुष्कता और दुरूहता से दूर रहने की कोशिश करता है। तथापि कभी-कभी अपनी अनभिज्ञता या अन्धविश्वास के कारण तथा कथित दुरूहता के प्रति श्रद्धा या प्रशंसा का भाव अवश्य रखता है। दुर्भाग्यवश कुछ ऐसी ही प्रवृत्ति इधर कुछ समय से ज्योतिष शास्त्र के साथ भी हो गई है।

आधुनिक काल के तथाकथित ज्योतिश्शास्त्राचार्य विद्वानों की कृपा से जन-जन में व्याप्त यह शास्त्र केवल श्रद्धा का पात्र रह गया है फलतः सर्व साधारण में इस शास्त्र का ज्ञान लुप्तप्राय हो रहा है। भारतीय धर्म एवं संस्कृति की इस अमूल्य निधि की स्वभाव सिद्ध सरलता उपयोगिता और महत्त्व के प्रति जन-साधारण का ध्यान आकृष्ट करने के उद्देश्य से इन पंक्तियों के लेखक ने इस लघुग्रन्थ की रचना का संकल्प किया।

प्रस्तुत लेखक ने इस ग्रन्थ में ज्योतिष के सरलतम विधि सरणियों को दृष्टिपथ में रखते हुए उसके विभिन्न अंगों के उपांगों के विश्लेपण का प्रयत्न किया है। सबसे बड़ी विशेषता यह है कि प्रस्तुत ग्रन्थ में व्यक्ति के जीवन के आगामी अध्याओं को खोलने का प्रयत्न किया। मूल आधार उसका लोक प्रचलित नाम बताया गया है, न कि तथा कथित विद्वान् आचार्यों की दुरूह और श्रम जाल से भरी प्रणालियाँ।

किसी व्यक्ति के नाम के ही अनुसार उसके दुःख-सुख जन्म मृत्यु आदि का

पता या ज्ञान इस स्वरोदय शास्त्र के द्वारा सम्भव है ।

आधुनिक काल में जिन्हें हम "मनोविज्ञान" (Psychology) और समाचार सम्प्रेक्षण (दूरानुभूति) (Telipathy) संज्ञा से समझ रहे हैं, इनके साथ भी स्वर ज्ञान पद्धति का समन्वय किया जा सकता है ।

इन पंक्तियों के लेखक ने सन् १९४२ में एक शोध-प्रबन्ध इस विषय पर काशी हिन्दू विश्वविद्यालय में प्रस्तुत किया था, जिसमें इस सन्दर्भ में काफी गहराई से चिन्तन किया गया है, जो विश्वविद्यालय के गायकवाड़ पुस्तकालय में सुरक्षित है । उक्त शोध-प्रबन्ध में ब्रह्मर्षि महामना प० मदनमोहन मालवीय के नाम के आधार पर उनका भविष्य निर्धारित किया गया है जो कालान्तर में प्रायः सत्य सिद्ध भी हुआ होगा । उक्त शोध प्रबन्ध विद्वानों द्वारा काफी प्रशंसित हुआ उसी प्रेरणा से ज्यौतिष-शास्त्र को सर्व साधारण तक पहुँचाने के लिए स्वरोदय की इस सरल शैली पर लघु ग्रन्थ लिखने की आवश्यकता प्रस्तुत लेखक ने महसूस तो की किन्तु लेखक की फलित ज्योतिष विषयक एक महती शंका यथा स्थान अपनी जगह पर बनी ही रह गई है तथा जिसका सही समाधान जीवन का समग्र भाग ज्योतिष ग्रन्थों के अध्ययनाध्यापन एवं शोध पूर्ण ग्रन्थों के प्रकाशन के बावजूद अभी तक बुद्धिगत नहीं ही हो पाया है ।

फलित ज्यौतिष की यह एक सही वैज्ञानिक पद्धति का प्रादुर्भाव प्राचीन भारतीय खगोलवेत्ता व महर्षियों की बुद्धि में आ गया था जो अनवरत आज तक चले आ रहे हैं । इस विज्ञान से प्राणिमात्र का भविष्य ज्ञात होना चाहिए था किन्तु अभी तक यह मानव के जन्म से मृत्यु तक की आयु ज्ञान पूर्वक मानव के उत्थान पतन के समयों को ही विवेचना में देखा जा रहा है । यह पद्धति सौर मण्डल की गति विधि से ही प्रचलित हुई है जो संक्षेप में निम्न भांति होती है ।

कुण्डली चक्र या जन्मसमय के सौरमंडल का सही चित्र :—यह चक्र जन्माङ्ग या जन्म लग्न कुण्डली से बोधित होता है । इसे गोलाकार बनाना अधिक प्राकृतिक होता है । वर्गाकार या आयताकार जन्मकुण्डली रेखागणित

युक्ति से स्वयं वृत्तान्तर्गत होती है। अतः सुविधानुसार यथेष्ट कुण्डलीचक्र बनाया जा सकता है।

चक्र नं० १

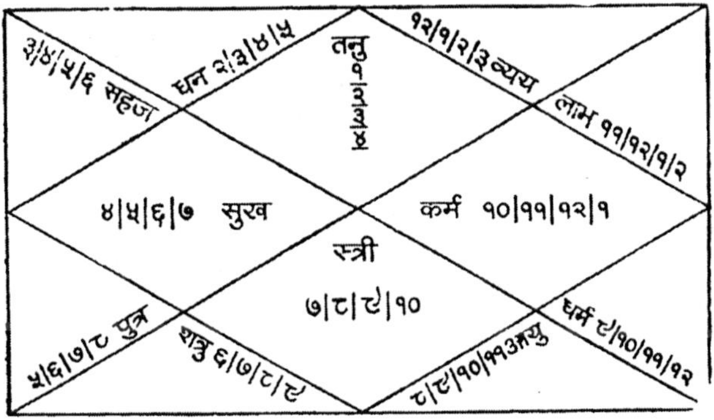

जिस समय जन्म होता है, उस इष्ट काल से गणित द्वारा पञ्चाङ्ग और ग्रहस्पष्टी ठीक कर उक्त चक्र में ग्रह रखने चाहिए।

निम्न चक्र से प्रथमतः सौरमण्डल में क्षितिजगत दृश्य ३०° की जो राशि गणित से भी सिद्ध होती है, उसका ज्ञान आवश्यक है। एक वृत्त के ३६०° में ३०-३० अंश के १२ कोण होते हैं।

चक्र नं० २

निरणय मेष संक्रान्ति काल में (अयन गुरुत्वाकर्षण अभाव या शून्य समय में) मेष राशि के आदिम बिन्दु का क्षितिज के साथ सम्पात जिस समय होगा, उस समय से निरक्ष क्षितिजीय (अक्षांश शून्य भूपृष्ठीय देशों या भूमध्य रेखा धरातलीय पृथ्वी पृष्ठीय देशों में) किसी बिन्दु पर मेष राशि की अन्तिम बिन्दु की पहुँच तक मेष लगा, जिसका अंक माप १ है, वह प्रथम भाव में स्थापित की जाती है। तद्नुसार २···३···४···१२ ये राशियाँ द्वितीय, तृतीय, चतुर्थ-द्वादश भावों में होती है। सम्पूर्ण मेष राशि का उदयकाल जो निरक्ष क्षितिज में २७९ पल तक उदय होती है, उसका घटिकादिक मान ४ घटी ३९ पल अर्थात् $\frac{४।३९ \times २}{५}$ घण्टा मिनट = १ धन्टा ५१ मिनट १२ सेकेण्ड के तुल्य होता है। राशियाँ पृथ्वी से सूर्य के चारों तरफ भ्रमण करती हैं अत: राशियों का भ्रमण ७ भी चक्र भ्रमण में पूर्व से पश्चिम की तरफ होता है।

तात्पर्य यह हुआ कि मेष राशि जितनी देर में क्षितिज में उदय रहती है, उस काल का नाम मेषोदय काल, जब मेषान्त बिन्दु उदयक्षितिज को पार

कर लेता है, तब वृष राशि का आदिम बिन्दु क्षितिज संलग्न होगा। वृष राशि के निरक्षदेशीय उदयपल, २९९ पल = ४ घटी ५९ पल = १ घण्टा ५९ मिनट ३६ सेकेण्ड के तुल्य समय के अन्त में वृष राशि, लग्न राशि कही जायेगी. उदित होगी। इसी प्रकार वृषान्त बिन्दु = मिथुनादि बिन्दु का उदय क्षितिज प्रवेश से ३२३ पल = ५ घटी २३ पल = २ घण्टा ९ मिनट १२ सेकेण्ड के पश्चात् पूरी मिथुन राशि चक्र में क्षितिज के ऊपर होगी। इतने समय तक मिथुन लग्न होता है। यह राशियों का उदयमान शून्य अक्षांश (निरक्ष) देशों में होता है। यतः पृथ्वी के प्रत्येक देश, नगर, ग्राम में सूर्योदय, सूर्यास्त की तरह ग्रहास्तोदय और चन्द्रोदयास्तादि के विभिन्न कारण होते हैं। भूमध्य देशीय राशियों के उदयमान को आधार मानकर साक्ष ०° से ९०° तक के अक्षांश देशों में राशियों का अपने देशीय उदयमान चर आदिक संस्कारों से निकाल कर लग्न साधन करना चाहिए। इति।

चक्र नं० २ द्रष्टव्य है—

तनु स्थान अर्थात् लग्न स्थान में जब मेष लग्न का संकेताङ्क १ होगा तो कर्क, तुला और मकर लग्न के संकेताङ्क ४,७, १० पर की राशियाँ केन्द्र स्थानों पर होतीहैं। उदय, मध्याह्न, अस्त और दशम एवं द्वितीय-दिवसीय उदय तक में अपने इष्ट समय पर बारहों लग्नो में कोई एक लग्न क्षितिज में आ जाती है। उदयलग्न अर्थात् तनु स्थान में जब वृष लग्न होता है, तब केन्द्र स्थानों—२।१।८।१२ तथा पणफर में ३।६।९।२ लग्न राशियाँ स्वत. हो जाती है। यदि तनु = उदयलग्न स्थान में ३ मिथुन लग्न होता है तो पूर्व के केन्द्र स्थानों में १।४।७।१० में ३।६। ।१२ लग्नराशियाँ होती हैं। इसी प्रकार तनु = उदयलग्न स्थान में ४ कर्क-राशि का अङ्क = ४ होने से केन्द्र स्थानों १ ४।७।१० में ४ ७।१०।१ लग्न राशियाँ होती हैं। इसी प्रकार आगे भी समझना चाहिए।

फलित ज्यौतिषके अनुसार तात्पर्य यही है कि १२ भागों में—

१। ।७।१० स्थानों का नाम केन्द्र स्थान है।

२।५।८।११ स्थानों का नाम पणफर स्थान है।

३।६।९।१२ स्थानों का नाम आपोल्लिम स्थान है।

१।४।७।१० और ५।९ स्थानों को क्रमश: केन्द्र और त्रिकोण भी कहते हैं। ३।६।९।११ इत्यादि भावों की संज्ञा ग्रन्थागारों में प्रसिद्ध है तथा प्रथम राशि-चर, द्वितीय राशि स्थिर तथा तृतीय राशि द्विस्वभाव है। प्रकारान्तर से १।४।७।१० राशियाँ अर्थात् मेष, कर्क, तुला और मकर राशियों और लग्नों को चर राशियाँ या चरलग्न, वृष, सिंह, वृश्चिक और कुम्भ राशियों या लग्नों को स्थिर लग्न राशियाँ एवं मिथुन, कन्या, धनु, और मीन राशियों को द्विस्वभाव लग्न या द्विस्वभाव राशियाँ कहते हैं।

केन्द्रगत चरलग्न और राशियाँ होने से स्थिर राशियाँ पणफर एवं द्विस्वभाव राशियाँ आपोक्लिम में होती है।

स्थिरराशियाँ केन्द्रगत होने से द्विस्वभाव राशियाँ पणफर में और चर-राशियाँ या लग्न आपोक्लिम स्थानों (३।६।९।११) में होती है। इस प्रकार राशि और लग्नराशियों एवं होरा द्रेष्काण नवमांशादि लग्न राशियों की कुण्डलियों के विविध प्रकार के परिष्कार या विभेद होतेहैं। १२ भावों के नामों की चर्चा पहले की जा चुकी है।

एक नाक्षत्र दिन, ६० घटी २४ घण्टे में १२ राशि लग्नों की ग्रह-स्थित में ग्रहस्थापन क्रम से ९ ग्रहों की स्थापन क्रम के अनुसार स्थितियों से प्रतिदिन के विभिन्न इष्ट समयों में १२ प्रकार की जन्म कुण्डलियाँ या १२ प्रकार की वर्ष कुण्डलियाँ होती हैं।

ध्यान देने का विषय है कि मेष राशिलग्न से वृषभादि मीन पर्यन्त लग्न-राशियाँ धन, भाई, माता, पुत्र, शत्रु, स्त्री आयु, धर्म, कर्म, लाभ और व्यय-भावों में निश्चित रूप से रहेंगी। ऐसी स्थिति में यदि मेष ही लग्न है तो मेष लग्न मे मेष लग्न राशि से शरीर का विचार, वृष से धन, मिथुन से भाई, कर्क से स्वयं का या माता का सुख सिंह से पुत्र-विद्या,कन्या से शत्रु-रोग, तुला से स्त्रीकाम, वृश्चिक से आयु- छिद्र, धनु से धर्म-तीर्थ, मकर से राज्य-व्यापारादि, कुम्भ से आय-आयके स्रोत और मीन से व्यय-अपव्यय, सत्कर्म या असत्कर्म आदि का विचार किया जावेगा।

परिष्कार से उक्त स्थिति में मेष से मीन राशि १२ वें होने से शरीर के व्ययविचार में, मीनराशि लग्न की प्रधानता होगी। व्ययभाव से अर्थ का ही

व्यय नहीं, शरीर तक के व्यय का विचार होगा।

धनभावगत वृषराशि की १२ वीं राशि मेष, भाई भावगत मिथुन से १२ वें राशि में वृष से भ्रातृव्यय, मातृ स्थानगत कर्क राशि की १२ वीं व्यय-राशि मिथुन से मातृ या भूमि-घर इत्यादि अन्य प्रकार का व्यय, पञ्चमगत सिंह राशि की व्ययराशि-मातृभाव से पुत्र विद्यादि का, षष्ठगत कन्याराशि १२ वीं राशि सिंह से शत्रु या रोग व्यय, सप्तमगत तुलाराशि की व्ययगत कन्याराशि से स्त्री-सम्पत्ति की क्षति, वृश्चिक राशि की व्ययकारिणी स्त्री-भागवत तुलाराशि; धर्मगत धनुराशि की व्यय कारिणी आयुगत वृश्चिक, दशम मकरराशि जो राज्य-व्यापारादि की व्ययकारिका, धर्मगत धनुराशि, आय-लाभ भावगत या एकादश गत कुम्भराशि की व्ययकारिका मकर राशि, व्ययगत मीन राशि की व्ययकारिणी कुम्भराशि स्वयं सिद्ध होती है।

इसी प्रकार की वृषादि लग्नगत राशियों की मेषादि प्रत्येक राशि के सदृश प्रतिलोम राशियाँ व्ययकारक होती हैं। इस प्रकार १२ × १२ = १४४ प्रकार अनुलोम-विलोम कुण्डलियाँ एक ही दिन में १४४ होती रहती है।

आचार्यों का युक्तियुक्त अनुभव-(१) लग्न = धन धान्यादि सम्पत्ति के साथ शरीर तक का व्यय —१२ वें भाव से।

(२) धन सम्पत्ति का व्यय शरीर से सम्बन्धित होने से लग्नभाव, धन-भाव का व्ययभाव होता है।

(३) भाई-बन्धु जैसी सम्पति में भौतिक सम्पत्ति सुवर्ण, भूमि······आदि के विभाजन, और उससे जायमान असन्तोष से धन-भाव भाई का व्ययकारक भाव होता है।

(४) मातृभाव जैसे परम श्रद्धामूर्ति माता के सुख का अभावकारक तृतीय भाव भ्रातृभाव ही होता है, क्योंकि एकच्छत्र मातृगोद रूप सिंहासन होते हुए भाई को मातृगोद सुख से वञ्चित होने से मातृभाव जन्य सुख का व्यय का कारण छोटा या लघु भाई ही होता है।

(५) पुत्र या विद्यादि गुणज्ञता की आकांक्षा रखने वाले पिता का पुत्र को ताड़ना, जो माता को कम सह्य होने से पुत्र योग्यता कामना चाहते हुए भी

बुद्धि या विद्यादि का व्ययकारक माता नामक चतुर्थ भाव कहना युक्तियुक्त है।

(६) शत्रु या रोग का सामना करने के लिए सर्वप्रथम बुद्धि वैशद्य से रोग के लिए अच्छे चिकित्सक और शत्रुपराजय के लिए अच्छी मन्त्रणा आदि बुद्धिभाव का कार्य है। अतः छठे भाव जन्य दुष्टफल का व्यय पंचम बुद्धिभाव होने से पंचमभाव को छठे भाव का व्यय कहना समीचीन है।

(७) सप्तमभाव—अपने शरीर की अर्द्धाङ्गिनी श्रीमती उभयकुल (पितृ एवं पति) की कीर्ति, यश एवं सम्मान की विवर्धिका है। स्त्री पर भूल से भी आँख उठाने वाले से बढ़कर शत्रु दूसरा नहीं है। सारा जगत् स्त्री के वशीभूत है। कहा भी है—

'विश्वामित्रपराशरप्रभृतयो वाताम्बुपूर्णाशिनाः,
तेऽपि स्त्रीमुखपङ्कजं सुललितं दृष्टैव मोहं गताः।'

स्त्रीहेतुक युद्ध या अशान्तियों सें विश्व के बड़े से बड़े ऐतिहासिक ग्रन्थों के पन्ने अछूते नही है। अतः सुन्दर, पवित्र स्त्री सम्पत्ति जैसी वस्तु का अपहरण तक करने वाला वैरी शत्रु ही होता है। फलित ज्यौतिष ने जहाँ सप्तम भाव का नाम स्त्री या काम कहा है, ठीक तद्विपरीत निकटस्थ छठे भाव को शत्रुभाव की संज्ञा-देना नितान्त समुचित है। यह एक अनुभवगम्य ज्ञान ही नहीं, विज्ञान भी है।

(८) अष्टमभाव का नाम आयु या मृत्यु है। आयु जैसी सुन्दर संरक्षणीय वस्तु पर सदा मृत्युभय बना है। सावधानी से यम, नियम, स्वच्छ आहार-व्यवहारादि से शतायु कामना द्वारा प्राप्य इस पवित्र आयु पर सबसे बड़ा आक्रामक पदार्थ स्त्री है।

'नारी तु मदन ज्वाला रूपेन्धनसमीहिता।
कामिभिः यत्र हूयन्ते यौवनानि धनानि च ॥'

स्वस्थ पुरुष के योवन और धनरूप आहुतियों को, रूपसौन्दर्यरूप इन्धन से युक्त, मदनज्वाला नारी पचा देती है। धन एवं आयु तक का क्षय कर देती है, इसलिए आयु का व्ययकारक स्त्री नामक सप्तमभाव ही मुख्य होता है।

(९) नवम भाव का नाम धर्म, तप या तीर्थ है। जीवन पर्यन्त तीर्थ, व्रत,

जप, तप चान्द्रायणादि कृत्यों से शरीर पोषणादि सुरक्षारहित जीवन का व्यय या आयु संरक्षण की उपेक्षा अथवा जीवन-पर्यन्त मात्र धर्माचरण सम्पन्न शरीरी के शरीरत्याग में आयुभाव का स्वाभाविक धर्म है कि वह सभी को मृत्यु के मुख में ले जाता है। अतः धर्मभाव का व्ययभाव आयुभाव से ही होता है। धर्म, व्रत, नियम, तीर्थादिगमन आयु की सत्ता पर अवलम्बित हैं। धर्माचरण का सत्य संकल्प आयु की सत्ता पर निर्भर होने से धर्मादि कृत्य के लिए आयु बनी रहनी चाहिए। सदा आयुष्य की सतर्कता से रक्षा करनी चाहिए, क्योंकि महान् संकल्पित धर्माचरण की प्रतीक्षाकाल के लिए शरीर के व्यय के लिए कालभगवान खड्ग हस्त होकर आयु की समाप्ति कर देता है। इसलिए धर्मभाव का व्ययकारक अष्टम आयुष्यभाव कहना युक्तिसंगत ही है।

(१०) दशमभाव का नाम राज्य, पिता या व्यापार है। राज्य-पितृ-व्यापार सम्पत्ति के परिवर्धन में स्वच्छ दोषरहित अर्थ सम्बन्ध होना चाहिए। ज्ञानतराजू की तौल से ही राज्य का व्यापार सफल, सुस्थिर होता है। धर्म का राज्य, धर्म का व्यापार न होने से अधर्म का आचरण होना ही राज्य व व्यापारादि के विनाश का कारण हो जाने से धर्मभाव ही व्यापारभाव का विनाशक हो जाता है। अतः व्यापारभाव के व्यय में धर्मभाव ही हेतु होता है। 'तेन त्यक्तेनभुञ्जीथाः मागृधः कस्यस्विधनम्'—उपनिषद् वाक्य से सारी धन-सम्पत्ति में परकीयता के भाव से उसका सत्कर्म में विनियोग एवं धर्म, जप, तप आदि में व्यय करना ही श्रेयस प्राप्ति का मुख्य अंग होने से राज्यश्री तक की त्यागभावना के व्यय से धर्मभाव राज्यभाव का व्ययकारक सिद्ध होता है।

(११) अच्छी आय, अच्छे लाभ के लिए राज्यसत्ता या व्यापार कर्म का ही मुख्य आश्रय होता है। अर्थदोष (द्रव्यदोष), अर्थ सम्बन्धी अपराध के लिए राजदण्ड राजसत्ता का सर्वोपरि प्रबल दण्डविधान होने से अवैध प्रकार से संचित भारी सम्पत्ति को राजसत्ता द्वारा क्षण में ही धराशायी कर देने से आय लाभभाव का ह्रास या व्ययकारक राजभाव होता है। अतः राजभाव को व्ययभाव कहना युक्तियुक्त है।

(१२) व्ययभाव तभी सार्थक होता है जब अच्छी आय हो। आय ही यदि शून्य हो तो व्यय कहाँ से होगा? इसलिए व्ययभाव के क्षय का कारण आयभाव ही हो सकता है। व्ययभाव से द्वितीयभाव लग्नभाव है। व्ययभाव का धनभाव होने से धन का व्यय होना स्वाभाविक धर्म होने से व्ययभाव का नाम व्यय होना ही सार्थक से सिद्ध होता है।

प्रत्येक भाव का प्रत्येक भाव से विचित्र, अचिन्तनीय, अकल्पनीय अनेक सम्बन्धों में तारतम्य से उक्त प्रकार की एक विचार परम्परा पाठकों के विचारार्थ उपस्थित की जा रही है, ताकि प्राचीन भारतीय फलित म[illegible] के उक्त प्रकार के सूत्र, भाष्य रूप में उत्तरोत्तर प्रगति करते हैं एवं विचार परम्परा चालू रहे। इसी ध्येय से उक्त विषय पाठकों के विचारार्थ प्रस्तुत करने का साहस मात्र किया हैं।

१२ राशियों या लग्नों की स्थितिवश १२ × १२ = १४४ कुण्डलियों की चर्चा के अनन्तर जन्मकुण्डली का अनेकानेक ग्रहस्थितियों से भी परिष्कार किया जा रहा है।

(१) सूर्य की १२ राशिलग्नों की स्थिति।

(२) चन्द्र, मंगल, बुध, बृहस्पति, शुक्र, शनि, राहु और केतु ग्रहों की १२ राशियों की स्थिति।

(३) प्रत्येक ग्रह का सूर्य से योग।

(४) प्रत्येक ग्रह का चन्द्र से योग।

(५) (६) (७) (८) (९) प्रत्येक ग्रह का प्रत्येक ग्रह से योग।

(१०) सूर्य का दो ग्रहों, तीन ग्रहों······७ ग्रहों से योग।

(११) चन्द्रमा का दो ग्रहों, तीन ग्रहों,······७ ग्रहों से योग।

(१२) मंगल का दो ग्रहों, तीन ग्रहों······७ ग्रहों से योग।

(१३) बुध, (१४) बृहस्पति, (१५) शुक्र, (१६) शनि, (१७) राहु और (१८) केतु का एक द्वयादि ग्रह योग।

१२ लग्नों से १२ प्रकार की जन्म पत्रिका—

(१२) २ = १४४

(१२) ३ = १७२८

(१२) ४ = २०७३६

(१२) ५ = २४८८३२

(१२) ६ = २९८५९८४

(१२) ७ = ४४७८९७६०

चार करोड़ सेंतालीस लाख नवासी हजार सात सौ साठ जन्म कुण्डलियों का संग्रह और उनमे प्रत्येक कुण्डली का फलादेश—अपार संग्रह, क्या सम्भव है? सर्वथा मिथ्याप्रचार है कि भृगुसंहिता में समग्र कुण्डलियों का एकत्र समावेश है। यदि है तो वह कहाँ है? यह कोरी कल्पना है। कुण्डलियाँ उक्त संख्या तक हो सकती हैं। विश्व में उक्त संख्या की जन्म कुण्डलियों का एकत्र एक ज्योतिषी के पास होना क्या सम्भव है? यह विषय समाज के अन्धविश्वास पर ही अवलम्बित है।

इत्यादि उपरोक्त विवरण से मेरा सर्व साधारण पाठकों, शिक्षाविदों, विशेषतः सुबुद्ध ज्योतिविद् पण्डितों से फिर भी सानुनय अनुरोध है कि सही माने में यदि भृगु संहिता उपलब्ध है तो वह ऐसी विद्या सम्पत्ति किसी व्यक्ति विशेष के ही पास आज तक क्यों संकुचित होगी? उसकी लिपि कैसी होगी?

फलित ज्योतिष के जातक ताजिक संहिता एवं मुहूर्त ग्रन्थों के अध्ययनाध्यापन के अतिरिक्त फलित ज्योतिष की स्वर शास्त्र शाखा के अध्ययनाध्यापन की ओर प्रवृत्त होने से भी फलित ज्योतिष के यत्र-तत्र सर्वत्र के विकल्पों, वैषम्यों से भी शङ्का अपनी ही जगह पर स्थिर देखी जा रही है।

यतः स्वर ग्रन्थों में भी यत्र-तत्र सर्वत्र विचित्र विरोधाभास देखे जा रहे हैं।

स्वर शास्त्र के बाल, कुमार, युवा, वृद्ध और मृत्यु स्वरों के तथोक्त समयों में स्वरशास्त्रोक्त फलादेश समान रूप से समान नाम के नर-नारी वर्ग के भविष्य पर एक ही रूप का होगा? तो विश्व में एक नाम के सहस्त्रों संख्या के नाम राशि व्यक्तियों का एक कालावच्छेदन एक सा ही फलादेश होना चाहिए किन्तु ऐसा देखा नहीं जा रहा है?

देश भेद से, पर्वत-मैदान-समुद्र-नदियों की विभिन्नता तथा पृथ्वी के ० से

९०° तक के उत्तर दक्षिण अक्षांशान्तरित विभिन्न देशों, नगरों, ग्रामों की रहन-सहन, आहार-व्यवहार उपज जलवायु की विभिन्नता से मानव की आकृति, रहन, सहन, आचार, और व्यवहारों में स्वाभाविक अन्तर होना सही है तो भी उस-उस क्षेत्र के उस-उस फलादेश में अपनी सीमा के भीतर का अभ्युदय या अवनति में समानता होनी चाहिए थी। सो भी संभव कम देखा गया है।

मेरी समझ से जातक की जन्म जन्मादि सूक्ष्म त्रिशांशान्त कुण्डलियों की संख्याओं का आंकलन नहीं किया जा सकता। यदि भृगु संहिता नाम का कोई ग्रन्थ हो तो भी मानव विकास के साथ प्रत्येक मानव की जन्मकुण्डलियों का एकत्र संकलन भी सम्भव नहीं है। एक सौ० १०, २० ''हजार, तक की जन्म कुण्डलियों का संग्रह कोई कर भी सकता है तो वह अनावश्यक है उसका उपयोग सर्वसाधारण के लिए सम्भव नहीं है क्योंकि सृष्टि के प्रत्येक क्षण में सौर मण्डल के परिवर्त्तनशील होने से दस हजार वर्ष के प्राचीन मानव का ही आज के मानव जीवन के साथ समन्वय नहीं हो रहा है तो आगे की शताब्दियों के द्रुतगति के क्षण-क्षण के परिवर्त्तन में उक्त ज्योतिषिक फलित परम्परा कैसे जीवित रह सकेगी? आवश्यक शोध व विचारणीय विषय है।

फलादेश करने के लिए कौन सा इष्ट काल अपेक्षित होना चाहिए?

एक ही सूक्ष्माति सूक्ष्म समय में एक ही स्थल पर जैसे विश्व की महान् से महान् नगरियों में जिनकी आबादी लाखों से करोड़ों तक में हो चुकी है (टोकियो, पीकिंग, कलकत्ता, बम्बई, दिल्ली, पेरिस, लन्दन, शिकागो, वाशिंगटन, न्यूयार्क) उन जगहों पर समान एक अंश के एक स्थल में देशान्तर संस्कार रहित एक ही समय में १०, २०, ३०, ४०······१०० नवजात शिशुओं की उत्पत्ति होती है। और एक शिशु की जन्मपत्री ही सभी की जन्मपत्री हुई तो सभी का रूप, रंग, धन, भाई, मातृ बुद्धि, विद्या, रोग, स्त्री पति, आयु, विचार, सम्मान, सम्पत्ति, लाभ और हानि सभी की एक सी ही होनी चाहिए? और जैसे जन्म एक ही समय में हुआ तो तदनुकूल इष्टकाल के इष्ट से लग्न कुण्डली से सब का निधन समय भी एक ही होना चाहिए?

मैं तो यह भी दृढ़ता से कहूँगा कि २, ३ मिनिट के अन्तर में उत्पन्न दो जुड़वों की एक रूप की जन्म कुण्डली में, थोड़ा सा दशा के वर्षों नहीं मासों के ही नगण्य अन्तर से भी उन दोनों जुड़वा भाइयों या बहनों, या भाई बहनों का कार्य क्षेत्र और जीवन यात्रा में परिपूर्ण विभिन्नता ही परिलक्षित होते आई है। जब कि लग्न होरा द्रेष्काण षष्टयंश प्रभृति कुण्डलियों में एक रूपता भी है।

यद्यपि आचार्य वाराह ने अपनी रचित वृहज्जातक पुस्तिका में जातकों में "प्राप्त राजयोगों से सभी राजा नहीं हो सकते हैं" अनेक जातकों को प्राप्त अनेक विध राजयोगों की प्राप्ति से राजपुत्र को ही राजगद्दी की प्राप्ति होगी" इस प्रकार का समाधान भी दे दिया है। ऐसे स्थल पर वंश परम्पराका स्तर भी देखना आवश्यक बताया है तो इस कथन से भी "ग्रहों की स्थितियों के अनुसार का फलादेश भी संशय रहित नहीं है" ऐसा कहा जा सकता है।

आज के युग में सुख साधक वैज्ञानिक चिकित्सक मानव से प्राकृतिक प्रसव समय में भी परिवर्त्तन कर दिया गया है। जहाँ सप्ताह के भीतर दो चार दिनों में प्रसव(डिलेवरी) का जो प्राकृत समय उसमें होता है उसका पहिले ही किया जाना देखा गया है तो ज्यौतिष शास्त्र से यह भी भविष्य वाणी चाहिए थी कि प्राकृतिक प्रसव समय से पूर्व या पश्चात् के समय में जातक का जन्म हुआ है इत्यादि।

चिगत् बुद्धिगत संशयात्मक विचार के समाधान के लिए जिज्ञासु पाठकों का ध्यान आकृष्ट करने का साहस कर रहा हूँ। वह यथा—

आचार्य वाराह ने अपनी बृहत्संहिता में, विश्व में होने वाले शुभाशुभ, सुभिक्ष-दुर्भिक्ष, युद्ध, युद्ध में जय पराजय आदि के विशद वर्णन के साथ-साथ, उत्पाताध्याय, अंगविद्याध्याय, वास्तुविद्याध्याय, दकार्गलाध्याय, वृक्षायुर्वेदाध्याय, प्रासादलक्षणाध्याय, वज्रलेपाध्याय, गो-अश्व-गज-श्वान-कूर्म छाग, पुरुष-स्त्री प्रभृति अनेक बिषयों के लक्षणाध्यायों में जो-जो विषय निहित किये हैं या लिखे हैं तद्नुसार ज्यौतिष द्वारा ये बातें कितनी सटीक सही उतरती होंगी ? कहा नहीं जा सकता। प्रकारान्तर से आज के मौसम ज्ञान विषय विशेषज्ञों के

द्वारा की जा रही भविष्यवाणियाँ जो प्रायः सत्य भी हो रही हैं तद्नुसार प्राचीन ज्यौतिष ग्रन्थों का आधुनिक शोध विद्या से आधुनिकी करण आवश्यक हो गया है। तथा आज के चिकित्सा विज्ञान से सहयोग लेकर फलित ज्यौतिष का समन्वयात्मक अध्ययन भी सुसाध्य व सर्वोपकारक हो सकता है।

तथा बुद्धिस्थ एक और भी समस्या है जो है जिसका समीचीन समाधान क्या होगा ?

फलित ज्यौतिष विचार का अभीष्ट समय किसे माना जाय ? गर्भगत जीव कालीन इष्ट काल या जन्म समय का अभीष्ट काल ?

भारतीय शास्त्रों में जातक के जन्म से मृत्यु तक के ४८ संस्कारों में प्रथम गर्भाधान संस्कार कहा है जो आवश्यक है।

"गर्भाधानं पुसवनं सीमन्तोन्नयनं जातकर्मनामकरणान्नप्राशनचोलोपनयनानि चत्वारि वेदव्रतानि" इत्यादि (मु० चि० पीयूष २ लो० १)

"पुत्रोत्पत्यर्थमवश्यं सङ्गः कार्यः"।

योग्य पुत्र उत्पन्न करना जीवन का परम उद्देश्य है।

रजोदर्शन स्नान के अनन्तर अपनी धर्मपत्नी के साथ सन्तान प्राप्ति के लिए ज्यौतिष शास्त्रानुसार बताये गये उत्तम शुभ मुहूर्त्त में गर्भाधान करना चाहिए।

जीवमय अनन्त ब्रह्माण्ड से जिस समय जो मानव जीवाणु गर्भस्थ होगा, उस समय के सौर मण्डल की छाप से जो जन्म कुण्डली बनेगी तद्नुसार मनुष्यरूपी जीव किस समय गर्भ से वहिर्भूत होगा ? इस समय का भी विचार वराहाचार्य जैसे महामनीषी मर्मज्ञ आचार्यों ने किया है और वही सही समय को गर्भगत समय की कुण्डली से ही जातक का सारा शुभाशुभ भविष्य विचार होना चाहिए था।

आज के युग में वैदिक संस्कार जो लुप्तप्राय होते जा रहे हैं तो गर्भगत जीव का यथेष्ट समय ज्ञान असम्भव सा ही कहना चाहिए।

दक्षिण भारत के पञ्चद्रविड़ ब्राह्मणो में गर्भाधानादि संस्कार क्व चित्

कदाचित् अभी भी मान्य हैं । और जो सार्थक भो देखे जाते हैं ।

अनेक विधफलादेश की फलित ज्यौतिष की परम्पराओं में सर्वत्र से साम्य होना चाहिए । अनेकविध विसम्वादों से भविष्य ज्ञान में संशय होना प्रत्येक बुद्धिजीवी के लिए भी समस्या हो ही जाती है ।

जैसे–फलित ज्यौतिष के मुहूर्त्त ग्रन्थों का यात्रा प्रकरण का एक लोक विश्रुत भी और विशेष प्रकरण भी है ।

तथैव यहाँ स्वर शास्त्र के ग्रन्थों में भी यत्र तत्र सर्वत्र की यात्रा विषय पर भी विशिष्ट विचार हुआ है। जैसे—

चैत्रादयस्त्रिगुणिता मासास्तत्तिथिसंयुताः ।
नवभक्ता क्रमाज्ज्ञेया शेषा यात्रा नवैव तु ।।

(नरपतिजयचर्या भूवलाध्यय) (श्लोक १३–१६ तक में)

यहाँ पर आचार्य का आशय है कि—

चैत्र से प्रारम्भ कर अभीष्ट मास संख्या को त्रिगुणित कर उसमें वर्त्तमान तिथि जोड़कर ९ से भाग देने से शेष १…९ तक में ९ प्रकार की यात्रा का शुभाशुभ फल विचार किया गया है ।

उस नौ प्रकार की यात्रा का नाम और फल निम्न भांति बताया है ।

(१) निष्फला यात्रा—कार्य विनाशकारिणी ।

(२) राक्षसी—व्याधि प्रदा ।

(३) साधारणी—श्रेष्ठ फलप्रदा ।

(४) हारिणी—मृत्युप्रदा ।

(५) तारिणी—कार्यसिद्धिप्रदा ।

(६) कालयुक्ता—कालप्राप्तिकरा ।

(७) महाबला—राज्यलाभदा ।

(८) ऐन्द्री—हानिप्रदा । और

(९) ऐरावती की यात्रा सम्पूर्ण कार्य साधक होती है । अर्थात् ३, ५, ७, और ९ अवस्था शुभ एवं १, २, ४, ६ और ८ शेष यात्रा के लिए अशुभ कहे गये हैं ।

जैसे मुहूर्त्त ग्रन्थों के आधार से संवत् २०३८ माघ कृष्ण द्वितीया सोमवार ता० ११ जनवरी १९८१ को सर्व दिग्गमन (पूर्व, पश्चिम, दक्षिण, उत्तर) की यात्रा का उत्तम मुहूर्त्त कहना चाहिए। सोमवार होने से यदि पूर्व दिशा की यात्रा में दिक्शूलत्वेन निषेध माना जाय तो शेष दिशाओं की यात्रा श्रेष्ठ है।

यहाँ पर स्वर शास्त्रीय यात्रा पद्धति से चैत्रादि मास संख्या=१ को ३ से गुणा करने से ३ होता हैं इसमें वर्त्तमान तिथि द्वितीया की संख्या २ जोड़ने से ५ और ५ में ९ का भाग देने से शेष ५ ऐन्द्री की यात्रा कार्य सिद्धि प्रदा होजाती है !

आचार्य का वर्त्तमान तिथि से तात्पर्य यदि पूर्णान्त मास माना जाय तब तो वर्त्तमान तिथि २ ही होगी।

अमान्त मास "अमान्तादमान्तं यावद्विधोर्मासः" से भी समन्वय में संशय ही पैदा हो रहा है ? वर्त्तमान तिथि १७ होती है। ३ में १७ जोड़ने से २० होता है २०÷९ से शेष २ बचता है जिसका यात्राफल व्याधि प्रदा होता होगा ?

यतः ग्रह गणित सिद्धान्त ग्रन्थों में "मधोः सितादेः" से चैत्र शुक्ल प्रतिपद् से वैशाख शुक्ल प्रतिपद् तक मास संख्या १ मानी गई है अर्थात् चैत्र शुक्ल प्रतिपदा से वैशाख कृष्ण अमावस्या तक १ महीना कहा गया है यही अमान्त मास भी है। स्वर शास्त्रीय उक्त विसम्वाद विचार परम्परा का समन्वयात्मक कोई सुनिर्णय होगा। पाठकों को ध्यान दिलाता हूँ।

श्री नीलकण्ठ दैवज्ञ विरचित ताजिक नीलकण्ठी ग्रन्थ के प्रश्न तन्त्राध्याय के प्रारम्भ में

> दैवज्ञस्य हि दैवेन, सदसत्फलवाञ्छया।
> अवश्यं गोचरे मर्त्यः सर्वः समुपनीयते ॥ १ ॥
> अश्रौषीच्च पुरा विष्णोर्ज्ञानार्थे समुपस्थितः।
> वचनं लोकनाथोऽपि ब्रह्मा प्रश्नादि निर्णयम् ॥ २ ॥

अदृष्ट भविष्य को ज्यौतिष शास्त्र की सहायता से प्रत्यक्ष करने वाले

विद्वान् ज्योतिषी का नाम 'दैवज्ञ' कहा है।

मानव मात्र की जन्म कुण्डली नहीं होती है और सर्व साधारण मानव का जन्म कुण्डली के अभाव से प्रश्नकर्त्ता के अभीष्ट समय के प्रश्न या शकुन वह सर्वांश सही होता है "दैवं तच्चित्तगं स्फुरति" अदृष्ट दैव या भविष्य, दैवज्ञ के चित्त में आता है तदनुसार वह भविष्य वाणी सही होती है। सही भविष्य तो दैवज्ञ द्वारा भी ज्ञात नहीं हो सकता। सर्व जन हिताय एवं विश्व कल्याणाय ही शास्त्र ज्ञान आवश्यक है। तो उक्त अनेक विचार धाराओं की ऐसी परिस्थितियों में शास्त्र विचार पर सङ्कोचभय होता है कि क्या यह विसम्बादात्मक नहीं है ? इत्यादि जब कि प्रश्नकालीन लग्न से ही अज्ञात जन्म, नाम, नक्षत्र, राशि के मानव के भविष्य ज्ञान के लिए भी ज्योतिष शास्त्र में अत्यन्त विशाल और व्यापक व्यवस्था का वर्णन किया गया है।

वह है, अपने भविष्य ज्ञान के जिज्ञासु मानव की दैवज्ञ से अपनी जिज्ञासा व्यक्त करने का सूक्ष्म समय जिसे प्रश्न समय कहा जाता है और इसी आधार से ज्यौतिष शास्त्र द्वारा प्रश्न रूप समय को जन्म कुण्डली तैयार कर भविष्य विचार करना चाहिए।

नीलकण्ठी ग्रन्थ के टीकाकार श्री विश्वनाथ दैवज्ञ ने उक्त "प्रश्नादि निर्णयम्" से प्रश्न+आदि की व्याख्या में 'स्वरशास्त्र' एवं शकुन शास्त्र से अज्ञात जन्म समाज के भविष्य विचार की पद्धति स्वीकार की है।

इसके अतिरिक्त भी जहाँ ज्यौतिष के कोई भी साधन उपलब्ध नहीं हैं तो श्रौत स्मार्त कर्मानुष्ठानरत स्वच्छवृत्तिक त्यागी, तपस्वी, शान्त, दान्त, महा-मनीषी ज्योतिषी जो अर्थ (द्रव्य) को, अनर्थ का हेतु समझता है उसके पवित्र मस्तिष्क में तीनों काल (भूत, भविष्य और वर्त्तमान) प्रत्यक्ष है ऐसे महापुरुष से अपने भविष्य की कामना से पूछने पर उसकी जैसी भी वाणी प्रकट होती है वह सटीक सही होते देखी गई है।

ज्यौतिष के स्वर शास्त्र के अनेक ग्रन्थ हैं, रुद्र यामल, विष्णु यामल ब्रह्मयामलादि पञ्चक ग्रन्थों के अतिरिक्त "नरपति-जय-चर्या" और "समर

सार" ग्रन्थ वर्त्तमान में उपलब्ध हो रहे हैं। उपलब्ध नरपति जयचर्या ग्रन्थ में आचार्य के आदि के "पूर्वमुक्तेषु शास्त्रेषु मया ज्ञातानि यानि च" इस कथन से कथित समग्र विषय उक्त ग्रन्थ में मेरी समझ से शायद ही उपलब्ध हो रहे हैं।

इस प्रकार के ज्यौतिष ग्रन्थों का सदुपयोग प्राक्कालीन राज्य सञ्चालन परम्पराओं के युद्ध महायुद्धादि में वाहुल्येन होता रहा हैं।

युद्ध में विजय प्राप्ति के लिए स्वर शास्त्र का ज्ञान विशेष महत्त्व रखता है।

"पत्यश्वगजभूपालैः सम्पूर्णा यदि वाहिनी।
तथापि भंगमायाति नृपः हीनबलोदयी।"

तथा

"दशैकेन शतं तैश्च सहस्त्रं शत संख्यया।
स्वरोदय बली राजा दशघ्नं हन्ति लीलया।"

अर्थात

बहुत बड़े-बड़े घोड़े, हाथी आदि जल, स्थल, नभ, सैन्य बल के बावजूद स्वर शास्त्रज्ञ विद्वान् दैवज्ञ का अभाव, पराजय का भयसूचक होता है। क्योंकि युद्धारम्भ का समय, भूमि, दिशा से (पूर्व पश्चिमदक्षिणोत्तर आदि किस दिशा से) युद्धारम्भ का सेनापति को आदेश देने का कार्य स्वरज्ञ ही करेगा।

स्वर सञ्चालित समय के युद्धारम्भ में अपना एक योद्धा दुश्मन के १० योद्धाओं, १० से १०० योद्धाओं अपने मात्र एक सौ योद्धाओं से दुश्मन के १००० एक हजार योद्धाओं का सरलता से पराजित कर सकता है। इत्यादि अनेक स्थल पर स्वर ज्ञान का विशेष महत्त्व के साथ आचार्य ने इस ग्रन्थ में मात्रादि ८ स्वर; सूक्ष्म के मिनटादि समय से १२ वर्ष तक का स्वर विचार, सर्वतोभद्र-शतपद-अंश छत्र-चामर- अश्व पति······सिंहासन चक्र कूर्मादि अनेक चक्र प्रस्तार तुम्बुरु प्रभृति सैकड़ों चक्रों से शुभाशुभ समय ज्ञात किया है।

तथैव

भू बल में ओड़ीं, जालन्धरी, पूर्णा, कामाख्या······जया विजया भूमि···

चण्डी भूमि······मृता भूमि······इस प्रकार सौ से अधिक प्रकार की शुभा-भूमि का विचार किया है ।

तथा दिन से क्षण-क्षण तक की चन्द्र गति सञ्चार से शुभाशुभ योगिनी··· विचार किया है ।

अन्त में तन्त्र शास्त्र का संक्षिप्त उल्लेख भी आचार्य ने बताया है ।

मृत्युञ्जय मन्त्र विधि

राज्याभिषेक, रणदीक्षा, खड्ड मन्त्र, फलक मन्त्र, धनुर्मन्त्र, पञ्चवाण मन्त्र, कुन्त, छुरिका, रणकंकण, जय व वीरपट्ट विधि, मृत्युञ्जय कवच, औष-धियाँ उनके नाम, नाना प्रकार के युद्ध कौशल शास्त्र, विद्वेषण विधि, शत्रु उच्चाटन, शत्रु वशीकरण, हनूमतपताका मन्त्र, शत्रु भंग विधि और ग्रहों के मन्त्र और ग्रहों के ग्रह शान्ति के उपाय से ग्रन्थ का समापन किया गया है ।

इस लघु ग्रन्थ में उक्त सभी का उल्लेख व्याख्यादि अल्प समय, वार्धक्य अधिक श्रमसाध्य होने से कतिपय नरपति जय चर्या ग्रन्थ के महत्त्व के विषयों को लेकर इस लघु ग्रन्थ का यह प्रकाशन ज्योतिष पाठकों के लिए उनका इस ओर भी ध्यान आकृष्ट करने का साहस किया है।

जिस प्रकार जातक ग्रन्थों में एक जातक की

"होरायां वै सम्पदाद्यं सुखञ्च", "द्रेष्काणे स्याद्भावजं भातृसौख्यम्", स्यात्सप्तमांशे सन्ततिः पुत्र-पौत्रिकी", नूनं नवांशे तु कलत्र सौख्यमित्यादि फलादेश के लिए एक ही लग्न के अनेकों विभागों से फलादेश कहने का प्रशस्त मार्ग बताया गया है । संकलन करने से,

जन्मादि १२ लग्नों की

मात्र लग्न की ग्रह स्थिति से—फलादेश विधि	१ × १२ = १२
लग्न की होरा लग्न विचार से ,, ,,	२ × १२ = २४
द्रेष्काण··· ··· ···	३ × १२ = ३६
चतुर्थांश··· ··· ···	४ × १२ = ४८
पञ्चमांश··· ··· ···	५ × १२ = ६०
षष्ठांश··· ··· ···	६ × १२ = ७२

सप्तमांश··· ··· ···	७ × १२ = ८४
अष्टमांश··· ··· ···	८ × १२ = ९६
नवमांश··· ··· ···	९ × १२ = १०८
दशमांश··· ··· ···	१० × १२ = १२०
एकादशांश··· ··· ···	११ × १२ = १३२
द्वादशांश··· ··· ···	१२ × १२ = १४४
	९३६

समग्र द्वादशवर्गी कुण्डलियों का संकलन—

यदि त्रिशांश (३० विभाग) और षष्ठांश = ६० विभागों के संयोग से

१२ × ३०+१२ × ६० = १०८०

१०८० संख्या को उक्त ९३६ में मिलाने से यह संख्या २०१६ होती है। अर्थात् एक ही जातक की भविष्य फलादेश करने के लिए २०१६ प्रकार का विचार आवश्यक हो जाता है। यदि लग्न की तरह अन्य ग्रहों की राशियों को लग्न मन कर उनसे ग्रहहोरादि- अनेक कुण्डीलयाँ भी वन सकती हैं। क्योंकि फलित ग्रन्थों में लग्नात् शुक्रात् भी कहा है।

ऐसे ही स्वर शास्त्रों में भी फलादेश के अनेक प्रकार उपलब्ध हो रहे हैं। यथा—

प्रत्येक से बाल कुमार, युवा, वृद्ध और मृत्यु सम्बन्धी विचारों में मात्रादि स्वरों से— ५ विभाग

इसी प्रकार मात्रा वर्ण ग्रह जीव राशि-भ-पिण्ड-योगान्त अष्टविध स्वरों से बाल-कुमार-युवा-वृद्ध-मृत्यु ८ × ५ = ४० विभाग

एक स्वरोदय काल में पाँचों स्वरोदय काल से पांचों में	५ × ५ = २५ विभाग
एक विध में २५ तो आठों में	८ × २५ = २०० विभाग
पाँचों स्वरों में प्रत्येक की १२ अवस्थाओं से	१२ × ५ = ६० विभाग
इस प्रकार आठों स्वरों को वालादि अवस्था से	६० × ८ = ४८० विभाग
	८०५

प्रत्येक स्वर में उस स्वर के भोग काल का	
एकादशांश उस स्वर का अन्तर काल होने से	१ × ११ = ११
एवं ५ में	११ × ५ = ५५
एवं आठों में	५५ × ८ = ४४०
तथा	१३११

इस प्रकार परिष्कार से स्वरोदय विचार के लिए भी अनेकों पद्धतियाँ हो रही हैं।

स्वर दशाओं का विचार जहाँ एक सीमा तक है वहाँ जातक शास्त्रों की अनेक विध दशाओं से भविष्य विचार करने की आज्ञा होती हैं।

जातक शास्त्रों में "कलौ विंशोत्तरी मता" से विंशोत्तरी दशा की मान्यता पाराशर ग्रन्थानुसार कही गई है।

किन्तु भारत वर्ष के कुछ अन्य प्रान्तों में अष्टोत्तरी दशा से फलित विचार की परम्परा आज भी अवाध प्रचलित है।

भारतवर्ष के विभिन्न प्रान्तों में अन्य दशायें भी बाहुल्येन व्यवहार में देखी जा रही हैं। इनका संकलन भी अनेक में होगा। मुख्यतया, १-विंशोत्तरी, २-अष्टोत्तरी, ३-कालचक्री, ४-त्रिभागी, ५-योगिनी जैमिनीय सूत्र की, वृहज्जातक की इत्यादि अनेक दशाओं से विचार हुआ है यदि उक्त सभी दशाओं का शास्त्रकारों के अनुसार विचार करने से प्रत्येक दशा की गणित साधन क्रिया पृथक् पृथक् होने से एक ही जातक में प्रत्येक ग्रह की दशाओं में एक ही समय में सू०, चं०, मं०, बु०, गु०, शुक्र, शनि और राहु, केतु की दशा का भोग हो जाना अत्यधिक सम्भव है तो ऐसी जटिल समस्या का समाधान क्या होना चाहिए ? यह भी एक विचारणीय विषय है, साथ ही समग्र विश्व में नहीं तो विशेषतः भारत देश में ज्यौतिष शास्त्र की एक विध सरणी का उपयोग क्यों नहीं होता होगा ? विचारणीय है।

इसलिए इस ग्रन्थ में (स्वर शास्त्रीय नरपति जयचर्या) "राशि तुम्बुरु चक्र, द्रेष्काण वेधादि चक्रों से उद्धृत, नष्ट, लुप्त, खोई हुई वस्तु के ज्ञान के

लिए या चोरी गई वस्तु का पता लगाना और चोर का नाम भी ज्ञात कर लेने के लिए यत्र तत्र सर्वत्र तात्कालिक चन्द्र साधन से चोर नाम स्पष्टहोता है" कहा गया है।

अर्थात् प्रश्नकालीन इष्ट समय में चन्द्रमा का तात्कालिकीकरण कर उस चन्द्रमा के नक्षत्र से वेधादि समझकर उक्त चक्रों में स्थापित अक्षरों को मिलाकर उन वर्णों से जो नाम हो सकता है उस नाम का चोर का नाम कहा गया है। अर्थात् एक नक्षत्र के भोग समय में २७ नक्षत्रों को समझकर इष्टकालीन सूक्ष्म चन्द्र एवं नक्षत्र का ज्ञान किया गया है।

इसी प्रकार तत्काल चन्द्रमा की तरह नवों ग्रहों का तात्कालिकीकरण पूर्वक उक्त चक्रों में ग्रह वेधादि द्वारा चोरी गई या नष्ट हुई या परहस्तगत वस्तु व चोर का रूप रंग दिशा अवस्यादि का सूक्ष्म विचार मेरी बुद्धि से अन्य शास्त्रों के विचारों की अपेक्षा अधिक महत्त्व का है।

इस प्रकार ९ ग्रहों के तात्कालिकीकरण पूर्वक विचार करने से अत्यन्त सूक्ष्म गणित की उपादेयता में आचार्य का विशेष ध्यान रहा है।

इस प्रकार के परिष्कारों से यहाँ भी फलादेश की अनेक विधियाँ उपलब्ध हो रहीं हैं।इत्यादि

इस लिए यह भी जो अनेक विध विसम्बादों से मुक्त नहीं है।

अतः इस प्रकार के अनेक विवादों विकल्पों के बावजूद फलित ज्योतिष के लिए कोई निश्चित नियम न हो सकने से फलित कहने से मेरा मन अत्यन्त संकुचित होता रहा है। जो कि गणित एवं फलित ज्योतिष, मनुष्य मात्र के कल्याण हेतु पग-पग पर पथ-प्रदर्शक है किन्तु इसीलिए आजकल के जीवन में जन-साधारण की आस्था इन विषयों पर से हटती जा रही है इस अनास्था का कारण केवल आधुनिक पदार्थवादी अथवा घोर यथार्थवादी दृष्टि ही नहीं है अपितु ज्योतिष विद्या के वास्तविक मर्मज्ञों की संख्या कम होते जाना भी है। फलित ग्रन्थों में भी ऐसे विरोधाभास प्रतीत होते हैं, जिनके कारण भविष्य की घोषणायें समय पर घटित नहीं होती अथवा उनके परिणाम विपरीत देखे जाते हैं।

उदाहरणार्थ यात्रा करने के लिए जो शुभ मुहूर्त घोषित किये गए है, उन्हीं में दुर्घटनाएँ हो गई हैं। जिन तिथियों में विशिष्ट दिशा की ओर गमन वर्जित हैं, उधर जाने पर कोई दुष्परिणाम नही हुआ। इसी प्रकार वर-वधू का विवाह करने के लिए आजकल कुण्डली में हेर-फेर करना साधारण सी बात हो चली है इसमें भावी जीवन संघर्षमय या अशान्तिमय हो गया है, अथवा कुण्डली के अनुसार विवाह अनुचित है किन्तु विवाह कर लेने पर वैवाहिक जीवन बड़ा सुखद है। मैंने तो यहाँ तक देखा है कि कन्या की ग्रहदशा में कहीं वैधव्य योग नहीं लिखा फिर भी विवाहोपरान्त एक दो वर्षों में वह विधवा हो गई ऐसी घटनाओं को देखकर हम इस निष्कर्ष पर पहुँचते हैं कि ज्योतिष ग्रन्थों में भी कहीं गणित फलित सम्बन्धी अशुद्धियाँ हैं, जिसके फलस्वरूप ठीक भविष्य फल ठीक समय पर नहीं लगते अतः मूल ग्रन्थों में भी आवश्यकतानुसार संशोधन होने चाहिए।

ज्योतिष विषय जनसाधारण की उदासीनता का एक मुख्य कारण यह प्रतीत होता है कि इसके नियमों में सार्वकालिक एकरूपता नहीं पाई जाती। जैसे उत्तर भारत में विवाह के जो मास नियत हैं किन्तु दक्षिण भारत या पञ्जाब या बंगाल में ऐसे कोई मास उक्त अनुक्त नहीं है। भारतीय ऋषियों का यह भी वचन है कि विवाह सार्वकालिक होने उचित हैं, फिर भी कुछ मास अनुक्त घोषित कर दिए जाते हैं। फिर उन्हीं के भीतर शुभ मास खोज लिए जाते हैं। होना यह चाहिए कि ज्योतिष के नियम व्यापक रूप से सभी स्थानों पर समान रूप से लागू हों, अच्छे दिनों में कोई शुभ कार्य कराने में कोई हानि नहीं, अर्थात् अमावस्या, संक्रान्ति, ग्रहण भद्रा व्यतिपात रिक्तादि दोषों जैसे दिहों को छोड़कर शेष समयों में शुभ कार्य कहीं पर भी जनता विशेष की सुविधानुसार करने में कोई हानि नहीं। इससे ज्योतिष ग्रन्थों में जनसाधारण की रुचि बढ़ेगी ही।

मैं तो व्यक्तिगत रूप से ज्योतिष का क्षेत्र केवल दशा, स्वर और मुहूर्तों के गणित फलित आदि तक ही सीमित नहीं मानता जैसा कि प्रायः समझा जाता है। वैयक्तिक भविष्य घोषणाएँ तथा दूरानुभूति जैसे विषय भी ज्योतिष

के अन्तर्गत समाविष्ट हो जाते हैं, कुछ व्यक्ति विशिष्ट यौगिक सिद्धियों के आधार पर सुदूर भविष्य तक की घटनाओं को देख लेते हैं और तत्सम्बन्धी भविष्यवाणियाँ सिद्ध कर देते हैं। ऐसी भविष्यवाणियाँ सही हो जाती हैं, यह सिद्धि प्रदत्त ज्ञान आगामी घटनाओं का अनुमान जिन कल्पनाओं द्वारा किया जाता है वह ज्योतिष विद्या के गणित का एक विशिष्ट प्रकार है। अतः आवश्यकता इस बात की है कि तत्सम्बन्धी ग्रन्थों के नियमों मे एकरूपता लाई जाय और सरल भाषा में इनका बोध जनसाधारण तक पहुँचाया जाये तभी ज्योतिष की महत्ता और उपयोगिता ठीक समझी जा सकती है। अतः इस प्रकार के वक्तव्य की ओर भी अध्येतृ वर्ग का ध्यान आकृष्ट करते हुए उक्त अपने संक्षिप्त अनुभवों की चर्चा के साथ उक्त विनम्र निवेदन भी पाठकों के सामने रखकर मनस्तोष करता हूँ।

इस लघु ग्रन्थ में व्यक्ति के नाम के मात्रादिक आठ स्वर (मात्रा, वर्ण, ग्रह, जीव, राशि, नक्षत्र, पिण्ड और योग) आठ काल

१ घटी = $\frac{\text{१ घण्टा} \times \text{२}}{\text{५}} = \frac{\text{६०}' \times \text{२}}{\text{५}}$ = २४ मिनट, दिन (तिथि) पक्ष, मास, ऋतु, अयन, वर्ष, १२ वर्ष तथा मानव जीवन के तत्तत्समय की ५ अवस्थाओं, (बाल-कुमार-युवा-वृद्ध और मृत्यु) तथा ५ तत्वों (पृथ्वी, जल, तेज, वायु और आकाश) के आधार पर गणित के माध्यम से इस स्वर विज्ञान को सरल ढंग से समझाने का प्रयास इस ग्रन्थ में किया गया है।

इस लघु ग्रन्थ में प्रायः तीन विभाग हैं। प्रथम में स्वर साधन की पृष्ठ भूमि एवं उदाहरण स्वरूप दिए गए प्रसिद्ध एवं अप्रसिद्ध व्यक्तियों के नामों के आधार पर, उसकी प्रक्रियाओं, का तर्क-सम्मत विश्लेषण परिचय, दूसरे विभाग में प्रमाण स्वरूप दिये गए उक्त सभी इससे कुछ अधिक व्यक्तियों के नामों के सभी स्वर उनके साधन तथा कारण कार्य सम्बन्ध को स्पष्ट किया गया है। साथ ही साथ इस सम्बन्ध में विद्वानों के हृदय में उठने वाली शङ्काओं का समाधान भी करने का पूर्ण प्रयत्न किया गया है। उदाहरण स्वरूप दिए गए व्यक्तियों के नामों के स्वर साधन में त्रुटि हुई होगी यदि

वास्तव नाम कुछ और होंगे जिनकी लेखक को जानकारी नहीं थी तो ऐसी स्थिति में फलादेश लक्षित व्यक्तियों को रुचिकर न होगा, तथापि स्वरसाधन प्रक्रिया तो निर्दोष ही रहेगी। ऐसी स्थिति में सहृदय पाठक क्षमा करेंगे। आशा है उनसे प्राप्त निर्देशों से उक्त परम्परा का विशेष विकास होगा।

तृतीय विभाग में भारत, नयपाल, चीन और पाकिस्तान चार राष्ट्रों तथा भारत की राजधानी दिल्ली एवं काशी हिन्दू विश्वविद्यालय के १५ अगस्त १९६८ के झण्डाभिवादन समय से भविष्य का भी फलाफल दिया गया है।

इस ग्रन्थ में दो परिशिष्ट भी हैं। प्रथम—रोचक ढंग से मानव जीवन के साथ ज्योतिष के सम्बन्ध को स्पष्ट करने के उद्देश्य से रखा गया है। द्वितीय परिशिष्ट ज्योतिष-शास्त्र की अटूट परम्परा का परिचय प्रस्तुत करता है।

यद्यपि इस शैली के ज्योतिष ज्ञान के लिए गुरुमुख से ही ज्ञान प्राप्त करके पारङ्गत हुआ जा सकता है।

"पिण्डं पदं तथा रूपं रूपातीतं निरञ्जनम्।
स्वरभेदस्थितं ज्ञानं ज्ञायते गुरुतः सदा"॥

तथापि श्री गुरु कृपा से इस ग्रन्थ के (द्वितीय) इस संस्करण में यथाशक्ति जो समझ में आया कएक आवश्यक विषयों का भी यथा स्थान सन्निवेस किया गया है, जिसमें पाठकों एवं फलित विषयक भविष्य वक्ताओं का विशेष लाभ होगा, तथा यथा स्थान यथा समय यथेष्ट फलादेश के लिए ग्रन्थोक्त शैली का सदुपयोग होगा। इस प्रणयन में पूरा प्रयास किया है कि यह जन साधारण के लिए भी सहज बोध गम्य हो जाय, और मुझे पूरा विश्वास है कि यदि इस लघु ग्रन्थ को एक बार भी पढ़ कर पाठक मनन और चिन्तन करेंगे तो अवश्य ही इससे लाभान्वित होंगे।

स्नानसन्ध्यानित्यहोमश्राद्धयज्ञजपादि कर्मरत कूर्माञ्चलीय स्वरशास्त्र-साधक, समीचीन स्वभाव के वयोवृद्ध ब्राह्मणर्य श्री पं० पीताम्बर त्रिवेदी कुञ्जपुर अल्मोड़ा निवासी ने, इस द्वितीय संस्करण को यथाशक्ति सविशेष परिवर्द्धित कराने की मुझे प्रेरणा दी अतः उनका आभारी हूँ।

रोग ग्रस्त शरीर के साथ इस वार्धक्य में अस्पष्टता विस्मृति विशेष होने और शारीरिक इन्द्रियों की क्षीणता के विद्यमान होते हुए भी मुझे इस धर्म-प्रसार कार्य में संलग्न करने की प्रेरणा का श्रेय प्राच्य विद्या भण्डार प्रकाशक श्री मोतीलाल बनारसीदास को है। जो धन्यवाद के पात्र हैं।

यदि इस ग्रन्थ ने ज्योतिष शास्त्र के स्वर विज्ञान को जन साधारण तक पहुंचाने में किञ्चित् भी योग दिया और एक भी व्यक्ति ने इससे लाभ उठाया तो मैं अपना प्रयास सफल समझूंगा।

उपरोक्त तथ्यों के आधार पर यत्र तत्र त्रुटियों का होना स्वाभाविक है, अतः जिज्ञासु पाठक ऐसी त्रुटियों के लिएं मुझे अवश्य क्षमा करेंगे, आशा है।

हरि-हर्ष निकेतन
१/२८ नगवा, (नलगांव) वाराणसी—२२१००५
सं० २०३८ मार्गशीर्ष शुक्ल पूर्णिमा
शुक्रवार रोहिणी ११-१२-१९८१

श्री केदारदत्त जोशी

ज्यौतिष में स्वर विज्ञान

विषय सूची

यह सम्पूर्ण ब्रह्माण्ड अनेक प्रकाशमय पिण्डों (ज्योतिष्क पिण्ड) का समूह है, जिसकी संघटना से ही सृष्टि की स्थिति है। ये सूर्य चन्द्र तारक आदि ज्योतिर्मय पिण्ड चिरन्तन काल से मानव मात्र के आकर्षण किंवा कौतूहल के विषय रहे हैं। आदि मानव ने कदाचित् इन चमकते हुए तत्त्वों को देखकर न जाने कैसे-कैसे अटकल लगाए होंगे। ज्ञान विज्ञान की प्रगति ने उसकी इस कौतूहल प्रेरित जिज्ञासा को दिन दूनी रात चौगुनी गति से बढ़ाया। कभी तो उन्होंने इन प्रकाश पुजों की स्तुति की, कभी उन्हें मानवी आकृति युक्त दैवी शक्ति का प्रतीक मान अनेक मधुर सम्बन्धों की कल्पना की, और सूर्य चन्द्र, उषा की स्तुतियों द्वारा अपनी अभिवृद्धि की प्रार्थना की। वेदों की ऋचाओं में ही अनेक ग्रहों के संचालन गति, स्थिति के विषय में स्पष्ट निर्देश किया गया है। वैदिक ऋषियों ने ही ज्योतिष्क पिण्डों के अध्ययन को अपने चिन्तन का मुख्य विषय बनाया। यही नहीं ब्रह्म के स्वरूप को ही ज्योतिष्क के नाम से अभिहित किया गया है। जिसे सम्वत्सरात्मा और महाकाल ब्रह्म भी कहा गया है। उसी अक्षर रूप सम्वत्सरात्मा ब्रह्म के सृष्टि मूल बीज अक्षरों या कलाओं को एक-एक करके जानना ही ज्योतिष विद्या है। स्थूल प्रचलित अर्थों में इस प्रकार खगोल के अनेक ज्योतिर्मय पिण्डों (ग्रहों) के संचालन का अध्ययन तथा उनका सचराचर प्रकृति पर पड़ने वाले तत्तत् प्रभावों से मानव को परिचित कराना, साथ ही विशेषकर मनुष्यों के क्रिया कलापों पर अनेकानेक ग्रहों के सुप्रभाव व कुप्रभाव को बतलाते हुए भावी जीवन के लिए निश्चित गति विधि के स्पष्ट निर्देश के साथ उसका मार्गदर्शन करना ही ज्योतिष विद्या भी बताई है।

इस प्रकार स्पष्ट है कि ज्योतिष-शास्त्र की अध्ययन सामग्री ग्रह संचालन और उसका सचराचर प्रकृति पर पड़ने वाले प्रभावों का अध्ययन है। यहाँ ग्रहों के विषय में थोड़ा बहुत विचार करना अपेक्षित हो जाता है। ज्योतिर्विदों के अनुसार सूर्य ही एक प्रमुख ग्रह है जिसके चुम्बकीय आकर्षण से समस्त ग्रह बँधकर अपनी अलग-अलग नियत कक्षा में उसकी परिक्रमा करते हैं।

आधुनिक तरंग विज्ञान वेत्ताओं के अनुसार "सूर्य से प्रकाश हमको विद्युत-चम्बक (Electro magnetic) की तरंग गति (Wave Motion) के द्वारा अप्रमाणिक माध्यम से (Hypothetical) ईथर (ether) के द्वारा प्राप्त होता है। इन किरणों की उत्पत्ति (Origin) सूर्य किरणों के भीषण चहल-पहल के कारण (हलचल) (Violent disturbances) परिणाम-स्वरूप होता है जो कि उसमें अत्यधिक तापमान पर (high temperature) हो रहे हैं। (Atom and molecules) परमाणु और अणु जो कि सूर्य में विद्यमान हैं, आपस में प्रत्येक दिशा में टकराते हैं जिससे अणु का एक और छोटे हिस्से (electrons) अपने वास्तविक स्थान से च्युत होते जाते हैं। ऐसे अणु परमाणु "Atoms excited" कहलाते हैं ये (excited atoms) अपने स्थान पर क्षण से भी कम समय (fraction of a second) में वापिस लौट आते हैं।[1]

सूर्य अपने प्रकाश और चुम्बकीय शक्ति से सम्पूर्ण ग्रहों को उद्भासित और आकर्षित किए हुए है। सम्पूर्ण ग्रहों के सूर्य की परिक्रमा करने से ही उन्हें सौर मण्डल के नाम से जाना जाता है। जो कुछ ग्रह सूर्य से ऊपर स्थित हैं और कुछ नीचे या दाहिने या बायें। सूर्य के ऊपर मंगल ग्रह अपने परिवार के बृहस्पति शनि ग्रहों के साथ सूर्य की परिक्रमा करता है सूर्य के नीचे पृथ्वी अपने परिवार के चन्द्र, बुध, शुक्र ग्रहों के साथ सूर्य की परिक्रमा करती है। ध्यान रहे कि जिस प्रकार चन्द्रमा पृथ्वी बुध और सूर्य की परिक्रमा करते हैं, उसी प्रकार सूर्य के ऊपर के ग्रहों में मंगल बृहस्पति और शनि भी सूर्य की परिक्रमा करते हैं। इसी क्रम से सूर्य का प्रकाश भी तत्तत् ग्रहों पर पड़ने से उनकी समीप और दूरी क्रम से प्रकाश मात्राओं में भी अन्तर पड़ता है। जिसमें सूर्य से उस ग्रह की दूरी और सामान्य जन की प्रतीति के लिए पृथ्वी से उस-उस ग्रह की दूरी का ज्ञान भी प्रमुख है। उक्त ग्रह

---

१. सिद्धान्त शिरोमणो ग्रहगणिताध्यायः की भूमिका पृ० ९१ सम्पादक केदारदत्त जोशी।

क्रम से दिनों का नामकरण भी किया गया हैं। (जो रवि, चन्द्र, मंगल, बुध, बृहस्पति, शुक्र और शनि) ।[१]

यही नहीं अनेक छोटे-छोटे चमकते हुए असंख्य पिण्ड अनन्त आकाश में ग्रहों की परिक्रमा करते हैं, जो दिखाई देते हैं उन्हें उपग्रह कहते हैं। आधुनिक खगोल वेत्ताओं ने यूरेनेस,नेप्च्यून,प्लूटो आदि उपग्रहों की भी खोज की है। सम्भवत: वैदिक परम्परा में इनका अतिरविज (शनि से आगे) और वरुण (पाशी) भी कहा गया होगा। साथ ही कुछ प्रसिद्ध तारक समूह जिन्हें नक्षत्र कहते हैं। यों तो नक्षत्र समूह अगणित हैं तथापि चन्द्रमा के या ग्रह कक्षाओं के परिभ्रमण मार्ग में पड़ने वाले प्रमुख अश्विनी भरणी आदि प्रसिद्ध २७ नक्षत्र माने गए हैं। इन सत्ताईस नक्षत्रों के समीपवर्ती अन्य कई नक्षत्र समूह की विशिष्ट आकृतियां दिखाई पड़ती हैं। जिनके अनुरूप मेषादि बारह राशियाँ स्थिर की गई हैं। चन्द्रमा और सूर्य आदि सभी ग्रह इन बारह राशियों एवं २७ नक्षत्रों पर से गुजरते हैं। जिससे वर्ष, मास, ऋतु पक्ष और दिनमान निकलता है। इसी विवेचना से प्रधानत: सौर मास, चाद्रमास अनेक ग्रहों के सम्बन्ध से अनेक प्रकार वर्षादि की गणना चल पड़ीं। अस्तु इस विशद संद्धान्तिक जटिलता में न उलझकर (जो कि सिद्धान्त ग्रन्थ की भूमिका में हम वर्णन कर चुके हैं) इन ग्रहों, नक्षत्रों और राशियों के प्रभाव पर विहंगम दृष्टि डालते हुए विषय की स्थापना करना चाहते हैं।

इन ग्रहों, नक्षत्रों और राशियों का सचराचर मात्र प्रकृति पर व्यापक प्रभाव स्पष्ट दिखाई पड़ता है। उनके संचालन से पृथ्वी के तल पर अनेक परिवंतन जैसे–भूकम्प, उल्का, दिग्दाह, अनावृष्टि, अतिवृष्टि जैसे—अकस्मिक अघटित घटनाएं घटती है। साथ ही मानव समाज में अकाल महामारी आदि के संकट उपस्थित होते दिखाई पड़ते हैं। यही नहीं सामान्य मानव की जीवनचर्या बहुत कुछ ग्रहों के संचालन से प्रभावित होती है। यही

---

१. विशेष अध्ययन के लिए देखिए-सिद्धान्त शिरोमणि भूमिका केदारदत्त जोशी पृ० ९४

कारण है कि कभी वह दर-दर की ठोकरें खाता फिरता है तो कभी समाज में अत्यधित सम्मान सम्पत्ति और सुख का उपभोग करता दिखाई पड़ता है। सूर्य, चन्द्र आदि ग्रहों के गुणों की तात्विक मीमांसा से कुछ अन्न तथा वस्तुएँ भी सम्बन्धित की गई हैं। जैसे—सूर्य ताम्रवर्ण, माणिक्य, से चन्द्रमा श्वेत मुक्ता से, मंगल-प्रवाल (मूंगा) बुध-दूर्वा, गुरु पुष्पराग (मणि) शुक्र, हीरा, शनि, निर्मल नीलम से सम्बन्धित किया गया है। यही नहीं उन ग्रहों के तत्तत् गुणों की भी निश्चित विवेचना की गई है जिसके अनुसार, सूर्य को आत्मा, चन्द्रमा को चित्त अन्तःकरण, मंगल को सत्त्व बल, बुध को वचन, बृहस्पति को विज्ञान सार, शुक्र को काम और शनि—को दुःख रूप कहा गया है

ज्योतिष शास्त्र के तीन स्कन्ध——

खगोल विद्या की सहायता से तथा ग्रहाचार विचार से शुभाशुभ ज्ञान के लिए ज्योतिष शास्त्र के अध्ययन के मुख्यतः तीन स्कन्ध सर्वमान्य हैं। यद्यपि कतिपय आचार्यों ने इसको पंचस्कन्धों से भी युक्त माना है। यथा—

"पञ्चस्कंधमिदं शास्त्रं होरा-गणित-संहिताः।
केरलिः शकुनं चेति ज्योतिश्शास्त्रमुदीरितम् ॥"

किन्तु वाराह मिहिर जैसे ज्योतिषचार्य की यह मान्यता ही सर्वमान्य है जैसा कि उन्होंने लिखा है—

ज्योतिः शास्त्रमनेकभेदविषयं स्कन्धत्रयाधिष्ठितम्।
तत्कार्तस्न्योपनयस्य नाम मुनिभिः संकीर्त्यते संहिता ॥

शास्त्रेऽस्मिन् गणितेन या ग्रह गतिस्तन्त्राभिधानस्त्वसौ।
होरान्योऽङ्ग विनिश्चयश्च कथितः स्कन्धस्तृतीयो परः ॥

इस प्रकार ज्योतिष शास्त्र के अनेक विषय भेद होने पर भी इसके तीन स्कंधों की यत्किंचित विवेचना अपेक्षित है। इन स्कंधों को विद्वानों ने अनेक

क्रमों में भी रखा है। किन्तु विवेचना की सुविधा के लिए मुख्यतः तीन विभागों को इस प्रकार संयोजित किया गया है—

१. सिद्धान्त
२. संहिता
३. होरा

सिद्धान्त ज्योतिष

यह ज्योतिष का प्रथम स्कंध है जिसमें प्राचीन ऋषियों के खगोलीय विद्या की सहायता से ग्रहों के संचार का ज्ञान प्राप्त होता है। ग्रह नक्षत्रों के परिज्ञान से काल का उद्बोधन कराने वाला शास्त्र सिद्धान्त ज्योतिष ही है। इसमें सभी मान्य सिद्धान्तों के नियम गृहीत होते हैं, जो प्राचीन काल से प्रत्यक्ष तथा प्रयोगात्मक पद्धतियों के द्वारा एक साथ प्रमाणित किए जा चुके हैं। इसके अन्तर्गत गणित के सिद्धान्तों के आधार पर, मान्य ग्रह गति के अनुसार आकाशीय चमत्कार का ज्ञान प्राप्त करते हैं। इसके साधन रूप तीन प्रकार की ग्रह गणित क्रिया की जाती हैं।

अ–सिद्धान्त गणित—

अ. सिद्धान्त गणित
इ. तंत्र गणित
उ. करण गणित

जिस गणित के अनुसार सृष्टि के आदि काल से आरम्भ कर वर्तमान काल तक खगोलीय ग्रह स्थिति का ज्ञान प्राप्त, गताब्द मास दिन सावन, चान्द्र आदि मान को जान कर, सौर सावनगत अहर्गण बनाकर मध्यमादि ग्रह कर्म किया जाये उसे सिद्धान्त ग्रह गणित कहते हैं।

इस सिद्धान्त गणित के द्वारा ही ग्रह गति से, काल ज्ञान (वर्ष अयन ऋतु मास दिन) तथा दिनों का नामकरण तक साथ ही ब्राह्म दिव्य सौर-

सावनगत आदि प्रमुख नौ कालों को गणना, यही नहीं ग्रह वेध से ग्रह छाया से समय ज्ञान, आदि समाज उपकारक विषयों का ज्ञान होता है।

इ–तंत्र गणित—

जिस गणित के द्वारा वर्तमान युगादि वर्षो को जानकर, मध्यादि ग्रहगत्यादि चमत्कार देखे जाँय उसे तंत्र गणित कहते हैं।

उ–करण गणित—

किसी इष्टशक से, वर्तमान शक के बीच के वर्षों के अभीष्ट दिनों की गणना कर (किसी दिन तक) तथा वेध यंत्रों के द्वारा भी ग्रह स्थिति देखकर दोनों का साम्य जिस गणित से हो रहा है उसे करण ग्रन्थ कहते हैं। और स्थूल रूप से यह ग्रहस्थिति कब होगी, तथा देखकर ग्रहो का स्पष्ट रूप से सूर्य चन्द्र ग्रहण आदि का विचार, गणित से होता है उसे करण गणित कहते हैं। करण गणित पर आधारित ग्रन्थों में ग्रहलाघव, केतकी और सर्वानन्द करण आदि अधिक महत्वपूर्ण हैं इस प्रकार यह तीनों भेदों का ग्रह गणित है।

इस प्रकार सिद्धान्त ज्योतिष, मूलतः गणित क्रिया पर आधारित है। जिसके द्वारा काल ज्ञान, ग्रह संचालन, ग्रह गति और आकाशीय चमत्कारों के विषय में अध्ययन किया जाता है। खगोल ही इसकी विषय वस्तु है और ग्रह संचालन से पृथ्वी पर पड़ने वाले प्रभावों को भी स्पष्ट रूप से इस भाग में प्रदर्शित किया जाता है।

संहिता ज्योतिष—

संहिता ज्योतिष के द्वारा सूर्यादिग्रहों के संचार एवं स्वभाव, विकार प्रमाण, वर्ण, किरण, स्थान, अस्त, उदय मार्ग, वक्र, अनुवक्र, नक्षत्रों के साथ ग्रह समागम, नक्षत्र में चलन आदि के अनुरूप ग्रहों नक्षत्रों का सामाजिक व्यक्तिगत जीवन पर क्या प्रभाव पड़ता है, किस ग्रह का क्या शुभ या अशुभ प्रभाव होगा ? चन्द्रमा के किस नक्षत्र में होने से वस्तुएँ सस्ती और किसमें

महँगी होगीं। वायु कम्प, उल्का, दिग्दाह, भूकम्प के लक्षणों का ज्ञान वृष्टि कब होगी, गृहादि निर्माण कार्यों के लिए शुभ नक्षत्रों का ज्ञान, यज्ञादि शुभ कर्मो को करने के लिए शुभ मुहूर्त आदि का ज्ञान हमें संहिता द्वारा प्राप्त होता है। इस प्रकार संहिता के द्वारा अनेक उपयोगी शुभाशुभ ग्रहगति का ज्ञान होता है। मुहूर्त ग्रन्थ फलित ज्योतिष के जो स्वतंत्र ग्रंथ माने जाते हैं उसका बहुत कुछ समाहार इस स्कंध में होता है। आचार्य वाराहमिहिर ने संहिता ज्योतिष के विषय-सामग्री की, एक लम्बी तालिका प्रस्तुत की है जिसके अनुरूप ज्योतिष का अधिकांश लोकोपकारी अंश पर प्रकाश पड़ गया है। इसके अनुसार शकुन, वास्तु, राजाओं के अनेक कार्यों के शुभ अशुभ योगों की चर्चा से लेकर सामान्य मानव के जीवन की घटनाओं, नवीन शुभ कार्यों के प्रारम्भ के लिए मुहुर्त्त ज्ञान के साथ भूमि लक्षण से लेकर उत्पत्ति (कृषि, खनिज, वन) के विषय में विचार किया जाता है।

होरा—

ज्योतिष का यह स्कंध जातक से सम्बन्धित है। मनुष्य के जन्मलग्न के अनुसार जीवन मरण पर्यन्त शुभाशुभ घटनाओं का अध्ययन करता है। मनुष्य के व्यक्तिगत जीवन का अध्ययन ही इसका लक्ष्य होता है।

होरा शब्द की निष्पत्ति के विषय में भी अनेक मत हैं। मान्य त्रिस्कन्ध ज्योतिषाचार्य वाराह मिहिर ने इसे संस्कृत अहोरात्र शब्द का अपभ्रंश रूप माना है। जो अहोरात्र के आदि और अंत्यवर्ण के लोप से होरा बन गया है। अंग्रेजी में यही आवर (hour) के रूप में और ग्रीक में "होरा" के रूप में प्रसिद्ध है। 'राशेरर्द्ध होरा की उक्ति के अनुसार एक राशि के आधे भाग को होरा कहते हैं। इस प्रकार से दिन रात (अहोरात्र) २४ घण्टे (hours) १२ राशि × २=२४ होरा होती हैं। इसीलिए ज्योतिष के इस विभाग का नाम जातक या होरा शास्त्र है।

इस प्रकार होरा स्कन्ध के निम्न क्रम से अनेक विभाग किए जा सकते हैं।

१. जातक ज्योतिष

२. प्रश्न ज्योतिष

३. नष्ट जातक ज्योतिष

४. पंचांग सम्बन्धी ज्योतिष

५. मुहूर्त्त ज्योतिष

६. स्वप्न ज्योतिष

७. स्वर ज्योतिष

८. अंग विद्या ज्योतिष (सामुद्रिक)

९. वास्तु विद्या ज्योतिष

१०. शाकुन ज्योतिष

११. वृष्टि विचार ज्योतिष

१२. ग्रहों सं सम्बन्धित जड़ी बूटियों का ज्योतिष

और

१३. मनोविज्ञान भी ज्योतिष है।

१४. साथ ही संसार में कुछ ऐसे भी मानव हैं जो अकस्मात् कुछ कह दें उनका कथन भविष्य के लिए वह सही होते देखा गया है।

१५. कुछ अनेक प्रकार की यक्षिणी, डाकिनी, भूत आदि साधनिकाओं से। भी भविष्य फल कहते हैं।

१६. कुछ ऐसे भी हैं प्रश्न में संख्या पूछकर प्रश्न कर्त्ता के लिए आश्चर्य पैदा करते हुए उसे अपने वश में कर लेते हैं। यहाँ कुछ औघड़ सम्प्रदाय के सन्यासी रूप में ज्योतिषियों का कार्य करते हैं।

१७. भृगुसंहिता तो भारतवर्ष प्रसिद्ध ज्योतिष है जिसमें ग्रहों लग्नों राशियों की अनेक विधियों के नियत सिद्धान्त से

$$(१२)=१२$$

$$(१२)^{२}=१४४$$

$$(१२)^{3} = १४४ \times १२ = १७२८$$
$$(१२)^{४} = १७२८ \times १२ = २०७३६$$
$$(१२)^{५} = २०७३६ \times १२ = २४८८३२$$
$$(१२)^{६} = २४८८३२ \times १२ = २९८५९८४$$
$$(१२)^{७} = \frac{२९८५९८४ \times ३०}{२} = ४४७८९७६०$$

चार करोड़ संतालीस लाख नवासी हजार सात सौ साठ संख्या की जन्म पत्रियों के संकलन का एक महान ग्रन्थ जिसके लिए एक बड़ी (लाइब्रेरी) पुस्तकालय चाहिए वह कहां है ? मुझे भृगु संहिता नाम के ग्रन्थ के सम्बन्ध में महान सन्देह हैं कि और वह ऋषि प्रणीत ग्रन्थ नहीं हैं। समय पर कुछ कुण्डलियों के संग्रह को यदि किसी बुद्धिमान् ने उसे संहिता संज्ञा दे दी हों ?

ज्योतिष के इस होरा स्कंध के अनेक विभाग किये जा सकते हैं—

अ—जातक

आ—मुहूर्त्त

इ—शकुन

उ—पशु पक्षियों की बोली

ए—वंश परम्परा की शृंखला

ओ—स्वप्न

आ—रमल या पाशा

ई—सूत्र ग्रन्थ

ऊ—स्वर शास्त्र

ऐ—ताजिक वर्षफल आदि निर्माण के यवन मत का नया (ताजा) ज्योतिष।

मुहूर्त ज्ञान—पंचागों के अध्ययन से शुभाशुभ तिथियों नक्षत्रों का विचार किया जाता है। शकुन में अनेक द्रव्यों वस्तुओं तथा पशु-पक्षियों के दर्शन से किसी कार्य की सिद्धि असिद्धि का अनुमान किया जाता है। वंश परम्परा और स्वप्नों के द्वारा भी भावी शुभाशुभ का ज्ञान किया जाता है। कुस पाशा

(रमल) के द्वारा भी शुभाशुभ का विचार किया जाता है। जैमिनि आदि अनेक सूत्र ग्रन्थों के द्वारा भी सूक्ष्म फलादेश किया जाता है।

फलादेश की इस अनेक पद्धतियों में स्वर शास्त्र की पद्धति अति प्राचीन और प्रमाणित है, जिसके प्राचीन ग्रंथ, रूद्रयामल, विष्णु यामल, शक्तियामल, समरसार और नरपतिजयचर्या आदि है। इस पद्धति में पाणिनि के चतुदश सूत्रों के अच प्रत्याहार अ इ उ ण, ऋ लृ क्, ए ओ ङ, ऐ औ च् से, अ से औ तक के स्वरों में ५ मूल स्वर (अ१, इ२, उ३, ए४, ओ५) के अनुरूप फलादेश किया जाता है। जिसको हम आगे यथा स्थान सविस्तार वर्णन करेंगे। इसमें अत्यधिक महत्वपूर्ण विषय यह है कि इस पद्धति में नाम स्वरों के अनुरूप फलादेश किया जाता है। इस ग्रन्थ में स्वरशास्त्र की पद्धति की विशेष चर्चा अभिप्रेत हैं। यहाँ पर उसके मूलभूत सिद्धान्तों की मत किञ्चित विवक्षा के साथ ज्योतिष शास्त्र की इस स्वर पद्धति पर विचार करते हैं—

मूल पांच स्वरों को ही १—बाल, २—कुमार, ३—युवा, ४—वृद्ध और ५—मृत्यु स्वर के रूप में मानते हैं। नाम स्वर के अनुसार ही पहला स्वर बाल और बाद वाला स्वर कुमार आदि पूर्वोक्त क्रम के अनुरूप स्वीकार किया जाता है। मात्रा के साथ इन स्वरों के अवान्तर भेद मिलाकर स्वरों के ८ भेद मानते है जिनका १२ वर्ष की अवधि से लेकर वर्ष, अयन, ऋतु मास, पक्ष, दिन ओर घटी तक भोग काल का विचार कर शुभाशुभ का फला देश करते हैं। इन स्वरों को नक्षत्रों, राशियों और ग्रहों से सम्बन्धित करते हैं। यही नहीं दिशा, पिण्ड, नाड़ी, योग करण आदि से सम्बन्धित कर शुभाशुभ के बिचार करने में अत्यधिक सहायता लेते हैं। अंकों की एक सरणि से इसे १, २, ३, ४, ५, इन पाँच अंकों के अनेक प्रस्तरों से भी अंक सम्बन्धि फलादेश की यहीं पर यह एक मूल भित्ति भी मालूम पड़ती है।

यही कारण हैं कि प्राचीन काल में स्वर शास्त्रज्ञ ज्योतिषी को समाज में अत्यधिक समादर का स्थान प्राप्त था। राजा को शक्ति के संचालन में विशेष कर युद्ध के समय स्वरशास्त्रज्ञ ज्योतिषी का अत्यधिक महत्वपूर्ण योग प्राप्त होता था। उस समय ऐसी मान्यता थी कि स्वरशास्त्रज्ञ ज्योतिषी से

रहित अत्यधिक सैन्य बल सहित राजा भी अल्प सेनाबल वाले राजा के द्वारा पराजित होता था। जैसा कि नरपतिजय चर्या ग्रन्थ में लिखा है—

पत्यश्वगजभूपालैः संपूर्णा यदि वाहिनी।
तथापि भंगमायाति नृपो हीनस्वरोदयी ॥ ११ ॥

इस प्रकार स्वर शास्त्री (ज्योतिषी) से युक्त राजा एक शत्रु को क्या दश, सैकड़ों हजारों शत्रु राजाओं को सहज रूप में जीत सकता है। स्वर शास्त्रज्ञ ज्योतिषी को अन्य ज्योतिष शास्त्र के स्कंधों का ज्ञान तो होना ही चाहिए। इसके साथ ही साथ उसे अंगभूत शकुन ज्योतिष, मन्त्र, केरली शास्त्र का भी ज्ञान होना आवश्यक है। यामल ग्रन्थों का ज्ञान होने के साथ ही अनेकानेक चक्रों, भूबल, बलादि के ज्ञान का विचार भी स्वर शास्त्री के प्रधान गुण स्वीकृत किये गये हैं। इस प्रकार सूत्र रूप में स्वर शास्त्र की रूप रेखा प्रस्तुत कर विस्तार भय से इस चर्चा को यहीं विराम देना चाहिए।

फलित ज्योतिष के अन्तर्गत एक वर्ष के वर्षफल में ग्रहों नक्षत्रों और राशियों के अनुसार शुभाशुभ का फलादेश करते हैं। वार्षिक मासिक और दैनिक रूप में राशियों के अनुरूप शुभाशुभ का विचार किया जाता है। इसे ज्योतिष के अन्तर्गत ताजिक कहते हैं। जों अरवी भाषा का शब्द है। इसमें मनुष्य के वर्ष पर्यन्त, शरीर, धन, भाई, माता सन्तान, बुद्धि, विद्या, रोग, शत्रु स्त्री, धर्म, लाभ और व्यय आदि १२ प्रभेदों द्वारा शुभाशुभ का विचार किया जाता है। अरबी ज्योतिषियों के द्वारा ही भारतीय ज्योतिष शास्त्र को यह विद्या मिली होगी। इसके इकबाल, ईसराफ, इत्थशाल आदि सोलह योग, तथा मुन्थाहा सहम आदि शब्द अरबी ही है।

रमक या पाशा की पद्धति से फलित विचार भी अरबी ज्योतिषियों की ही देन है जिसमें पाशा के अंकों द्वारा ही फलाफल का विचार करते है। अंकों से राशियों और ग्रहों का भी स्पष्ट सम्बन्ध प्रतीत होता है। यह शब्द अरबी रम्माल शब्द का अपभ्रंश रूप है जिसका अर्थ ज्ञाता होता है। इस प्रकार ज्योतिष शास्त्र के कुछ अंगामी विभागों की विवेचना संक्षेप में प्रस्तुत की गई है। यद्यपि इस प्रकार से अनेक विभेदों की भी चर्चा मिलती है

किन्तु सिद्धान्त गणित और फलित ये दो विभाग ही मुख्य अंग माने गये हैं अस्तु ।

अब हम ज्योतिष शास्त्र के उपादेय अंश की विवेचना करेंगे । ज्योतिषी समाज का एक उपयोगी प्राणी है जो सामान्य जन को उसकी भाग्यदश के प्रति स्पष्ट निर्देश करता है । ग्रहदशा के दुष्टफल को भोगने वाले निराश व्यक्ति को आशान्वित भविष्य की घोषणा से अनेक प्रकार के उपद्रवों को सहने के लिए संजीवनी शक्ति प्रदान करता है । यही नहीं उसकी मनः शान्ति और ग्रह शान्ति के लिए अनेकानेक अनुष्ठान-जप, तप, दान के लिए सुझाव देता है । जिससे उसकी मनस्तृप्ति के साथ भावी सुखमय भविष्य की आशा किरण उद्भासित होती है । सुखी व्यक्ति के भावी जीवन के उत्थान पतन की घोषणा से वह उसके भविष्य के प्रति निश्चित मार्ग दर्शन कराता है । यही नहीं आए दिन आने वाली समस्याओं का समाधान ही नही फलित ज्योतिष की चमत्कार पूर्ण पद्धतियों के द्वारा अपूर्व सिद्धि होती है ।

ज्योतिषी समाज का वह अंग होता है जो समाज की वर्तमान और भविष्य की दशा का ग्रहाचार के विचार से उसे संकेत करता है । वह दुर्भिक्ष, सुभिक्ष, प्रलय, भूकम्प, चन्द्र-सूर्य ग्रहण, वस्तुओं के भावों में तेजी मंदी का विचार, कृषि सम्पत्ति की वृद्धि, ह्रास, के विषय में अपना निश्चित मत समाज के सम्मुख रखता है जो अधिकतर शत-प्रतिशत सत्य प्रमाणित हो सकता है । इस प्रकार वह समाज की भावी दशाओं का स्पष्ट निर्देश कर उसकी आकस्मिक क्षति से उसे बहुधा बचाने में महत्वपूर्ण कार्य करता है वह समाज के अनेक वर्गों के अनुरूप शुभाशुभ का फलादेश करता हैं ।

प्राचीन काल से ही इस ज्योतिष विद्या को राजकीय संरक्षण प्राप्त था । राजा की दैनन्दिनी क्रियाओं से लेकर युद्ध प्रस्थान अनुष्ठान आदि के कर्म ज्योतिषी की अनुमति से होते थे । राजवर्ग के द्वारा इस विद्या के उत्थान में पर्याप्त योगदान प्राप्त हुआ । राजतंत्र की शासन पद्धति में ज्योतिषियों का अत्यधिक समादर का स्थान प्राप्त था, किन्तु राजतन्त्र के ह्रास के साथ ही इस विद्या की पूर्व प्रतिष्ठा धीरे-धीरे लुप्त प्राय होती गई । आज भी यही कारण

है कि ज्योतिष शास्त्र के प्राचीन यामलादि ग्रन्थ राजकीय पुस्तकालयों में ही आज भी सम्भवतः सुरक्षित है।

इस प्रजातन्त्रीय युग में भी ज्योतिर्विदो का कार्य कम उत्तरदायित्व का नहीं है। वह ग्रहाचार विचार से राष्ट्रीय और अन्तर्राष्ट्रीय अनेक समस्याओं के भविष्य की घोषणाएं किया करते हैं। जिसके द्वारा वे देश के अन्तर्राष्ट्रीय सम्बंधों के विषय मे स्पष्टरूपेण भविष्यवाणी करते हैं। वे यह बताते हैं कि किस देश से अपने देश के ऊपर आक्रमण होने की आशंका है। कौन-कौन देश उससे मैत्री का भाव रक्खेंगे और कौन-कौन से देश शत्रुता रक्खेंगे। देश के किस भाग में कौन-सा उपद्रव समुपस्थित होने की भविष्य की सम्भावना है। कौन-सा भाग अतिवर्षण, अनावर्षण, महामारी, भूकम्प से प्रभावित होगा। साथ ही वर्तमान वर्ष में कैसी फसल होगी। देश में कैसे-कैसे उपद्रव खड़े होने की सम्भावना है। इस प्रकार ज्योतिष शास्त्री, शासन व्यवस्था को भावी संकटापन्न स्थितियों के प्रति स्पष्ट निर्देशकर उससे राष्ट्र रक्षा के प्रति सजग करता है हमारे देश में ही नहीं विदेशों में भी क एक ज्योतिषी प्रसिद्ध हो गये हैं।

इस प्रकार हम देखते हैं कि ज्योतिष विद्या अत्यधिक उपादेय विद्या है। जिसके द्वारा न केवल मानव मात्र के जीवन के पूर्व से उसके मरण पर्यन्त शुभाशुभ का विचार किया जाता है अपितु इस सृष्टि के आरम्भ से उसके प्रलय पर्यन्त तक ग्रहों की गति और शुभाशुभ का विचार करते हैं। इस प्रकार ज्योतिष शास्त्र का क्षेत्र बहुत हीं व्यापक हो जाता है। किन्तु सूत्र रूप में उसकी कुछ समस्याओं को लेते हैं जिन पर ज्योतिष शास्त्र हमें स्पष्ट फलादेश करता है वे समस्यायें संक्षेप में इस प्रकार हैं—

युद्ध में प्रस्थान करने वाले राजाओं में किसकी विजय होगी; कैसे और कब (समय) प्रस्थान किया जाय कि कार्य सिद्धि हो, शत्रु से पराजित राजा भी अपने शत्रु पर किस प्रकार विजय प्राप्त करे, आपस में लड़ने वाले किस मल्ल (पहलवान) की विजय होगी। बंधन योग से बंधन (जेल) प्राप्त व्यक्ति की मुक्ति कैसे होगी, विवाद प्रतियोगिता में हम कैसे विजयी हों, कब कहां और कैसे व्यापार करें कि सफलता प्राप्त हो? कैसे सेवक

नियुक्त करें कि हमें लाभ हो ! नौकरी आदि के साक्षात्कार (इण्टर व्यू) के अवसर पर कैसे हम विजयी हों ? किस समय मनुष्य के मन में क्या विचार आ रहे हैं ? किस स्वर का संचालन किया जाय कि हमे अभीष्ट सिद्धि हो; हमें जन्म और मृत्यु की चिन्ता से कब मुक्ति होगी कौन सा वर्ष मास तिथि नक्षत्र वार घड़ी अपनी उन्नति के लिए अनुकूल होगी कब भाग्योदय होगा हमें पैतृक सम्पत्ति प्राप्त होगी कि नहीं हमारा दाम्पत्य जीवन कब और कैसे सुखी होगा ? हमें सन्तान की प्राप्ति होगी कि नहीं ? माता, पिता, भाई, कुटुम्बियों से हमारा कैसा सम्बंध रहेगा। यात्रा कब कहाँ और कैसे होगी उसका क्या परिणाम होगा ? पद प्रप्ति पद हानि पदोन्नति सामाजिक सेवा राजनीति के क्षेत्र में कैसी स्थिति रहेगी, शिक्षा, दीक्षा, कृषि, गो और वाणिज्य में कैसी उन्नति या अवन्नति होगी ? मित्रों से कब हमें सुख या दु:ख मिलेगा, धर्मादि कार्यों का अनुष्ठान कब और कैसे होगा मानव जीवन के उत्तम लक्ष्य की प्राप्ति कब होगी ? इत्यादि

इस प्रकार हम देखते हैं कि कदाचित ही कोई सामाजिक राजनैतिक और व्यक्तिगत जीवन की समस्या होगी कि जिस पर ज्योतिष शास्त्र में स्पष्ट रीति से विचार न किया गया हो। अत: ज्योतिष शास्त्र की उपयोगिता के विषय में किसी को ननु नच करने का स्थान नही रह जाता है। यह ज्योतिष शास्त्र ग्रहाचार के कारण दुर्गति प्राप्त मानव के लिए आशा की किरण है। स्वस्थ सुखी मानव के लिए भविष्य के शुभाशुभ ज्ञान से भावी जीवन का मार्ग दर्शक समाज की उत्थान पतन दशा के प्रति भविष्यवाणी से उसका रक्षक, राजवर्ग के अनेकानेक भावीं समस्याओं संकटापन्न स्थितियों के विषय में संकेत करने से उसके कार्यों का महत्वपूर्ण संचालक है। अव्यक्त कालग्रह नक्षत्र आदिकों के संचार ज्ञान से वह भूत वर्तमान और भविष्य का ज्ञाता है। यही नही वह वेद भगवान का भी नेत्र है जिससे वर्तमान पाद प्रक्षेप का विचार और भावी दुर्दशा या सुदशा का ज्ञान देने वाला है। यह वर्तमान समस्याओं का समाधान तथा भावी संकट के उद्धार का मार्ग दर्शन कराने में समर्थ है। वह हमारा, समाज और प्रशासक वर्ग का नेत्र है इसमें कोई

अत्युक्ति नहीं इसीलिए हम इस उक्ति के साथ अपना स्वर मिलाकर कह उठते हैं कि—'ज्योतिषामयनं चक्षुः' इति

स्वर शास्त्र क्या है,

जैसा कि हम पहले भी एक स्थान पर संकेत कर आए हैं कि फलित ज्योतिष में स्वरों के अनुसार फलादेश की क्या प्रक्रिया है इसके पूर्व ज्योतिष शास्त्र के इस अंग के विकास क्रम की रूप-रेखा का ज्ञान प्राप्त कर लेना आवश्यक है। यों तो वेदों में चिरन्तन काल से उदात्त अनुदात और स्वरित जैसे उच्चारण भेदों से स्वरों के भेद की विवेचना गिलती है। लौकिक संस्कृत के परिनिष्ठित स्वरूप आने के पूर्व पाणिनि के व्याकरण में वर्णित १४ माहेश्वर सूत्रों में अच् तक मूल ९ स्वरों को स्वींकार किया है। पतञ्जलि के महाभाष्य में 'ऋकारेऽपि इकारो गृहीतः' मान्यता के अनुसार इन मूल स्वरों की संख्या पांच (अ[१], इ[२], उ[३], ए[४], ओ[५]) स्थिर होती है। ज्योतिष योग शास्त्र और तंत्र शास्त्र के अत्यधिक विकास के साथ ही इन स्वरों की अधिकाधिक मीमांसा मिलती है। स्वर शास्त्रीय फलादेश की परम्परा का उद्भव और उनका व्यवस्थित रूप हमें संभवतः ब्रह्म यामल, रुद्रयामल जंसे सात यामल ग्रन्थो में मिलता है। नरपतिजयचर्या नामक ग्रन्थ में इन यामल ग्रन्थो की अतिशयोक्ति पूरित स्तुति पद्धति से मंगलाचरण किया गया है। जयार्णव ग्रन्थ से कलियुग में (स्वरोदय) स्वर शास्त्रीय फलित परम्परा का विकास लक्षित किया गया है। इन स्वर शास्त्रीय पद्धति से फलादेश में मूल पांच स्वरों को ही आठ स्वर चक्रों और आठकालों से सम्बन्धित कर किसी विशेष व्यक्ति के शुभाशुभ फल का आदेश करते हैं।

स्वर शास्त्रीय फलादेश पद्धति में मूलतः पांच स्वरों को फलादेश का मूलधार मानते हैं व्यक्ति विशेष के नाम स्वर या जन्म राशि नाम स्वर के अनुरूप पूरे जीवन को स्वरानुरूप १—बाल १—कुमार ३—युवा ४—वृद्ध ५—मृत्यु की ये पांच अवस्थाएं (जो जीवन की पांच अवस्थाएं भी)

कल्पित करते हैं। जिनका आठ कालों में मान्य अवधि तक भोगकाल का निर्धारण किया गया है। इस प्रकार की विवेचना में एक बात यह ध्यान देने की है कि इन पाँच स्वरों में व्यक्ति विशेष के नाम या जन्म राशि के अनुसार जो स्वर प्रथम होगा उसकी दशा के विचार में उस स्वर को प्रथम मान लेंगे। जैसे मात्रा स्वर की दृष्टि से अनिल नाम वाले व्यक्ति के लिए १—अ (बाल)२—इ (कुमार) ३—उ (युवा) ४—ए (वृद्ध) ५—ओ मृत्यु स्वर होगा किन्तु मुरारी नाम वाले व्यक्ति के लिए १—उ (बाल) २—ए (कुमार) ३—ओ (युवा) ४—अ (वृद्ध) और ५—इ (मृत्यु) स्वर होगा। इसी प्रकार मोहन के जिए १—ओ (बाल) २—अ (कुमार) ३—इ (युवा) ४—उ (वृद्ध) ५—ए (मृत्यु) स्वर होगा।

इस पद्धति में फलादेश में सहायक अनेक स्वर चक्रों का वर्णन मिलता है। नरपतिजयचर्या में २० स्वर चक्रों का वर्णन मिलता है किन्तु इन स्वर चक्रों की संख्या मूलतः आठ ही स्वीकार की गयी है जो निम्नलिखित रूप में है—

१. मात्रा स्वर चक्र
२. वर्ण स्वर चक्र
३. ग्रह स्वर चक्र
४. जीव स्वर चक्र
५. राशि स्वर चक्र
६. नक्षत्र स्वर चक्र
७. पिण्ड स्वर चक्र
८. योग स्वर चक्र

ये आठ स्वर चक्र हैं। प्रत्येक नर नाम से स्वर शास्त्रीय पद्धति से, इन आठ स्वरों का ज्ञान करते हुए, घण्टा, दिन, पक्ष, मास ऋतु अयन वर्ष, और १२ वर्ष, किससे क्या और कैसे भविष्य विचार किया जाता है इसका विस्तार आगे पढ़िए और उपयोग में लाइए।

इसके अनुरूप ही किसी व्यक्ति विशेष के जीव, वर्ण, मात्रा राशि, ग्रह योग, पिण्ड की मीमांसा से फलादेश करते हैं। इन स्वर चक्रों के अतिरिक्त मनुष्यों के शुभाशुभ भविष्य विचार के लिए अनेकानेक चक्रों का वर्णन मिलता है जिनकी संख्या यामल ग्रन्थों में ८१ या ८४ तक मिलती है; जैसे—

छत्र, सिंहासन, पञ्चविध कूर्म चक्र, पद्मपणि, राहुकालानल, सूर्यकालानल

चन्द्रकालानल, घोरकालानल, गूढ़कालानल, चन्द्रसूर्यसमायोगकालानलचक्र, संघट्ट चक्र मुख्य सात हैं।

सूर्य नक्षत्र से चन्द्र नक्षत्र तक की गिनती १ से—२७ नक्षत्र तक होती हैं। नवीन घर में प्रवेश करने के लिए कलशवास्तुचक्र की रचना निम्न भांति की गई है, तदनुसार फलादेश भी विचारा गया है। जैसे कलशचक्र। कलश के ८ विभाग किए गए हैं। मुहुर्त्त ग्रंथों में चक्रों का तात्पर्य—

(१) मुख (२) कण्ठ (३) गर्भ (४) गुद (५) कलश का पूर्व (६) दक्षिण, (७) पश्चिभ, (८) और कलश का उत्तर पार्श्व।

गृह प्रवेश के समय कलशाकृतिक बास्तु में, सूर्य नक्षत्र को कलश के मुख में रखना चाहिए। इस दिन गृह प्रवेश करने से–गृह दाह होगा।

सूर्य नक्षत्र के दूसरे नक्षत्र से ४ नक्षत्र (२ से ५ तक) कलश के पूर्व पार्श्व में रखने से उन चार नक्षत्रों के किसी एक नक्षत्र में गृह प्रवेश जिस घर में होता है वह घर जनवास शून्य होता है।

६ ठें नक्षत्र से ४ नक्षत्रों में (दक्षिण पार्श्व में) कलश के गृह प्रवेश से गृहपति को द्रव्य प्राप्ति होती है।

१० वें से १३ तक का (कलश के पश्चिम में) गृह प्रवेश से गृहपति को श्री प्राप्ति होती है।

१४ वें से १७ तक में (कलश के उत्तर में) गृह प्रवेश से गृहपति को मकान सम्बन्धी निरर्थक कलह होता है।

१८ वें से २१ तक में (कलश के गर्भ में) गृह प्रवेश से गृहपति के भविष्य के समग्र गर्भों का नाश। (वंश नाश) होता है।

२२ वें से २४ तक में (कलश के गुद में) गृह प्रवेश से गृहपति को चिरकाल तक गृह में सुख निवास होता है।

२५ वें से २७ तक में (कलश के कण्ठ में) सदा घर में स्थिरता रहती है।

सूर्य नक्षत्र से चन्द्र नक्षत्र तक उक्त गणना के लिए कलश आकार के उक्त जैसे एक प्रतीक से समझाया गया है इसी प्रकार यहां भी चक्रों का ऐसा ही तात्पर्य सर्वत्र समझा जाता है।

इनके अतिरिक्त तिथिवार नक्षत्र से कुलाकुल चक्र, दो प्रकार के कुम्भ चक्र, तीन प्रकार के तुम्बरू चक्र, भूचर खेचर पंथा नाड़ी चक्र, कालचक्र फणिद्वय, द्विधा कविचक्र, गज, अश्व, रथ, कुन्तव्यूह, कुन्त खड्ग, छुरि, सौरि, सेवा, नर, डिम्भ अवर्षण पञ्चसप्तरेखोद्भव, त्रिविध मातृकाचक्र, सांवत्सर स्थानचक्र, श्रृंगोन्नति इत्यादि चक्रों के बलाबल का विचार करके युद्ध या किसी कार्य का शुभारम्भ करने पर निश्चित सफलता मिलती है।

कार्य सिद्धि के लिए अनेकानेक और भी भूमिबल तथा तांत्रिक क्रियाओं की सहायता से मानव जीवन की कठिन से कठिन समस्याओं का समुचित समाधान और आशातीत सफलता प्राप्त होती है। इन क्रियाओं में कुछ मुख्य क्रियाएँ निम्नलिखित रूप में हैं—उड्डी जालंधरी, पूर्णकामका, कौल्लैकवीरिका, महामारी, क्षेत्रपाली, वंशजा, भद्रकाली, नली, काली, कालरेखा, निरामया, जयलक्ष्मी, महालक्ष्मी, जया विजया, भैरवी आदि बलों का प्रयोग कार्यसिद्धि के लिए स्वर शास्त्रज्ञ करते रहते हैं।

इसके अतिरिक्त भूमिस्वर के अनु प चन्द्रार्क विम्ब भूमि, ग्रहराशि-विलग्नाभूमि, राहुकालानलीभूमि, स्वरभूमि इत्यादिकों के विचार से स्वरशास्त्रज्ञ ज्योतिषी अनेकों कार्यों के शुभाशुभ फलाफल का विचार करता रहता है। इसी के अनुसार वह कब, कहाँ और किस स्थान पर कार्य सिद्धि होगी इसका स्पष्ट फलादेश करता है। उदित स्वर के पूर्णबली मुहूर्त्त ज्ञान से ही, शुभ तिथि ग्रह, नक्षत्र का निश्चय किया जाता है।

कार्य-सिद्धि के लिए शकुन तंत्र-मंत्र का भी प्रयोग स्वर शास्त्री द्वारा किये जाते हैं। जिसके द्वारा अभीष्ट सिद्धि हो सके। वह कब कहाँ कैसा बल दे कि कार्य सिद्धि हो। इसका विचार करता है। इस प्रकार स्वर-शास्त्र के अंग भूत-स्वर चक्र, अन्य कुछ आवश्यकीय चक्रों के ज्ञान के साथ भूमि-बल, मंत्र-तंत्र बल ज्योतिष सिद्धान्त, शकुन औषधि बल, जड़ी बूटी आदि का ज्ञान नितान्त अपेक्षित हैं। इसके अतिरिक्त स्वर शास्त्री को रणाभिषेक, दीक्षा, रणचर्या, रणकंकण, वीरपट्ट, रणपट्ठ, जयपट्ट बंधन, मेरवला, मुद्रा, रक्षा, औषध, तिलक घुटिका, कर्पदिका, शस्त्ररक्षा शस्त्रलेप, मोहन, स्तम्भन उच्चाटन जैसी तांत्रिक क्रियाओं का भी ज्ञान पताका, पिच्छक आदि का

ज्ञान आवश्यक है। जिसकी सहायता से ही उसे अनेकानेक विषम परिस्थितियों पर विजय प्राप्त करने में सहायता प्राप्त होती है। ऐसे सर्वप्रकार की उपयोगी विद्याओं से युक्त स्वर शास्त्री के द्वारा कोई भी राजा अपने अजेय शत्रु को सरलता से जीत सकता है।

"बलान्येतानि यो ज्ञात्वा संग्रामं कुरुते नृपः।
असाध्यस्तस्य वं नास्ति शत्रुः कोऽपि महीतले ॥ (नरपतिजयचर्या)

नामस्वर और फलादेश

नामकरण परम्परा

मानव अपनी सभ्यता के आदिकाल से ही अपने आसपास की वस्तुओं को देखता तथा उनके साथ उसके सुखात्मक या दुखात्मक अनुभव प्राप्त करता था। कभी कभी कुछ ध्वनियों को सुनता था। फलतः वह किसी वस्तु, व्यक्ति, और जीव का उसी गुण के आधार पर उसका नामकरण करता था। जैसे—पत-पत् के शब्द से पत्ता आदि गुणों के आधार पर ही हमारे प्राचीन ऋषियों महर्षियों ने देवी देवताओं और परमेश्वर के अनेक नामों की शृङ्खला जोड़ दी। यही नही अर्जुन, भीम, रावण जैसे पुराणेतिहास प्रसिद्ध नामों के कई पर्याय मिल जाते हैं, जो हमारी भाषा की समृद्धि का ही द्योतन नहीं करते, अपितु बुद्धि वैभव और चिन्तन की महत्ता प्रकट करते हैं। इस प्रकार पुराणों में तो नामों की संख्या की जैसे कोई सीमा ही नहीं है। आदि पुरुष भगवान विष्णु के हजारों नामों का संकलन तो हो चुका है जो विष्णु सहस्त्रनाम के रूप में प्रसिद्ध हैं। इसी प्रकार शिव सहस्त्रनाम, लक्ष्मी सहस्त्र नाम; गायत्री सहस्त्रनाम आदि ग्रंथ संस्कृत भाषा की शाब्दिक समृद्धि का द्योतन करते हैं। यदि इन नामों का संकलन किया जाय तो एक स्वतन्त्र ग्रन्थ ही निर्मित हो सकता हैं। ऐसा अनुमान लगता है कि तभी से किसी महान् व्यक्ति के आगे श्री श्री १०८

या अनन्त श्री विभूषित श्री १००८ श्री महात्मा अमुक इत्यादि लिखने की परम्परा चल पड़ी।

ज्योतिस्शास्त्र में भी प्रत्येक नक्षत्र के चार चरणों के लिए ४ अक्षरों से बनने वाले नामों का निर्देश मिलता है, जिसके अनुसार २७ × ४=१०८ विभिन्न नामों की व्यवस्था मिलती है।

इन्हीं ज्योतिष शास्त्रीय नामकरण पद्धति ही के १०८ अक्षरों से असंख्य नामों की परिकल्पना हो सकती है।

जन सामान्य में नामकरण के पीछे मुख्यतः दो प्रकार की मूल वृत्तियां काम करती हैं। प्रथमतः पिता माता या कुलश्रेष्ठ व्यक्ति, नवजात शिशु को अपने लाड़-प्यार दुलार से अनेक नामों से अभिहित करता है। जैसे पप्पू, गप्पू, रज्जू, मुन्नी मुन्नू, चुन्नू, भोंदू राजू, लल्लू, मल्हू दीपो, पुल्लो, कुल्लू, जग्गू, रम्भो सोना, मुन्नों इत्यादि। प्रायः दुलार करते समय कोई भी नवजात शिशु को इस प्रकार के नामों से ही पुकारता है। व्यवहार में प्रायः ऐसा भी देखा जाता है कि अनेक व्यक्तियों के घर का नाम कुछ और, समाज में कुछ और ही नाम होता है। एक ऐसी भी भावना कुछ लोगों में काम करती है कि बालक या बालिका का वह जितना भद्दा नाम रक्खेंगे उतना ही अधिक दीर्घजीवी होगा या होगी।

जन सामान्य में नामकरण की एक दूसरी भावना भी काम करती है वह यह है कि मनुष्य अपनी संतति का अच्छा से अच्छा और ललित नाम रखना चाहता है। बंगदेश में नामकरण की जो से वैविध्य और चारुता मिलती है, वह कदाचित् ही दूसरे प्रान्त के लोगों में मिले कुछ उदाहरण दर्शनीय है, जैसे मीनाक्षी, शरद्कुमार, नलिनी, हेममालिनी, मृणालिनी, आशुतोष श्यामाप्रसाद, शरच्चन्द्र, फणिभूषण, प्रमथनाथ, अन्नदाचरण, इत्यादि। अधिकांश लोग अपने संतानों कानाम पूर्व के श्रेष्ठ पुरुषों देवी देवताओं के अनुरूप रखते हैं। देव नाम के बाद दास या कुमार, दीन, लगा देते हैं। धार्मिक प्रवृत्ति वाले लोग देववाची नामों को ही अधिक प्रसन्द करते हैं। हां आधुनिक चकाचौंध में चलचित्र प्रेमियों ने अपनी संतानों के नाम अभिनेताओं के नामों से भी रखना शुरू किया है। यही कारण है कि आज

बालक तथा अनेक मीनाकुमारी, मधुबालाएँ, नामकी कुमारियाँ मिल जाएँगी। यही नहीं अब तो लोग स्वयं माताएँ को मम्मी और पिता को पापा सुनना पसन्द कर रहे हैं।

स्वरशास्त्रीय ज्योतिष (फलित) पद्धति में लोक प्रचलित नाम से ही शुभाशुभ का फलादेश करते हैं। यहाँ नाम की यह परिभाषा मान्य है कि नाम वह अभिधेय संज्ञा है जिसके उच्चारण से सोया हुआ कोई निश्चित व्यक्ति जग जाए अथवा बुलाने पर चला आवे।–

''प्रसुप्तो भाषते येन येनागच्छति शब्दितः।''

स्वरशास्त्रीय ज्योतिष पद्धति में लोग प्रसिद्ध नाम ही शुभा-शुभ फलादेश के लिए गृहीत होता है। यह ध्यान देने की बात है कि मूल नाम से ही फलाफल का विचार किया जाता है। वंश जाति या उपाधि को नाम से अलग कर ही फलादेश किया जाना चाहिए।

यहाँ यह एक शंका अवश्य उपस्थित होती है कि समाज में प्रचलित नाम या माता-पिता के प्यार का नाम जो घर में या स्वजनों के बीच प्रसिद्ध है। किससे स्वर विचारा जाय? स्वर शास्त्री दोनों (प्यार का नाम और समाज व्यवहार नाम) नामों से विचार करता है। जन्म लग्न की नक्षत्र के अनुसार राशिनाम से भी जन्म से मृत्युपर्यन्त शुभाशुभ का फलादेश किया जाता है। यहाँ एक विशेषता होती है कि आपके भावी फलाफल के फलादेश के लिए पदे-पदे जन्मपत्री (कुण्डली) की बहुत अधिक अपेक्षा नहीं होती है। स्वरशास्त्री केवल आपके नामस्वर से ही पूरे जीवन के शुभाशुभ फलों के विषय में अपना स्पष्ट मत स्थापित करता है। फलित ज्योतिष की इस स्वर पद्धित का यही एक चमत्कार है जो सर्वसाधारण के लिये स्वयं के भविष्य ज्ञान में सुलभ है।

वैदिक परम्परा के ग्रन्थों में वर्णित नाम :–

नामकरण की सामान्य विवेचना के पश्चात् हम सनानत धर्म के

आर्य ग्रन्थों में वर्णित नामों के विषय में थोड़ी बहुत विवेचना प्रस्तुत करते हैं। जैसा कि पहिले वर्णन कर चुके हैं कि प्रथमतः वस्तुओं पदार्थों का नाम ध्वनि साम्य के आधार पर कि वा उसके गुणों से उसे सम्बन्धित कर उसका नाम निर्धारित किया गया होगा। मूलभूत यह विचार प्रायः आजतक किसी न किसी रूप में पाया जाता है। जैसे काले व्यक्ति को कल्लू मोटे को मोटू, भोदूँ नामों से लोग उसे चिढ़ाते हैं। वैदिक ग्रन्थों में भी एक ही व्यक्ति वस्तु और पदार्थ के लिए स्थान-स्थान पर अनेक नाम पर्याय के रूप में मिलते हैं जो हमारी देववाणी की शब्द ससृद्धि का द्योतन करते हैं। देववाणी ऐसे अभिनव शब्द भण्डार से भरी पड़ी है, किन्तु ये पर्यायवाची शब्द भी वस्तु व्यक्ति या पदार्थ के तत्तत् गुणों को अवगत करने के लिए ही होते हैं। इस विशद विवेचना में हम नहीं पड़ना चाहते हैं।

वेद पुराणैतिहासिकधार्मिकग्रन्थों में वेद पुरुष परमात्मा विष्णु के हजारों नाम, शिर, पैर कहे गए हैं। 'विष्णु सहस्त्र नाम' में एक हजार नामों का संकलन मिलता है किन्तु इससे यह कदापि नहीं समझना चाहिए कि उसके इतर और नाम हो ही नहीं सकते हैं। यह समझना बहुत बड़ी भूल होगी। यही नहीं अनेक देवता और देवियों के अनेक नामों से संकलन ग्रन्थ हमारी उपासना पद्धति में विशेष स्थान रखते हैं, जिनमें शिव सहस्र नाम, लक्ष्मी सहस्र नाम, गायत्री सहस्र नाम आदि देवी-देवताओं के हजारों नाम का संकलन हम पाते हैं। इसी प्रकार इन्द्र, गणपति (गणेश) पार्वती, काली, राम, कृष्ण, हनुमान, दुर्गा, सरस्वती आदि देवी-देवताओं के नामों की गणना भी हज़ारों के लगभग हो सकती है और प्रयास से एक वृहद् ग्रन्थ का रूप ग्रहण कर सकता है। संक्षेप में हम देखते हैं कि देवता-देवी या देवकल्पित मनुष्यों आदर्श पुरुषों के अनेक नाम इन आये ग्रन्थों से पाते हैं। इस प्रकार के नामों के अध्ययन से हम एक ही मूलभूत मान्य सिद्धान्त पर पहुँचते हैं कि स्तुति परक इन धार्मिक ग्रन्थों में अनेक नाम केवल विशिष्ट शक्ति या देव के गुणों या लोकोत्तर चरित्रों के आधार पर कल्पित किए गए हैं।

अकारादि १६ स्वरों से प्रारम्भ होने वाले नामों तथा स्वर वर्ण योग से प्रारम्भ होने वाले नाम के साथ मात्रा वर्णों से प्रारम्भ होने वाले नामों पर यदि विचार किया गया जाय तो उनकी संख्या स्वरानुसार १६ स्वर और व्यंजन योग से १६ X ३३ मात्र, व्यंजन से ३३ उनके संयुक्त व्यंजन होने से तथा नर नारी इन वर्ग भेद से नामों की संख्या अगणित हो जायगी। इससे यह स्पष्ट है कि सम्पूर्ण नामों का उल्लेख इस लघुकाय ग्रन्थ में न तो सम्भव है और न आवश्यक ही। नाम से ही मनुष्य कीर्ति यश धन और अनेक समृद्धियों को प्राप्त करता है। हिन्दू शास्त्रों में इसीलिये नवजात शिशु का नामकरण संस्कार, ''मनु'' के अनुसार उसके जन्म से ११ वें या १२ वें दिन में किया जाता है।

''नामाखिलस्य व्यवहार हेतुः शुभावहं कर्म सुभाग्य हेतुः
नाम्नैव कीर्ति लभते मनुष्यः ततः प्रशस्तं खलु नाम कर्म।''
(मूहर्त्त चि० ''पीयूषधारा)''

फिर भी अकारादि क्रम से कतिपय नामों को परिगणना यहाँ प्रस्तुत की जा रही है—

अ—पुरुष के, अनन्त, अच्युत, अखिलेश, अनिल, अनल, अनेक नाम हो सकते हैं।

स्त्री० अंजना, अदिति, अजया, अभया, अम्बा, अर्धमात्रा ,, ,,

आ—पु० आदिदेव, आखुवाहन, आरामरमण।

स्त्री० आदि लक्ष्मी, आकृति, आराध्या।

इ—इन्द्र, नरेश, इन्दीवर, इन्दुशेखर।

इन्दिरा, इष्टा, इरावती, इन्द्राणी, इन्दुरूपा।

उ—उमेश, उमाकांत, उर्वीधर

उषा, उमा, उडुप्रभा, उडुपा, उडुपी।

ऊ—ऊर्ध्वं बाहु, ऊर्ध्वकेश, ऊर्ध्वदृष्टिक।

ऊर्ध्वकेशी, ऊर्ध्वबाहुप्रिया।

ऋ—ऋषिदेव, ऋग्वेदी, ऋणहर्त्ता।

ऋषिदेवनमस्कृता, ऋग्वेदा, ऋणहर्त्री।

लृ—लुप्तधर्मप्रवर्तक

लुप्तधर्मप्रवर्तिका ।

ए—एकाक्षर ऐन्द्रनन्दन

एकाक्षरा एरावती

ओ—ओषधीष—औषधज्ञ

औषधि ।

अं—अण्डमध्यस्थ

अण्डमध्यस्था ।

सामान्य स्त्री पुरुषों के नाम

कैलाश, कस्तूरी, कमलाप्रसाद, कान्ता, खण्डनप्रिय, गन्धर्वराज, गान्धारी गौरव, गिरिजेश, गिरीश, गायत्री, गजानन, घनश्याम, घनानन्द, घना, चतुर्भुज, चित्रमाला चन्द्रचूड़ छत्रधर, छत्रपति, छाया प्रिया, जन्हुतनया जया, जयन्ती जानकीजयदन्त, झञ्झा झिञ्झिका, टंकभेदिनी टङ्कद्विट्, ठठशब्दनिनादिनीं, डामर, डामरी, डाकिनी ढुण्ढि, ढक्का, ढिलीब्रजा, नवीन, नित्यानन्द, निर्गुण, निरुपमा, नदी, त्रिगुणा तारकेश्वरी, तारकेश, थान्ता, थान्त, दयाकृष्ण, दिनेश, दयामयी, दीनबन्धु, दीना धवला, धरणीधर, पार्वती, परमेश्वर, धेनुरूपा, धनुर्द्धर, धर्मशील, ध्रुव, फलिनी, फलदा, फलप्रिय, फलका, फणीन्द्र, बहुमता, बुद्धिदा, बुद्धिबल्लभ, भद्रेश, भद्रकाली, भद्रा, भामिनी भागीरथी, भगीरथ मधु, मधुप्रिय, माधव, मनीष, माध्वी, माधवी, मधुकांत, मार्तण्ड, मुनीश्वर, योगीश, योगासन, योगामाया, योगेश्व योगेश्वरी, रुक्मिणी, रोहिणी, रोहिणीरमण, राधारमण, राममोहन, रामचन्द्र रामनाथ, रुद्रधर, लज्जावती, लोला, लोकनाथ, लोकमणि ललिता, लक्ष्मी वरदा, वागीश, विद्या, विश्वनाथ व विजया, विद्यापति, विमला, विमलेश, शान्ता, शाकम्भरी, शिवा, शारदा, शारदा प्रसाद, शरणागत, शङ्कर, शङ्कराचार्य, शरीरिणी, शुकवाहना, षडानन, सुरेशचन्द्र, सीतावर, श्रीमती, श्रीमान्, श्रीधर, श्रवण कुमार, षडभाषा, षडर्तुप्रिय, सरस्वती सामगानप्रिय, सामगानप्रिया, सप्तर्षिमण्डलगता, सूक्ष्मेश्वर, सूक्ष्मा सागरानन्द, सागरा, हिरण्यबर्णा, हिरण्य-प्रिय, हीरा, हंसवाहना, हंसादत्त, क्षेमेश, क्षेमेन्द्र,

सुरेश, क्षीरप्रिया, क्षीरशायी, हरिप्रिया, इत्यादि ये लोक व्यवहार में प्रसिद्ध अनन्त नामों की अनन्त श्रेणियों में संक्षिप्त नर और नारियों के नाम शास्त्रों में उपलब्ध होते हैं। "सहस्त्र पादः पुरुषः" के आधार से हजारी प्रसाद, यह भी नाम हिन्दी में प्रसिद्ध और सर्वप्रिय है।

अक्षरों से प्रारम्भ होंने वाले स्त्री पुरुष-नामों की तालिका को हम परिशिष्ट में सुविधानुसार देंगे। यहां संक्षेप में उक्त तालिका दी जा सकी है।

इस विवेचना से हमें यह स्पष्ट होता है कि हमारी सतानतन वैदिक संस्कृति के आधार भूत ग्रन्थों में, देव गुणों से विभूषित कैसे-कैसे उदात्त नामों की परिकल्पना मिलती है। जिससे यह भी स्पष्ट हों जाता है कि हमारे ऋषियों ने सृष्टि की जन संख्या के क्रम विकास की अवस्था में ही कितने अगणित नामों की परिकल्पना कर ली थी। जो सृष्टि के अन्त तक की जन-संख्या (की नामिक परिगणना में) का नामकरण कर सकते हैं। नामों की इस आपार सम्पत्ति के ज्ञान से रहित होकर सामान्य जन यदि अपनी संकुचित भावना से घुरंहू, कतवारू, चहेटू, पहेटू पेटू जैसे नामों से अपनी संतति को सम्बोधित करें तो 'लोचनाभ्यां विहीनस्य दर्पणः किं करिष्यति' वाली उक्ति चरिताथ होगी। अपनी बुद्धि का परिचय अपने संतानों के नाम करण से भी होता है। क्या ही अच्छा हो लोग इस प्रकार वैदिक नामों से परिचित होते हुए अपनी संतानों को उक्त नामों से पुकार सकेंगे ! जिसमे उक्त नाम पुनरुजीवित हो सकेंगे।

लोक व्यवहार के कुछ नामः—

जैसा कि पहले वर्णन किया जा चुका है कि जन सामान्य में नामकरण परम्परा के पीछे कौन-कौन सी कामनाएं काम करती हैं। उन भावनाओं कों पुनः वर्णित न कर संक्षेप में सामान्य जनता मुख्यतः अनुकरण के आधार पर अपने नवजात शिशु जा नाम करण करते हैं। फलतः एक नाम के एक ही गाँव में कम-से-कम दो चार दश व्यक्ति तक मिल जाते हैं। कभी

वयोवृद्ध के नामों से ही किसी बच्चे को पुकारने लग जाते हैं। जो उनकी वंश पारम्परिक वृत्ति का द्योतन कराता है।

यहाँ लोक प्रचलित नामों से यही प्रयोजन है कि स्वर शास्त्रीय ज्योतिष की पद्धति में नाम स्वरों के अनुसार ही जन्म से मृत्यु पर्यन्त उन नामों से शुभा-शुभ उन्नति अवनति का फलादेश किया जाता है। इस पुस्तक में हम लोक व्यवहार में प्रसिद्ध तथा समाज में लब्ध प्रतिष्ठ कुछ नामों को फलादेश के लिए ग्रहण करेंगे। जिनका 'नाम स्वर के फलादेश' अनुरूप अध्याय में विवेचन होगा। लोक प्रसिद्ध कुछ नामों के साथ ही साथ हम जन सामान्य के कुछ नामों को अपनी फलादेश विवेचना का विषय बनायेंगे,जिसकी आगे के अध्याय में विशद चर्चा की जा सकेगी।

स्वर शास्त्रीय ज्योतिष में फलादेश के लिए नर और नारी दो प्रकार के वर्गों में फलादेश की विवेचना करते हैं। नर और नारी के नामों के अनुसार भी स्वरों के आठ स्वर चक्रों के अनुरूप भाग्यफल का आदेश किया जाता है जो पूर्व वर्णित मात्रा, वर्ण, ग्रह, जीव, राशि, नक्षत्र, पिण्ड और योग है। इन स्वर चक्रों के मान्य सिद्धान्तों के अनुरुप १२ वर्ष, १ वर्ष, ६ मास (अयन) ७२ दिन (ऋतु), एक मास, (चन्द्र) १५ दिन पक्ष, १ दिन (तथि), घटी के समय तक शुभाशुभ, काल, का निर्देश नक्षत्र राशियों के सम्बन्ध से करते हैं। जीवन की सम्पूर्ण परिस्थितियों में इन्ही स्वर चक्रों और काल चक्रों की सहायता लेते हैं। यहां एक बात और भी विचातणीय है कि नाम स्वरों के अनुरूप भाग्य फल की स्वर शास्त्रीय ज्योतिष पद्धति के अनुसार जो फल एक विशेष व्यक्ति के नाम स्वर के अनुसार होगा, वहीं बहुत कुछ मात्रा में उस नाम के भूमण्डल पर रहने वाले सभी जीवों, द्वीप महाद्वीप, देश-प्रदेश समुद्र पर्वत, ग्राम, नगर आदि नामों पर भी वही शुभाशुभ घटित होगा। इससे इस पद्धति में जहां विशिष्ट जन विशेष का फलादेश मिलता है वहाँ वह फल सामान्य जनता के विषय में भी ग्राहय होता है।

इन नामों के अनुसार आठ प्रकार के स्वर चक्रों के सुविधानुसार प्रयोग

के लिए हम अवकहड़ा चक का वह अंश प्रस्तुत करते हैं जो स्वर शास्त्रीय आठ चक्रो के निर्माण और उपयोग में अपेक्षित है

अश्विनी नक्षत्र के चारों चरणों में क्रमश:—चू चे चो ला	मेष राशि
भरणी ,, ,, ,, ,, ,, ली लू ले लो	अधिपति ग्रह-
कृतिका के एक चरण तक ,, ,, अ	मंगल
कृतिका के तीन चरणों में क्रमश:—ई उ ए	वृष राशि
रोंहिणी के चार ,, ,, ,, ओ वा वी बु	अधिपति ग्रह-
गृगशीर्ष के दो चरणों व वो	शुक्र
मृगशीर्ष के दो चरण—का की	मिथुन राशि
आर्द्रा के चार चरश—कु घ ङ छ	
पुनर्वसु के तीन ३ चरण—के को ह	अधिपति बुध ग्रह
पुनर्वसु के एक चरण—ही	कर्क राशि
पुष्य —हु हे हो डा	अधिपति ग्रह-
अश्लेषा के चार चरण - डी डू डे डो	चन्द्रमा
मघा के चार चरण—म मी मू मे	सिंह राशि
पूर्वाफाल्गुनी के चार चरण—मो टा टी टू	अधिपति ग्रह-
उत्तराफाल्गुनी १ च टे	सूर्य
उत्तराफाल्गुनी के तीन चरण—टो पा पी	कन्या राशि
हस्त के चार चरण—पू ष ण ठ	राशीश ग्रह-
चित्रा के दो चरण—पे पो	बुध
चित्रा के दो चरण—रा री	
स्वाति के चार चरण—रू रे रो ता	तुला रशि
विषाखा के तीन चरण—ती तू ते	राशीश ग्रह शुक्र।

विशाखा के एक चरण—तो	वृश्चिक राशि
अनुराधा के चार चरण—न नी नू ने	राशीश गह-
ज्येष्ठा के चार चरण—नो या यी यू	मङ्गल
मूल के चार चरण—ये यो भ भी	धनु राशि
पूर्वाराढ़ा के चार चरण—भू घ फ ढ़	राशीश ग्रह-
उत्तराषाढ़ा एक चरण—भे	वृहस्पति
उत्तराषाढ़ा के तीन चरग—भो ज जी	मकर राशि
श्रवण के चार चरण—खी खू खे खो	राशीश ग्रह-
घनिष्ठा के दो चरण—गा गी	शनि
घनिष्ठा के दो चरण—गू गे	कुम्भ राशि
शतभिषा के चार चरण—गो सा सी सू	राशीश ग्रह-
पूर्वाभाद्र के तीन चरण—से सो दा	शनि
पूर्वाभाद्र का एक चरण—दी	मीन राशि
उत्तराभाद्र चार चरण—दू थ झ ञ	राशीश ग्रह-
रेवती के चार चरण—दे दो चा ची	वृहस्पति

इस प्रकार चन्द्रमा की एक ही राशि कर्क और सूर्य की सिंह राशि होती है। तथा-मेष और वृश्चिक ये दो राशियां मंगल की

वृष ,, तुला ,, ,, ,, शुक्र ,,
मिथुन ,, कन्या ,, ,, ,, बुध ,,
धनु ,, मीन ,, ,, ,, वृहस्पति की
मकर ,, कुम्भ ,, ,, ,, शनि की राशियाँ होती है।

आठ स्वर चक्र और फलादेश में उपयोगिता :—

स्वरशास्त्रीयज्योतिष में फलित निकालने के मुख्यतः ८ स्वर चक्रों का वर्णन मिलता है, जिनपर स्वरज्ञ पण्डित क्रमश. विचार करते हैं—

१. मात्रा स्वर चक्र—"तत्काले मात्रिको ग्राह्य:"

नाम के १६ स्वरों में मान्य पाँच स्वरों (अ, इ, उ, ए, ओ) में प्रथक वर्ण में जो स्वर प्रयुक्त होता है उसके अनुसार मान्य स्वर चक्र के अनुरूप उसका मात्रा स्वर निकालते हैं। किसी भी नाम से उसका शुभाशुभ फलादेश के लिए प्रथमतः मात्रास्वर चक्र से उसके अनुसार ही उसके फलादेश के वाल, कुमार, युवा, वृद्ध और मृत्यु स्वर निर्धारित किए जाते हैं। सुविधा के लिए मात्रा स्वर चक्र यहाँ प्रस्तुत किया जा रहा है—

अ	इ	उ	ए	ओ
क	कि	कु	के	को
च	चि	चु	चे	चो
ट	टि	टु	टे	टो
त	ति	तु	ते	तो
प	पि	पु	पे	पो
य	यि	यु	ये	यो
बाल	कुमार	युवा	वृद्ध	मृत्यु

इत्यादि

तत्काल फलादेश करने में इस मात्रा स्वर चक्र कीं उपयोगिता होती है। यदि कोई किसी भी समस्या पर तत्काल फलादेश जानना चाहता है।

तो मात्रा स्वर से उसके नाम के अनुसार उसका प्रधान स्वर निश्चित करते हैं, और बाद के स्वरों को उसी क्रममें (बाल कुमार युवा वृद्ध मृत्यु में) रखते हैं। तत्काल घटी से समय का ज्ञान कर दिनमान के अनुसार चलने वाली घटी में उसकी स्वर दशा निकाल कर ज्योतिषी इस भकार फलादेश करता है।

१—जिस दिन या तिथि में जिस समय (प्रश्न कर्त्ता के प्रश्न के समय) यदि वाल स्वर की दशा चल रही है तो, सफलता होती है

२—यदि उस समय उसका (प्रश्नकर्त्ता) कुमार स्वर चल रहा है तो अधिक सफलता

३—	,,	,,	,,	युवा	,,	,,	पूर्ण सफलता
४—	,,	,,	,,	वृद्ध	,,	,,	प्रायः असफलता
५—	,,	,,	,,	मृत्यु	,,	,,	विफलता या

अनिष्ट की सम्भावना होती है।

जैसे—मोरार जी नाम से मात्रा स्वर जानना हो तो मात्रा स्वर चक्र में य पर ओ की मात्रा होने से मात्रा स्वर ओ होता है। यही ओ स्वर मोरार जी का मात्रस्वर की दृष्टि से, बाल स्वर हुआ। बाद का अ कुमार, इ युवा, उ वृद्ध, और ए मृत्यु स्वर हुआ। जब काल के समन्वय से यदि मोरार जी के प्रश्न काल में इ स्वर का उदय हो रहा है तो ओ मात्रास्वर से इ का उदय मोरार जी के सर्वसिद्धि का योग प्रकट करेगा। उन्हें तत्काल की समस्या पर निश्चित सफलता होगी, ऐसा स्वर शास्त्री फलादेश करेगा।

२. **वर्ण स्वर चक्र** :—"दिने वर्ण स्वरस्तथा"!

मात्रा स्वर के पश्चात् वर्ण स्वर चक्र का विचार किया जाता है। यहाँ पर फलित के आदेश के लिए किसी के नाम में आनेवाले आदि के वर्ण को

ग्रस्हण करते हैं। उस वर्ण के अनुसार उसकी स्वर दशा मान्य वर्ण स्वर चक्र के अनुसार होगी। वर्ण स्वर चक्र इस प्रकार है :—

अ १	इ २	उ ३	ए ४	ओ ५
बाल	कुमार	युवा	वृद्ध	मृत्यु
क	ख	ग	घ	च
छ	ज	झ	ट	ठ
ड	ढ	त	थ	द
ध	न	प	फ	ब
भ	म	य	र	ल
व	श	ष	स	ह

नाम के आदि में ङ ञ ण व्रर्ण नही देखे गये हैं। अतः आचार्य ने इस वर्ण स्वर चक्र में ङ ञ ण का उपयोग नहीं किया है। यदि किसी के नाम में ङ ञ ण वर्ण हो भी तो उनकी जगह पर क्रमशः ग ज ड वर्णों का प्रयोग नाम में करना चाहिए।

"न प्रोक्ता ङ ञ णा वर्णः नामादो, सन्ति ते नहि
चेद्भवन्ति तदा ज्ञेया गजडास्ते यथा क्रमम्"

एक दिन का किसी नाम के अनुसार फलादेश करने के लिए वर्ण स्वर चक्र अधिक उपादेय है। मान्य वर्ण स्वर चक्र, अन्य सभी स्वर चक्रों में अत्यधिक महत्वपूर्ण है। किसी भी कार्य में शुभाशुभ का फलित निकालने के

लिए वर्णस्वर के अनुसार किसी नाम की निश्चित स्वरदशा का ज्ञान करते है। मूल पाँच स्वरों में जिस एक स्वर कि दशा में नाम का पहला वर्ण आयेगा फिर उसके बाद वाले स्वरों को उसी पूर्वोक्त परम्परा के अनुसार उनको अन्य स्वर संज्ञाएँ स्थिर की जायेगी । उसके अनुसार ही विशिष्ट व्यक्ति को इसी प्रकार का फलादेश करेंगे । जैसे मोरार जी का नाम वर्ण स्वर इ, इन्दिरा नाम का भी इ, तारकेश नाम का उ, है चक्र में स्पष्ट है । अतः मोरार जी का वर्ण स्वर इ से, इ बाल, उ कुमार, ए युवा, ओ वृद्ध और अ मृत्यु स्वर होता है । यही क्रम इन्दिरा नाम का भी है । तथा तारकेश नाम से उ=बाल, ए=कुमार, ओ=युवा, ऊ=वृद्ध एवं इ=मृत्यु स्वर होता है।

३. ग्रह स्वर "पक्षे ग्रह स्वरो ज्ञेयः"

इस स्वर चक्र के अनुसार किसी नाम के प्रथम अक्षर स्वर के अनुसार अबकहडा चक्र में यह देखते हैं कि निश्चित स्वर युक्त वर्ण किस नक्षत्र के किस चरण में पड़ता है। फिर उसकी राशि निर्धारित कर उसके अधिपतिग्रह का भी वही स्वर होने से उसे ग्रह स्वर कहा गया है । उसके अनुसार बालकुमारादि स्वर समझना चाहिए ।

अ	इ	उ	ए	ओ
बाल	कुमा	युवा	वद्ध	मृत्यु
मेष	मिथुन	धनु	वृष	मकर
सिंह	कर्क	मीन	तुला	कुम्भ
वृश्चिक	कन्या	वृहस्पति	शुक्र	शनि
मंगल	बुध			
सूर्य	चन्द्रमा			

जैसे सुरेशचन्द्र इस नाम से अबकहड़ा चक्र से यह नाम शतभिषा नक्षत्र चतुर्थ चरण में पड़ता है, जिसकी कुम्भ राशि हुई, और शनिग्रह अधिपति हुआ। ग्रह स्वर के अनुसार कुम्भ राशि के अधिपति शनि ग्रह का भी पञ्चम स्वर ओ, हुआ जो इस नाम का बालस्वर हुआ। इसलिए सुरेशचन्द्रनाम के बालस्वर ओ से अ इ उ ए स्वर, क्रमशः कुमार युवा वृद्ध और मृत्यु होते हैं।

४. जीवस्वर चक्र—

"मासे जीव स्वरस्तथा"

अ	इ	उ	ए	ओ
अ^{१}	आ^{२}	इ^{३}	ई^{४}	उ^{५}
ऊ^{६}	ऋ^{७}	ॠ^{८}	ऌ^{९}	ॡ^{१०}
ए^{११}	ऐ^{१२}	ओ^{१३}	औ^{१४}	अं^{१५} अः^{१६}
क^{१}	ख^{२}	ग^{३}	घ^{४}	ङ^{५}
च^{१}	छ^{२}	ज^{२}	झ^{४}	ञ^{५}
ट^{१}	ठ^{२}	ड^{३}	ढ^{४}	ण^{५}
त^{१}	थ^{२}	द^{३}	ध^{४}	न^{५}
प^{१}	फ^{२}	ब^{३}	भ^{४}	म^{५}
य^{१}	र^{२}	ल^{३}	व^{४}	४
श^{१}	ष^{२}	स^{३}	ह^{४}	४
बाल	कुमार	युवा	वृद्ध	मृत्यु

नामों के आदि स्वर एवं व्यंजनों के लिए ऊपर के जीव स्वर चक्र में निर्धारित अंक संख्या (स्वर + व्यंजन) में ५ से भाग देने पर शेष १ से अ स्वर, २ से ई, ३ से उ ४ से ए और ५ या शून्य से सर्वत्र ओ स्वर जानना चाहिए। किसी नाम के अनुसार एक मास पर्यन्त शुभाशुभ का विचार करने में इस जीव स्वर चक्र का उपयोग करते हैं। उदाहरणार्थ, इन्दिरा में इ की संख्या ३ न् की सं० ५. द् की संख्या ३ पुनः द में इ की संख्या ३ र में आ की संख्या २ इस प्रकार. ३+५+३+३+२+२=१८÷५=शेष ३ मिलने से जीव स्वर=उ सिद्ध होता है।

इसी प्रकार सुरेशचन्द्र नाम में स्=३ उ=५ र्=२ ए=१ श्=३ अ=१ च=१ न्=५ द्=३ अ=१

इसी प्रकार अभीष्ट नाम का जीव स्वर =३+५+२+११+१+१ =२३ अतः २३÷५ शेष ३=उ यह सुरेश नाम का जीव-स्वर सिद्ध होता है। अर्थात् मास में इन्दिरा के जीव स्वर उ से (उ को) वाल (ए को) कुमार (ओ को) युवा (अ को) वृद्ध तथा इ को मृत्यु स्वर कहना चाहिए। जिस मास का भविष्य विचार करना हो इस नाम के जीव स्वर उ से बाल, कुमार, युवा आदि समझने चाहिए।

५. राशि स्वर चक्र—

"ऋतौ राश्यंशको ग्रह्यः"

अ	इ	उ	ए	ओ
मं०९	मि०३	कन्या ९	वृश्चिक ६	म०३
वृषभ९	क०९	तु०९	ध०९	कुं०९
मि०६	सिं०९	वृश्चिक ३	म०६	मी०९
अंश	अंश	अंश	अंश	अंश

निश्चित नाम के आदि वर्णानुसार अबकहड़ा चक्र में वह नाम जिस राशि के जितने अंश में हो उसी के अनुसार उस नाम का राशि स्वर स्थिर किया जाता है। ऋतुपर्यन्त काल में किसी नाम के अनुसार फलाफल का विचार करने में इस राशि स्वर चक्र का उपयोग किया जाता है। उदाहरणार्थ-राजेश्वर जोशी नाम का आदि वर्ण चित्रा का तीसरा चरण होने से तुला राशि होती है। चित्रा नक्षत्र के दो चरण स्वाती के चार चरण और विषाखा के ३ चरण तुला राशि में होते हैं। इस प्रकार ९ चरण=९ अंश की तुला राशि होती है जिसका राशिश्वर मान्य स्वर चक्रानुसार उ स्वर होता है। इसी प्रकार राधावल्लभ का भी राशि स्वर उ सिद्ध होता है।

। शे। :—

सत्ताईस नक्षत्रों में १२ राशियां होती हैं, इसलिए एक राशि=२७/१२ नक्षत्र =९/४=२ १/४ नक्षत्र=९ चरण स्वतः सिद्ध होते हैं। अथवा २७×४=१०८ चरण =१०८/१२=९ चरणों की एक राशि सिद्ध होती है।

६. नक्षत्र स्व। चक्र—

"षण्मासे नक्षत्र सम्भवः"

अ	इ	उ	ए	ओ
रे	पु.	उ. फा.	अनु.	श्रवण
आश्विनो	पु.	हस्त.	ज्येष्ठा	धनिष्ठा
भ.	श्ले.	चित्रा	मूल	शतभिषा
कृ. रो.	म.	स्वाती.	पू. षा.	पू. भा.
मृ. आ.	पू. फा.	विशाखा	उ. षा.	उ. भा.
बाल	कुमार	युवा	वृद्ध	मृत्यु

जिस नाम का आदि वर्ण अबकहड़ा चक्र में जिस नक्षत्र में पड़े, और वह नक्षत्र मान्य नक्षत्र स्वर चक्र में जिस स्वर में पड़े वही उसका नक्षत्र स्वर होता है। ६ महीने का शुभाशुभ फल विचार में इस नक्षत्र स्वर चक्र से फलादेश किया जाता है। उदाहरणार्थ—विभूतिनारायण नाम का आदि वर्ण वि अबकहड़ा चक्र में ओ, वा, वि, वू, रोहिणी नक्षत्र में पड़ने से नक्षत्र स्वरचक्र के अनुसार अभीष्ट नाम का नक्षत्र अ सिद्ध होता है। इस प्रकार सुरेश का जन्म नक्षत्र पूर्वाभाद्र १ चरण से नक्षत्र स्वर ओ होता है।

७. पिण्ड स्वर चक्र

"अब्दे पिण्डस्वरो ज्ञेय:"

अ	इ	उ	ए	ओ
१	२	३	४	५=०

किसी नाम के सम्पूर्ण वर्णों तथा स्वरों के वर्णस्वर संख्या, तथा मात्रा स्वर संख्या (वर्णस्वर चक्र और मात्रास्वर चक्र) के अनुसार निकालकर सम्पूर्ण वर्णस्वरों के योग और मात्रा स्वरों के योग को एक साथ जोड़कर उसमें संख्या ५ से भाग देने पर शेष फल के अनुसार पिण्डस्वर का निर्धारण करते हैं। शेष १ होने पर अ स्वर, २ होने पर इ स्वर, ३ से उ स्वर, ४ से ए स्वर और ५ या शून्य शेष होने पर ओ स्वर को पिण्ड स्वर के रूप में ग्रहण करते हैं। संक्षेप में यह सूत्र भी ध्यान में रखना चाहिए

$$\text{पिण्ड स्वर} = \frac{\text{नाम के वर्ण स्वरों की संख्या} + \text{नाम के मात्रा स्वरों की संख्या}}{५}$$

=शेष १ अ, २ इ, ३ उ, ४ ए, ५ या शून्य=ओ स्वर होता है।

किसी नाम के अनुसार तत्कालीन वर्ष भर के शुभाशुभ विचार के लिए पिण्ड स्वर चक्र की उपादेयता होती है।

जैसे—गौरीनाथ नाम के—ग्+औ+र्+ई+न्+आ+थ+अ,+औ ई आ अ के मात्रा स्वर क्रमशः औ ५+ई २+आ १+अ=१ अभीष्ट नाम में स्वर संख्या ९ हुई।

वर्ण स्वर=ग्=३ र्=४ न्=२ थ्=४=१३ हुई यह अभीष्ट नाम के वर्णों के वर्ण स्वर की संख्या हुई। इसलिए मात्रा स्वर=९+वर्ण स्वर=१३=२२ =योग÷५=शेष २ पिण्ड स्वर=इ की सिद्धि हुई।

इसी प्रकार सुरेश नाम से स+उ+र+ए+श+अ से

वर्णस्वर=स्=४+र्=४+श्=२=१०

यह नाम के हल् वर्णों की वर्ण स्वरों की संख्याओं का योग हुआ। एवं नाम के अच् वर्णों के मात्रा स्वरों की संख्या का योग=उ=३+ए=४ +अ=१=८ हुई। इस प्रकार पिण्ड

$$\text{स्वर}=\frac{\text{नाम के वर्ण स्वरों की संख्या}+\text{नाम के मात्रा स्वरों की संख्या}}{५}$$

$=\frac{१०+१२}{५}=\frac{२२}{५}=$शेष = २=इ यह सुरेश नाम का पिण्ड स्वर सिद्ध हुआ।

योगस्वर चक्र

"योगो द्वादश वार्षिके"

किसी भी नाम के पृथक्-पृथक् मात्रा स्वर चक्र, वर्णस्वरकचक्र, ग्रह स्वरचक्र, जीवस्वरचक्र राशि स्वरचक्र, नक्षत्र स्वरचक्र, पिण्ड स्वरचक्र के अनुसार ज्ञात स्वरों की संख्या के योग में ५ से भाग देने पर शेषफल के

अनुसार योग स्वर चक्र के स्वर का निर्धारण करते हैं। शेष १ से अ स्वर, २ से इ स्वर, ३ से उ स्वर, ४ से ए स्वर और शून्य या ५ से ओ स्वर को योग स्वर के रूप में ग्रहण करते हैं।

किसी मनुष्य के नाम के अनुसार उस नाम के सम्पूर्ण प्राणियों, पदार्थों, वस्तुओं एवं चराचर प्रकृति की वस्तुओं के १२ वर्ष की अवधि तक का शुभाशुभ फलादेश करने के लिए योग स्वरचक्र का प्रयोग करते हैं। जिन नामों को पहले स्वर चक्रों को समझाने के लिए उदाहरण के रूप में ग्रहण किया गया है उन्हीं का यदि योग स्वर निकाले तो वह इस प्रकार से होगा। योगाभ्यास में योगास्वर अपेक्षित होता है।

नाम	१ मात्रा	२ वर्ण	३ ग्रह	४ जीव	५ राशि	६ नक्षत्र	७ पिण्ड	८ योग
मोरार जी देसाई	ओ ५	इ २	अ १	इ २	इ २	इ २	ए ४	= १८/५ = ३ उ यह योग स्वर हुआ
इन्दिरा	इ २	इ २	ए ४	उ ३	अ १	अ १	ए ४	= १७/५ = २ इ " "
सुरेश चन्द्र जोशी	अ १	ए ४	ओ ५	उ ३	ओ ५	ओ ५	इ २	= २५/५ = ० या ५ = ओ

उदाहरण के लिए अन्य बहुत से नामों का विवेचन इन स्वर चक्रों के अनुसार स्वतंत्र रूप में आगे के अध्याय में किया जा रहा है।

इस प्रकार से इन आठ स्वरचक्रों का विवेचन हुआ है। फलादेश की ज्योतिष की स्वरशास्त्रीय पद्धति में इनकी क्या उपादेयता है। यह भी यत्र तत्र स्वर चक्रों के साथ दिया गया है, फिर भी उनको संक्षिप्त रूप में इस प्रकार लिख सकते हैं। प्रथमतः इन स्वरचक्रों से फलादेश की पद्धति में स्वरचक्र तत्तत् आठ प्रकार के कालों (१२ वर्षों की अवधि, १ वर्ष, अयन, ऋतु, मास, पक्ष, दिन घटी) से सम्बन्धित है। निश्चित काल की निश्चित अवधि में विशिष्ट स्वर चक्र को फलादेश के लिए, साधन के रूप में ग्रहण

करते हैं। जैसे तत्काल किसी प्रश्न का फलादेश करने में मात्रा स्वरचक्र को घटी स्वर चक्र से संबन्धित करते हैं, जिससे किसी समय में २४ घण्टे के (अहोरात्र) शुभाशुभ का फलादेश करते हैं। किसी के नाम के अनुसार १ दिन में फलाफल का आदेश करने के लिए वर्ण स्वर चक्र को दिन स्वर चक्र से सम्बन्धित कर फलादेश करते हैं। पक्ष पर्यन्त तक के शुभाशुभ का फलित निकालने के लिए ग्रह स्वरचक्र का पक्ष स्वर चक्र से सम्बन्ध स्थापित कर फलादेश किया जाता है। इसी प्रकार जीव स्वरचक्र से मास पर्यन्त, राशि स्वर चक्र से ऋतु पर्यन्त, नक्षत्र स्वर चक्र से अयन पर्यन्त समय का, पिण्ड स्वर चक्र से वर्षभर का और योग स्वर चक्र से ११ वर्षों तक का फलाफल विचार किया जाता है।

इन स्वर चक्रों की उपादेयता न केवल आठ कालों में फलादेश में होती है अपितु जीवन की अनेकानेक समस्याओं के सुलझाने में ये स्वरचक्र अत्यधिक उपादेय सिद्ध होते हैं। अनेकानेक समस्याओं के उपस्थित होने पर ही सामान्य जन ज्योतिषी के पास आता है और इस कार्य में हमें सिद्ध होगी या असिद्धि होगी तत्काल पूछ बैठता है। आए दिन अनेकानेक परिस्थितियों के फलादेश में अनेक शुभकर्मों के शुभारम्भ में भी इन स्वर चक्रों के द्वारा शुभाशुभ का फलादेश बड़ी सुगमता से किया जाता है।

किसी कार्य के प्रारम्भ के पहले सिद्धि एवं असिद्धि का विचार इन स्वरचक्रों द्वारा किया जाता है। निश्चित कार्यों के शुभ अनुष्ठानों के लिए भी इन स्वर चक्रो से उनकी सफलता का विचार और बाधक तत्वो की शान्ति के लिये तंत्र मंत्रों का आदेश किया जाता है। सक्षेप में कुछ कार्यो और उसके लिए उपयोगी स्वरचक्रों का निर्देश स्वरशास्त्रीय मान्य ज्योतिष ग्रंथों में इस प्रकार से किया गया है। जैसे

१. मन्त्र यन्त्र साधन में	मात्रा स्वर चक्र से विचार
२. किसो भी कार्य में	वर्ण स्वर चक्र ,, ,,
३. मारण, मोहन, स्तम्भन, उच्चाटन, विनोद विद्या विग्रह, घात आदि में	ग्रह स्वर चक्र ,, ,,

४. भोजन, पान, वस्त्र, अलकार, भूषण विद्यारम्भ
विवाह में जीव स्वर चक्र „ „

५. उद्यापन, उपवन, बाग, देवस्थापन, राज्यभिषेक आदिक
शुभ कार्यों के प्रारम्भ में राशि स्वर चक्र „ „

६. शान्तिक, पौष्टिक, यात्रा, प्रवश, बीज वपन
स्त्री, विवाह, और सेवा, में नक्षत्र स्वर चक्र „ „

७. शत्रुच्छेद, सेनाध्यक्षता, मंत्री नियुक्ति, में पिण्ड स्वर चक्र से

८. देह की अवस्थाओं का ज्ञान सम्भव और योग साधन में योग स्वरचक्र
के अनुसार शुभाशुभ विचार किया जाता है।

इससे यह पूर्णतः सत्य एवं स्पष्ट प्रमाणित हो गया कि पूर्वोक्त वर्णित ये स्वरचक्र न केवल अनेक समय की अवधि के रूप में फलादेश करने में सहायक हैं, अपितु इनके द्वारा सामान्य जीवन की समस्याओं से लेकर सामाजिक राजनैतिक तथा राष्ट्रीय अन्तर्राष्ट्रीय समस्याओं का निराकरण एवं शुभाशुभ का फलादेश अत्यधिक सरलता सुगमता से किया जा सकता है। जिनके द्वारा फलित ज्योतिष अपने प्रत्यक्ष चमत्कार से जन सामान्य को परिचित एवं चकित ही नहीं अपितु लाभान्वित कर सकता है। इन स्वर चक्रों की यही व्यापक उपादेयता है।

काल विवेचन

जैसा कि पहले अनेक स्थलों पर निर्देश किया जा चुका है कि स्वरशास्त्रीय ज्योतिष में फलादेश के लिए अवधि के अनुसार समय को आठ अंगागी भेदों में बांटा गया है। जो इस प्रकार है—

१. द्वादश सम्वत्सर स्वर	१२ वर्ष की अवधि पर्यन्त
२. सम्वत्सर स्वर	१ वर्ष की अवधि पर्यन्त
३. अयन स्वर	६ मास की अवधि तक
४. ऋतु स्वर	२ मास १२ दिन की अवधि पर्यन्त। इस शास्त्र में मुख्यतः ५ ऋतुएँ ग्राह्य हैं।

५. मास स्वर (३० दिन) १ चान्द्र मास की अवधि तक

६. पक्ष स्वर १५ दिन (तिथि) की अवधि तक

७. दिन स्वर २४ घण्टा (अहोरात्र) की अवधि तक

८. घटी स्वर ६० पला या १ घटी (२४ मिनिट) की अवधि तक

अब इन्हीं कालांशों के प्रत्येक भेद की सामान्य विवेचना प्रस्तुत की जाती है। जिससे ज्योतिष की स्वरशास्त्रीय पद्धति से किसी काल में मान्य मूल स्वरों में से प्रत्येक का भोग काल कितना होगा? इसकी भी उसी प्रसंग में विवेचना करेंगे, साथ ही वर्तमान अधिसम्वत्सर में कौन सा स्वर चलेगा तथा १२ सम्वत्सर का कौन सा स्वर होगा इन सभी बातों की विवेचना एक एक करके आगे के पृष्ठों में की जा रही है।

द्वादश वार्षिक सम्वत्सर

ज्योतिष-शास्त्र के सिद्धान्त ग्रंथों में जैसी विवेचना मिलती है उनके अनुसार बृहस्पति ग्रह की कक्षा मंगल ग्रह की कक्षा से ऊपर तथा शनि ग्रह की कक्षा से नीचे है। ग्रहसिद्धान्त का मत है कि जितने समय में पृथ्वी सूर्य की एक परिक्रमा=(३६०°) कर लेती है,उसकी कक्षा से लगभग १२ गुनी गुरु की कक्षा होने से बृहस्पति ग्रह मध्यम मान से सूर्य की परिक्रमा का उतने समय में $\frac{१}{१२}$ परिधि ही को पूरा कर पाता है। इसलिए $\frac{१}{१२}$ परिक्रमा में १ वर्ष तो १ परिक्रमा=१२ राशि में बृहस्पति के १२ वर्ष लगेंगे। १२ वर्ष में=३६०°. १ वर्ष में ३०°। इसलिए एक दिन में $\frac{३०}{१}\times\frac{६०}{३६०}$=५, कला गति मध्यमान से होती है। बृहस्पति की एक वर्ष की मध्यमान की गति में १ अधिसम्वत्सर, १२ वर्ष=१ युग, तो ६० वर्ष में ५ युग होते हैं। ऐसा सिद्धांत संहिता ग्रंथों में प्रतिपादित किया गया है। इन ६० सम्वत्सरों में प्रत्येक का नाम ज्योतिष ग्रंथों में मिलता है।

शक वर्ष के आदि में प्रभव सम्वत्सर था, अतः इस क्रम से ६० सम्वत्सरों के नाम इस प्रकार हैं।

[१]प्रभव, [२]विभव, [३]शुक्ल, [४]प्रमोद, [५]प्रजापति, [६]अङ्गिरा, [७]श्रीमुख, [८]भाव, [९]युवा, [१०]धाता, [११]ईश्वर, [१२]बहुधान्य, [१३]प्रमाथी, [१४]विक्रम [१५]वृष, [१६]चित्रभानु, [१७]सुभानु, [१८]तारण, [१९]पार्थिव, [२०]व्यय, [२१]सर्वजित, [२२]सर्वधारी [२३]विरोधि, [२४]विकृत , [२५]खर, [२६]नन्दन, [२७]विजय, [२८]जय, [२९]मन्मथ, [३०]दुर्मुख, [३१]हेमलम्ब, [३२]विलम्ब, [३३]विकारी, [३४]शार्वरी, [३५]प्लव, [३६]शुभकृत, [३७]शोभकृत, या शोभन [३८]क्रोधी, [३९]विश्वावसु, [४०]पराभव, [४१]प्लवङ्ग, [४२]कीलक, [४३]सौम्य, [४४]साधारण, [४५]विरोधकृत, [४६]परिधावी, [४७]प्रमादी, [४८]आनन्द, [४९]राक्षस, [५०] नल, [५१]पिङ्गल, [५२]कालयुक्त, [५३]सिद्धार्थी, [५४]रौद्र, [५५]दुर्मति, [५६]दुन्दुभि, [५७]रुधिरोद्गारी, [५८]रक्ताक्ष, [५९]क्रोधन, और [६०]क्षय ।

ऐसी मान्यता हैं कि प्रथम सम्वत्सर ही सृष्टि का प्रथम सम्वत्सर रहा होगा और ये ही साठ सम्वत्सर क्रमशः आते रहेंगे । किन्तु १२ वर्षों की अवधितक मूल पांच स्वरों में क्रमशः एक एक स्वर का भोग काल होगा । ६० सम्वत्सरों में इन स्वरों की भोग काल के अनुसार एक आवृत्ति हो जायगी । प्रथम सम्वत्सर से वर्तमान सम्वत्सर तक किस स्वर की दशा होगी । यह निम्नलिखित तालिका से स्पष्ट है—

१. प्रभव सम्वत्सर से लेकर बहुधान्य १२ सम्वत्सर तक अ स्वर की दशा
२. प्रमाथी १३ से—विकृत २४ तक इ स्वर की दशा
३. खर २५ से शुभकृत् ३६ तक उ स्वर की दशा
४. शोभकृत ३७ से आनन्द ४८ तक ए स्वर की दशा
५. राक्षस ४९ से क्षय ६० तक (प्रायः सन् ५९-६० से)
सन् ७१-७२ तक) ओ स्वर की द्वादश वार्षिक दशा चलती है ।

स्वरों की अन्तर्दशा की विवेचना करने से यह स्पष्ट है कि अभीष्ट नाम मोरार जी का सन् १९५९—६०, ६०—६१ अभ्युदय के रूप में । युवा में युवा स्वर ।

सन् १९६१—६२ और६२—६३	यह सम्मान प्रतिष्ठा आदि की स्थिति में डवांडोल। या दोलायमान वृत्ति।
सन् १९६४—६५ से ६६—६७	स्थिति में सुधार।
सन् ६६—६७ के बाद ७१—७२ तक	पूर्ण सम्मान, प्रतिष्ठा की स्थिति के रुप में। युवा स्वर के उदय से होगी।

इस तालिका के अनुसार वर्तमान दुर्मति सम्वत्सर (जो कि कार्तिक शुक्ल चतुर्दशी बुधवार वि० सं० २०२४ (शक १८८९) तदनुसार तारीख १६ नवम्बर ६७ से वि० सं० २०२५ (शक १८९०) मार्गशोर्ष कृष्ण ५ पंचमी रविवार तारीख १२ नवम्बर ६८ तक चलेगा) में ओ स्वर की दशा चल रही है जो राक्षस सम्वत्सर से प्रारम्भ होकर क्षय सम्वत्सर तक चलेगी।

१२ वर्षों को अवधि में प्रत्येक स्वर की अन्तर दशा उस काल की ११ वाँ भाग होता है, जिसे क्रमशः प्रत्येक स्वर का भोगकाल मानते है। इस प्रकार पाँच मूल स्वरों में से प्रत्येक का भोगकाल=$\frac{१२}{११}$=१ वर्ष १ महीना २ दिन ४३ घटी ३८$\frac{२}{११}$पला या (१७$\frac{५}{११}$घण्टे) होगा। इस भोगकाल के अनुसार इन स्वरों में प्रत्येक की एक दो आवृत्ति और किसी स्वर की तीन आवृत्ति तक हो जाती हैं। स्वरों की इस अन्तर्दशा से ही यथार्थं फलादेश में पूर्णतः सहायता मिलती है। स्वरों की अन्तर दशा निकालने के लिए इस नियम को सदैव ग्रहण करना चाहिए प्रत्येक स्वर का भोग काल

$=\frac{\text{अवधि या कालाश}}{११}$ के तुल्य होंता है।

ग्रहगणित में यह एक महत्त्व का विषय है, अतः इस सम्बन्ध में यहाँ पर ग्रहगणित सिद्धान्तों से बृहस्पति की १२ वर्ष एवं प्रत्येक वर्ष की गुरु की मध्यम संक्रान्तियों का गणित उदाहरण के लिये आवश्यक है जो निम्नभाँति है।

७१४४०४१४७५५ यह दिनगण संख्या सृष्टि के आदिम दिन (ग्रहगणना का) से १३ अप्रैल १९६७, चैत्र शुक्ल तृतीया गुरुवार को आती है।

अनेक मतों के भारतीय पञ्चाङ्गों ने दुर्मति नामक २९ वें संवत्सर के प्रारम्भ का समय—

(१) किसी पञ्चाङ्ग ने ता० १५-११-६७ की रात्रि (मध्य रात्रि के समीप) से १०-११-६८ तक दुर्मति का वर्ष मानकर ११-११-६८ से दुन्दुभि का प्रारम्भ वर्ष लिखा है। (२) तथा दूसरे ने ता० १५ दिसम्बर १९६७ से ११ दिसम्बर १९६८ तक दुर्मति नाम का वर्ष मानकर ता० ११ दिसम्बर १९६८ के दिन के प्रायः ९ बजे सूबह से दुन्दुभि का वर्ष माना है।

(३) किसी ने प्रायः १७ दिसम्बर १९६७ स ही दुर्मति नामक संम्वत्सर का प्रारम्भ माना है।

(४) किसी में प्रायः नवम्बर १९६७ सं दुर्मति नामक संम्बतसर का प्रारम्भ लिखा है।

(५) किसी पचाङ्ग ने सम्वत्सर का शुभाशुभ फल मात्र लिखकर उसके प्रारम्भ और अन्तिम समय की कोई सूचना नहीं सी दी है।

(६) कुछों में (दृश्य पचाङ्गों में) १६ नवम्बर १९६७ के भारतीय स्टै. टा. १।४ बजे दुर्मति सम्वत्सर के वर्ष का प्रारम्भ माना है। यह अत्यन्त शोचनीय समस्या एक ही नगर के अनेकों पचाङ्गों की हैं।

अवश्य पञ्चाङ्गों में एकता चाहिए

पञ्चाङ्गों में तिथि, नक्षत्र योग करण, पर्व व्रत, उपवास, एकादशी, श्राद्ध, जन्माष्टमी, विजयादशमी, होलिकादहन जैसे मुख्य से मुख्य पर्वों के गणितों के मानों में पर्याप्त अन्तर रहता है। फिर छोटी बातों की तो पूछ ही क्या है। एक नगर के सूर्योदय, व सूर्यास्त में अन्तर के साथ-साथ लग्नों के प्रारम्भ व अन्त के समय में भी अन्तर रहता है। उदाहरण के लिए आगे के १३ अप्रैल १९६८ के कम से कम अन्तर के—

किसी पञ्चाङ्ग में मेष राशि का प्रवेश प्रायः ५।४४ से ७।२२ तक तो किसी पञ्चाङ्ग में मेष राशि का प्रवेश प्रायः ५।४४ से ७।२१ तक किसी पञ्चाङ्ग में पूर्णिमा शुक्रवार दिन के १० बज के ५० मि० तक है।

„ पञ्चाङ्ग में पूर्णिमा शुक्रवार दिन के १० बज के २५ मि० तक है।

„ पञ्चाङ्ग में चित्रा शुक्रवार रात्रि १० के १३ मि० तक है।

„ पञ्चाङ्ग में चित्रा शुक्रवार रात्रि ९ बज के ४५ मि० तक है।

„ पञ्चाङ्ग में संक्रान्ति शुक्रवार दिन के ११।३७ में लग रही है।

„ पञ्चाङ्ग में संक्रान्ति शुक्रवार दिन के १०।४७ में लग रही है।

„ पञ्चाङ्ग में चन्द्रमा का तुला राशि पर दिन १०।५४ बजे से प्रवेश है।

„ पञ्चाङ्ग में चन्द्रमा का तुला राशि पर दिन १०।२७ बजे से प्रवेश है।

विवाह जनेऊ चौल आदि मुहूर्त्तों में भी सर्वत्र बड़ा वैषम्य है।

ग्रहों के स्पष्ट राशि अंशादिकों नक्षत्र प्रवेश आदिकों अनेक विषयों के अन्तरों का चित्रण अनावश्यक है ?

अस्तु ऐसा क्यों ? हाजिर जवाब यह है कि किसी का केतकी से, किसी का सूर्य-सिद्धान्त से, किसी का ग्रहलाघव से पञ्चाङ्ग बन रहा है। सिद्धान्तों व करणों में मतभेद है इस लिए अन्तर पड़ रहे हैं इत्यादि।

ग्रहणों के स्पर्श, मध्य, मोक्ष तथा ग्रहो के युतिभेद युद्ध के लिए भारतीय पञ्चाङ्ग खुले आम राष्ट्रीय पञ्चाङ्ग (भारत सरकार) की, तथा पश्चिम के पञ्चाङ्ग की नकल कर रहे हैं।

[1]पञ्चाङ्ग निर्माण फलित की एकता का होना चाहिए ज्योतिष के ग्रह गणित सिद्धान्त का सदुपयोग नहीं हो रहा है। सारिणियां तो तत्काल किसी ग्रह गण्ति की शीघ्र आवश्यकता के समय के उपयोग की होती हैं। कुछ ही वर्षो में उनमें सूक्ष्म अवयव त्याग से उनमें बड़ा अन्तर पड़ेगा। अतः सदा त्रिकाल में, सर्वशुद्ध, सर्वतथ्य, सर्वमान्य, स्वतः प्रामाण्य के भारतीय ग्रहगोल, खगोल के सिद्धान्त धर्म, समाज, व भविष्यफल आदि के सन्तुलन में सदा से प्रमाणित रहे हैं, आज भी हैं तथा सदा रहेगे।

भारत में सहस्रों नहीं तो सैकड़ों तो ज्योतिर्विद्या में प्रसिद्ध प्राप्त व्यक्ति

---

१. ["पञ्चाङ्ग गणित वैषम्य" शीर्षक नाम का एक बृहत् लेख आग्रहायण लखनऊ से प्रकाशित में देखिए,]।

आज भी है। आये दिन फलित बोलने से ज्योतिष समाज में इनका बड़ा नाम सम्मान भी है। उन्हें अंकगणित, रेखागणित, बीजगणित, त्रिकोणगणित, चापीयत्रिकोण गणित, ग्रहगोल खगोल, ग्रह सिद्धान्त ग्रन्थ तथा ग्रह वेध के अनेक सिद्धान्तों का निर्माण, गणित, आदि का भी ज्ञान आवश्यक है? ग्रह गणित ज्ञान ही पञ्चाङ्ग निर्माण का आधार है। भारतीय ग्रहगणित सिद्धान्त का क्या कौशल कहें, वह आज भी अपने स्तर पर नियत सही है। खेद है इस दिशा की प्रगति में सहयोग नहीं मिलता।

आचार्य वराह के पश्चात् पाँचवीं शती से फलित ज्योतिष आगे नहीं गया है, उसके दुरुपयोग से वह भले ही पिछड़ा है।

जहाँ "चतुर्लक्षन्तु ज्योतिषम्" कहा गया है, वहाँ आज बहुत ही कम ग्रन्थ उपलब्ध भी हो रहे हैं।

फलित-गणित ज्योतिष के परस्पर के समन्वय के लिए, उदाहरण स्वरूप में सर्वमान्य आर्ष ग्रहगणित सिद्धान्त से फलादेश की ग्रह गणित की यह एक पद्धति पाठकों के उपयोग के लिए यहाँ दी जा रही है।

प्रकृत में द्वादश सम्वत्सर और सम्वत्सर से प्रत्येक नर-नारी के नामों का फलादेश करना है, अतः संवत्सर का प्रारम्भ और अन्त समय का ज्ञान होना आवश्यक है। इसके सठीक ज्ञान के लिए भारतीय ग्रहगणित सिद्धांतों की शरण ली जा रहो है।

ता० १६ नवम्बर १९६७ का ग्रहगणित पाठकों के सामने प्रस्तुत किया जा रहा है। जो १२ नवम्बर ६८ तक चलेगा।

बृहस्पति ग्रह जिस समय एक राशि से दूसरी राशि में जा रहा है, उसी समय ६० संवत्सरों में किसी एक संवत्सर का प्रवेश होता है। (यह सिद्धांत गणित देखिए।

सृष्टि के आदि से विजय सम्बत्सर का प्रारम्भ कर—(१) विजय (२) मन्मथ (३)······················६० में समाप्ति होती है पुनः दूसरा आर्वत होगा। एक तीसरा इसी प्रकार····एवं····अनन्त आवृत्तियाँ होंगी।

बृहस्पति ग्रह की कक्षा, सूर्य कक्षा से ऊपर शनि कक्षा के नीचे है।

अपनी कक्षा के भ्रमण से १२ वें वर्ष में वृहस्पति एक वृत्त के ३६०° पूरा करता है। अतः एक वर्ष में वह $\frac{३६०}{१२}$=३० अंश या एक राशि जावेगा जैसा कहा जा चुका है कि—इस प्रकार ५ कला बृहस्पति की दैनन्दिनी मध्यमा गति होती है। प्रत्येक गतिमान ग्रहपिण्ड की कक्षा के उच्च-नीच आदि धरातलों में भ्रमण करने से प्रति दिन नहीं अपितु प्रतिक्षण ग्रह कक्षा में ग्रहका विलक्षण वेग रहता है। इस विलक्षण वेग के गणित के विचार हमारे ग्रह सिद्धान्तों में समृद्ध हैं। यह विद्या वेदकाल से आज तक हमें मिल रही है। आकर्षण शक्ति प्रभृति जैसे—'महत्त्वान्मण्डस्यार्कः'' चन्द्र लघुपिन्ड बहुत आकृष्ट होता है, ''आकृष्ट शक्तिश्च मही तया यत्।''पृथ्वी में आकर्षणशक्ति है, वह गुरुपदार्थको अपनी ओर खींचती है, चल चापगतिः चापकोटिजीवया गुणिता हृतास्यात्त्रिजीवया जीवा स्यात्तात्का-लिकी गतिः''

$$\frac{\text{चापगति} \times \text{चापकोटिज्या}}{\text{त्रिज्या}}$$ =चाप की तात्कालिक गति इत्यादि की यहाँ बहुत उपलब्धि हो चुकी है।

सिद्धांतों ग्रन्थों में सुप्रसिद्ध सूर्य सिद्धान्त का गणित आर्ष गणित है, इसके ही गणित की धर्मशास्त्र में मान्यता भी है। धर्मशास्त्र ने जिस ग्रह गणित को मान्यता दी है उसी ग्रहगणित की मान्यता फलित में भी है। ज्योतिष तथा धर्मशास्त्र दोनों में परस्पर गहन एकता होनी चाहिए। इन दोनों की मूलभित्ति तो ग्रहगणित ज्योतिष ही है।

समग्र फलित ज्योतिष के अनेक प्रकार की फलादेश की शैलियों में 'लग्न एवं ग्रहों के वास्तविक स्थान (खगोल में) को ज्ञात करते हुए सौरमण्डल जिसके प्रति प्रकाश किरणों की स्थानभेद के प्रत्यक्षीकरण की जो विलक्षण गति है, उस गति का इस चराचर जगत पर प्रतिक्षण क्या प्रभाव पड़ रहा है'' यह सब ज्ञान खगोल ग्रहगोल के गणित सिद्धान्तों से प्राप्त होता है। यह ग्रहखगोलादि गणित ज्ञान (अंकगणित, बीजगणित, रेखागणित, त्रीकोण गणित, तात्कालिक वेगों के ज्ञान के गणित) आदि से ही जाना जा सकता है। अतः फलादेश करने वाले देवज्ञवर्य्य में ग्रहगणित, ग्रहगोल

खगोल ज्ञान का होना नितान्त आवश्यक है। इस ज्ञान के पश्चात् इसी आधार से ही फलितशास्त्र का जन्म होता है। सौर मण्डल की प्रतिक्षण की गमन शीलता से प्रतिक्षण फलित ज्योतिष का भी रूपान्तर होते आ रहा है।

अतः इस पर गम्भीर अनुसन्धान एवं शोध का कार्य जो शताब्दियों से अवरुद्ध है, उसे आगे ले जाने के उपायों की गवेषणा करना यह राष्ट्र का मुख्य कर्तव्य हो गया है। राष्ट्र के महान से महान सूत्रधारों से भी इस समय बड़ा प्रोत्साहन प्राप्त हो रहा है। इसी से सुन्दरतम इस ज्योतिष विज्ञान की फलित शाखा पर प्रकाश लाने की चेष्टाएं आये दिन हो रही है। अस्तु

युगारम्भ से १६ नवम्बर १९६७ तक की दिन संख्या का विशाल गणित (जो यहाँ पर देना आवश्यक है) जिसे अहर्गण या दिन वृन्द, या दिनसमूह इत्यादि संज्ञाएं सिद्धान्त ग्रन्थकारों ने दी है। वह उसके आँकड़े ७१४४०४१४७९७२ के तुल्य होते हैं। इन आँकड़े में वैज्ञानिक गहन रहस्य है।

ग्रहगणित का एक प्रधान सिद्धान्त है, कि ग्रहों की सृष्टि के आदि से सृष्टि के अन्त या युग के आदि दिन से युग के अन्त तक की दिन संख्याओं एवं ग्रहों के भगणों का ज्ञान करना, जिसे ब्रह्म दिनारम्भ या सृस्टि आरम्भ से इष्ट समय तक के दिन भी कह सकते हैं। अतः सृष्टि या युग के आदि दिन से आज तक के अहर्गण दिन संख्याओं को ज्ञातकर त्रैराशिक (अनुपात) से युगके समस्त दिनों में युग के अभीष्ट ग्रह की परिक्रमाएं मिलती है; तो अभीष्ट अहर्गण में अभीष्ट अहर्गण सम्बन्धी अभीष्ट ग्रह की भगण+राशि+अंश+कला +विकला=आदि अवश्य ज्ञात होंगी। दृश्य गणित (वेध आदि) यहाँ भी

अहर्गण-गणित सिद्धान्त शिरोमणि की भूमिका पृष्ठ २६ ले० केदारदत्त जोशी देखिए। सृष्टि से १३ अप्रैल १९६७ तक के दिन संख्या निकाली गई है।

इष्ट है पर खेद है की दृश्य गणित का इस प्रकार का कोई गणित भण्डार नही है। सिद्धान्त और दृश्य के मेल से दृश्य गणित बना है। इसी सिद्धान्त से युग के बृहस्पति के भगण=३६४२० × अहर्गण=७१४४०४१४७९६२ युग की दिन संख्या=१५७७९१७८२८

इस गुणन भजन से बृहस्पति के अतीत भगण के साथ मध्यम राश्यादिक बृहस्पति होता है।

युग बृहस्पति के भगण = अ। अहर्गण = क। युगकुदिनसंख्या = ल।

$$\therefore \frac{\text{अ} \times \text{क}}{\text{ल}}$$ = बृहस्पति। युग से १६ नवम्बर ६७ तक की परिक्रमाएं

$$= \frac{३६४२० \times ७१४४०४१४७९६२}{१५७७९१७८२८}$$

```
          ७१४४ ४१४७९६२
                 ३६४२२०
          ----------------
        १४२८८०८२९६९२४०
       १४२८८०८२९५९२४०
      २८५७६१६५९१८४८०
     ४२८६४२४८८७७७२०
    २१४३२१२४४३८८६०
    ----------------
    २६०२००२७८७७०७१९६४० + १० × ३६४२२० =
                     ३६४२२००
    ----------------
    २६०२००२७८७७४३६१८४०
```

परीक्षण गणित से गुणनफल शुद्ध है। अब युग के कुदिनों से भाग देना है।

=२६०२००२७८७७४३६ १८४० ÷ युग के दिन। इस प्रकार १६

नवम्बर सन् १९६७ तक की दिन संख्याओं से मध्यम गुरु का ज्ञान किया जा रहा है।

१५७७९१७८२८) २६०२००२७८७७४३६१८४० (१६४९०१०३२, इतनी
१५७७९१७८२८
१०२४०८४९५९७
९४६७५०६९६८
००७७३३४२६२९४
६३११६७१३१४
१४२१७५४९८२३
१४२०१२६०४५२
०००१६२८९३७१६१
१५७७९१७८२८
००५१०१९३३३८४
४७३३७५३४८४
०००३६८१७९९०००
३१५५८३५६५६
०००५२५९६३३४४

संख्या के बृहस्पति के ये (आवर्त) भगण १६ नवम्बर १९६७ तक होते हैं।

भगण शेष—५२५९६३३३४४ को १२ से गुणा कर १५७७९१७८२८ से भाग देने से लब्ध बृहस्पति की राशियाँ होती हैं।

५२५९६३३३४४
१२
१५७७९१७८२८)६३११५६०१२८(३ राशियाँ
४७३३७५३४८४
१५७७८०६६४४

× ३० राशि शेष को ३० से गुणने से अंश होते हैं।

१५७७९१७८२८)४७३३४१९९३२०(२९
३१५५८३५६५६
१५७७५८४२७६०
१४२०१२६०४५२
१५७४५८२३०८
× ६०, अंश शेष को ६० से गुणने से कला बनानी चाहिए।

१५७७९१७८२८)१९४४७४९३८४८०(५९ कला
१८८९४८९१४०
१५५७९०४७०८०
१४२०११६०४५२
१३७७७८६६२८
× ६० कला शेष को ६० से गुणने से विकला होती हैं।

१५७६९१७८२८)४२६६७१९८६८०(५२
७८८९५८५१४०
०३७११३०६२८०
३१५५८३५६५६
६१५४७०६२४

८ विमला कम सिंह संक्रान्ति में है, इसीलिए ५ × ६०=३०० विकला जाने में वृहस्पति को २५ घण्टा लगता है। ८ विकला, अर्थात् सिंह राशि में जाने में ८" विकला बाकी है। वृहस्पति ग्रह की एक दिन की मध्यमा गति ५ कला के तुल्य है। अतः त्रैराशिक से $\frac{२५ \times ८}{३००} = \frac{८}{५} = १$ घटी ३६ पल या ३९ मिनट और आगे आकर वृहस्पति ग्रह की सिंह की

संक्रान्ति होगी। १६-११-६७ रात्रि १२.३८ बजे के आस पास से (१६ नवम्बर मध्यरात्रि सन् ६७ से) प्रायः १२ नवम्बर सन् ६८ तक विजयादि ५५ वें संवत्सर का समय रहेहोगा। यह ५५ वाँ कैसे होगा।

पूर्व पृष्ठीय गणित में गुरु के भगण १६४९०१०३२ आए हैं। सर्वमान्य सूर्य सिद्धान्त (गुरु भगण × १२ + वर्तमान राशि) ÷ ६० = शेष, वर्तमान संवत्सर

"द्वादशघ्ना गुरो र्याता भगणाः वर्तमानकैः"
राशिभिः सहिताः शुद्धाः षष्टया स्युर्विजयादयः"

अनुसार

```
          १६४९०१०३२
                 १२
६०) १९७८८१२३८४(३२९८००२०६६
    १८०       +३
    ———      ———
    १७८        ७
    १२०
    ———
     ५८८
     ५४०
     ———
      ४८१
      ४८०
     ————
       १२३
       १२०
      ————
         ३८४
         ३६०
        ————
          २४
          +३
         ————
```

गत संवत्सर २७ + १ = २८ वर्तमान।

एक वर्ष के आदि में प्रभव ... संवत्सर था, इसलिए यह तालिका प्रभव से प्रारम्भ कर दी गई है। ब ... १८८९ शक में १८८९/६० = ३१ आवृतियाँ षष्टि (६०) संवत्सरों को ... के पश्चात् से शेष २९ वे संवत्सर का

प्रारम्भ हो रहा है। जो विजय (तालिका में २८) को १ मानने से २९ वां दुर्मति स्वतः सिद्ध है।

फलादेश के लिए संवत्सर के प्रारम्भ से अन्त तक का समय अत्यन्त अपेक्षित है।

अर्थात ५५ वें सम्वत्सर में ५ पांच स्वरों अ इ उ ए ओ, के क्रम से ५५/५ = ११ आवृति पूर्ण होने से ११ वीं आवृत्ति का अन्तिम ओ स्वर का प्रचलन ता० १६-११-६७ से प्रायः १२-११६८ तक रहेगा। अतः स्वरशास्त्र पद्धति का फलादेश साधु व समीचीन होगा।

वर्तमान शक १९०३ संवत २०३८ में भी वृहस्पति भगण संख्या जो १६ ४९०१०३३ होंगे इन्हें १२ से गुणाकर ६० से भाग देने से

```
        १६४९०१०३३
              ×१२
६०)१९७८८१२३९६(३२९८०००२०६
   १८०
   ---
    १७८
    १२०
    ---
     ५८८
     ५४०
     ---
      १२३
      १२०
      ---
       ३९६
       ३६०
       ---
```

गतसंवत ३६, वर्त्तमान के लिए ३६ + १=३७ वां

होता है। वृहस्पति को गत राशि = ५ जोड़ने से ३७ + ५ = ४२ विजयादिक संवत्सर का "नाम भाव" एवं ता १६ सेप्टेम्बर सन १९८१ प्रायः अश्विन कृष्ण ३ बुधवार को गुरु के स्पष्ट मान से "युवा" संवत्सर का प्रवेश होगा।

"बृहस्पते मध्यम राशि भोगात्संवत्सर सांहितिका वदन्ति" आचार्य वराह प्रभति प्रसिद्ध संहिताकार, सम्बत्सर फलादेश के लिए मध्यम राशि के वृहस्पति ग्रह की संक्रान्ति को ही ग्रहण करते हैं, अतः उस समय काशी में ही स्पष्ट मान के वृहस्पति की स्थिति ४।१२, किसी में ४।१३ किसी में ४।१४ किसी में ४।१० इत्यादि अनेक सी लिखी है ? यद्यपि यहाँ संहिता के स्वर ज्योतिष के समन्वय में केवल मध्यम गुरु संक्रान्ति ही अपेक्षित है, अतः पंचागों के उक्त अनेक गणितों से यहाँ प्रयोजन नहीं है। यदि इस मध्यम संक्रमण कालीन मध्यम गुरु का स्पष्ट गणित उक्त भाँति किया जायगा तो वह प्राय: ४।१०.... तक आ सकेगा।

ध्यान देने की बात और शङ्का

काल की अवधि नहीं है, पृथिवी विपुल है, तथा समय-समय पर बुद्धिजीवी जन्म लेते हैं। उन्हें उक्त गणित में एक सहज शङ्का हो सकती है कि हर (भाजक) की जगह युगादि से युगान्त तक को दिन संख्या, तथा युगान्त तक ग्रह भगणों की संख्या जैसे ली गई तद्वत् युगादि से १६ नवम्बर ६७ तक की भी दिन संख्या गुणांक स्थान में लेनी चाहिए थी, यहाँ सृष्टि के आदि दिन से १६ नवश्बर ६७ तक की इतनी ७१४४०४१४७९६२ संख्या गुणक में युगाधि सम्बन्ध से भिन्न क्यों ली गई ?

वास्तव में एक महायुग के ग्रहों के भगण चान्द्र-सावन-सौरदिन-मास वर्ष आदि संख्याओं को पृथक्-पृथक् १००० से गुणा करने पर वे सभी ग्रह भगण संख्यायें एक कल्प = १ ब्रह्मदिन में हो जाती हैं तो उक्त युगादि भगणों दिनों आदि को १००० से गुणा कर ३६४२२० × १०००=३६४२२०००० कल्प ग्रह गुरु भगण, १५७७९१७८२८ × १०००=१५७७९१७८१८००० कल्प सावन इन दोनों का तुल्य सम्बन्ध होता है। जैसे अव्यक्त गणित से $\frac{२अ \times ल}{२क} = \frac{२अल}{५} = \frac{अ \times ल}{क}$ की तहह या उक्त गणित से जैसे $\frac{१५ \times ७}{२५} = \frac{५ \times ३ \times ७}{५ \times ५} = \frac{३ \times ७}{५}$ की तरह स्पष्ट है। गणित में कोई अन्तर नहीं पड़ेगा। जैसा कि

"सूर्यसिद्धान्त" में महादैत्य मय नाम के महाअसुर से भगवान् सूर्य ने कहा है– "ग्रहर्क्ष-देवदैत्यादि-सृजतोऽस्यचराचरम् । कृताद्रिवेदा दिव्याब्दाः शतघ्नाः वेधसो गताः''''''''तथा, इत्थं युगसहस्रेण भूतसंहारकारकः कल्पो ब्राह्ममहः प्रोक्तं शर्वरी तस्य तावती तथा अधिमासोनरात्र्यर्क्षचान्द्रसावनवासराः एते सहस्रगुणिताः कल्पे स्युर्भगणादयः ॥ श्लो ४० ॥

लाघव से गणित हल के लिए, युग गुरु-भगण युगादि से युगान्त की दिन संख्या तथा युगादि से १६ नवम्बर ६७ तक की दिन संख्या लेकर भी ग्रह गणित कर सकते हैं । वह जैसे युग के आरम्भ सें लेकर १६ नवम्बर तक मी दिन संख्या १८५१३४५ आती है ।

```
           १८५१३४५
            ३६४२२०
         ---------
          ३७०२६९००
         ३७०२६९००
        ७४०५३८०
       १११०८०७०
       ५५५४०३५
```

```
१५७७९१७८२८)८७४२९६८७५९००(४२७
             ६३११६७१३१२
             -----------
              ४३१२९७४४७०
              ३१५५८३५६५६
              -----------
              १९५७१३८८१४०
              ११०४५४२४७९६
              ------------
                ५२५९६२३४४
```

५२५९६२३४४

× १२

६३११५६०१२८३

४७३३७५३४८४

१५७७८०६६४४

× ३०

४७३३४१९९३२०(२९

३१५५८३५६५७

१५७७५८४२७६०

१४२०१२६०४५२

१५७४५८२३०८

१५७४५८२३०८

× ६०

१५७७९१६८२८)९४४७४९३८४८०(५९

७८८९५८९१४०

१५५७९०४७०८०

१४२०१२६०६५२

१३७७७८६४२८

× ६०

८२६६७१९७६८०(५२

७८८९५८९१४०

३७७१३०६२८०

३१५५८३५६५६

६१५४७०६२४ सृष्टि और युग दोंनों से तुल्य शेष

उपपन्न होता है ।

३।२९।५९।५२
+८
= ४।०।०।९

$$\frac{\text{६०} \times \text{८}}{\text{३००}} = \frac{\text{८}}{\text{५}} = \text{१ घटी ३६ पल}$$

सिह संक्रम के लिए अभी १ घटी ३६ पल प्रायः ३८ ···मिनट बाकी है। इसलिये १६ नवम्बर १९६७ की मध्य रात्रि से ३८ मिनट या १।३६ घटी जोड़ देने से=रेलवे १७ नवम्वर या १२।। बजे रात्रि के आस-पास से १२ नवम्बर सन् १९६८ तक दुर्भति नामक संवत्सर चलेगा, जिसमें ओ स्वर का प्रचलन होता है।

पाठकों को आश्चर्य होगा। कि भारतीय ग्रह-गणित-सिद्धान्त के सृष्टि के आदि दिन रविवार से १६ नवम्इर १९६६ तक की ७१४४०४१४७९७२ दिन संख्या तथा कलियुग कि आदि दिन शुक्रवार १६ नवम्वर सन् ६७ तक की १८५१३४५ में सात से भाग देने से १६ नवम्बर को बुधवार ठीक आ रहा है।

दोनों में सात का भाग देने से शेष ४ रवि से बुध, शेष ६ शुक्र से बुध कितना सटीक ठीक आ रहा है। भारतीय ग्रह गोल खगोल विज्ञान का यह एक छोटा सा उदाहरण है।

किसी भी पंचाग की प्रामाणिकता में सन्दह होने से सृष्टि आदि से इसके (संवत्सर) गणित के साथ स्वर-शास्त्र की एक नवीत पद्धति जनता के सामने रखी है, अतः ग्रह गणित-प्रपंच में पड़ने से समय व श्रम का अधिक उपयोग उचित नहीं होगा। स्वरशास्त्र में ११ संवत्सर के स्वर का बड़ा विचार है जो सटीक घटता है अतः इसका गणित आवश्यक था। इस प्रसंग को समाप्त करके आगे चलना उचित होगा।

एक सौर वर्ष का सायनः मान जो १६५ दिन ६ घण्टा ९ मिनट····आदि होता है। बृहस्पति के अपनी मध्यमागति से एक राशि या ३० अंश जाने में ३६१ दिन १ घण्टा २० मिनट लगते हैं, अतः प्रत्येक सौर वर्षान्त में दोनों के अन्तर ३६५ दिन ६ घण्टा ९मिनट—३५१ दिन १ घण्टा होता है।

प्रायः बार्हस्पत्य मान ३६० सौर दिन का सा होता है अतः प्रत्येकवर्ष में स्थूल ४ दिन ४ घण्टा कम करने से इसके आगे के नये संवत्सरों का प्रवेश

तथा अंत होगा। राक्षस संवत्सर सन् ४९ से क्षय सन् ६१ तक अ, इ, उ, ए स्वर क्रम से वर्त्तमान में ओ सम्वत्सर की ही दशा चल रही है। १२ बर्ष तक चलने से इसे द्वादश वार्षिक स्वर की दशा कहा गया है।

यह ओ स्वर की द्वादश वार्षिक दशा सन् ६१ के १० दिसम्बर मास से राक्षस सम्वत्सर में ओ स्वर की दशा सन् ७३ के ता० १० अक्टोबर मास तक अर्थात् क्षयनामक संबत्सर तक जावेगी। (स्थूलानुमान से) यहाँ गणित गौरव को छोड़ दिया गया है। प्राय: स्थूलानुमान से १० अक्टूबर सन् ७३ से १२ वर्ष तक पुन: आवृत्ति क्रम से "अ" द्वादश वार्षिक स्वर दशा सेप्टेम्बर-अक्टोबर सन् १९८५ तक चलेगी।

यजुर्वेद अध्याय २४ के

(१) "संवत्सरोऽसि (२) परिवत्सरोऽसि (३) इदावत्सरोऽसि (४) इदवत्सरोऽसि (५) वत्शरोऽसि"—मन्त्र से-संवत्सर, परिवत्सर, इदावत्सर, और वत्सर ये पांच संज्ञायें संवत्सरों को मिली हैं। साथ में— "उषस्ते कल्पन्ताम्, अहोरात्रास्ते कल्पन्तान्, अर्धमासास्ते कल्पन्ताम्। मासास्ते कल्पन्ताम्।

ऋतवस्ते कल्पन्नाम्। संवत्सरस्ते कल्पताम्" यह मन्त्र भी उपलब्ध है। जिसका समन्वय—

याजुष ज्योतिष के प्रथम पद्य से भी

"पंचसंवत्सरमयं युगाध्यक्षं प्रजापतिम्
दिनर्त्वयनमासाङ्ग प्रणम्य शिरसा शुचि:
ज्योतिषामयनं पुण्यं प्रवक्ष्याम्यनुपूर्वश:
सम्मतं ब्राह्मणेन्द्राणां यज्ञकालार्थसिद्धये"।

घटी, दिन, मास ऋतु और अयन—आदि कालों का विभाजन मिलता है। इस प्रकार मास के उल्लेख से मास = पक्ष ज्ञान भी उपलब्ध हो गया। "लगध" ने पंच "संवत्सरमयं युगाध्यक्षं" से ५ संबत्सर का एक युग माना है। अत: ६० संवत्सरों में $\frac{६०}{५}$=१२ युग होंगे।

१२ संबत्सरों की एक युग कल्पना से प्रथम युग

(१) प्रथम सवंत्सर से १२ वें बहुधान्य, तथा—नीचे के अनुसार द्वादश वार्षिक स्वर या १ युग के स्वर होंगे।

१ पहिले प्रभव से—११ वें बहुधान्य तक	प्रथम युग—अ स्वर
१२ वें प्रमाथी से—२४ वें विकृत तक	द्वितीय युग—इ स्वर
२५ वें खर से—३६ वें शुभकृत तक	तृतीय युग—उ स्वर
३७ वें शोभकृत से—४८ वें क्षय तक	चतुर्थ युग—ए स्वर
४९ वें राक्षस सें—६० वें क्षय	पंचम युग—ओ स्वर

इस प्रकार बेद सम्मत

(१) द्वादश वार्षिक, (२) वार्षिक, (३) षाण्मासिक, (४) ऋतु सम्बन्धी, (५) मास-सम्बन्धी, (६) पक्ष-सम्बन्धी, (७) तिथि एवं, (८) घटी सम्बन्धी आठ काल विभागों में ८ मात्रादिक स्वरों के सम्बन्ध से शुभाशुभ फल विमर्श के लिए सुबुद्धिक-स्कन्धत्रयज्ञ दैवज्ञ से आदेश लेना चाहिए।

नामों की योगस्वर की स्वर दशा से द्वादश सम्बत्सर के स्वर का समन्वय कर, फलाफल विचार किया जाता है। पूर्व विवेचित नामों के अनुसार इस प्रकार फलादेश कर सकते हैं। किन्तु यहाँ पर उचित फलादेश के लिए किसी व्यक्ति के जन्म काल के इष्ट समय का ज्ञान होना अति-आवश्यक है। उसकी वय के अनुसार ही फलादेश किया जाता है। जिनमें अधि सम्बत्सर के स्वर दशा का फल अवस्थानुसार कहते हैं, साथ ही उसके जीवन में कितने वर्ष बीत चुके हैं, इसका भी यथार्थ ज्ञान परमावश्यक है, जो यहाँ असम्भव तो नहीं किन्तु अत्यधिक श्रम-साध्य है। इसलिए नामों के अनुसार योग स्वर की दशा से अधिसम्बत्सर की स्वर दशा का समन्वय स्थापित करके ही फलादेश कर सकते हैं। जन्मकाल के इष्ट समय का ज्ञान न होने से नामों के योग स्वर के अनुसार एक द्वादश सम्वत्सर में सामान्यतः फलादेश किया जा सकता है, जो इस प्रकार हो सकता है। जैसे—

मोरार जी का : योग स्वर उ आता है उ योग स्वर से ओ द्वादश वार्षिक स्वर युवा स्वर है जो प्रायः सन् १९६१ नवम्बर सन् ७२-७३ तक चलेगा। यह समय उनके लिए युवा स्वर के उदय का है। यह अवधि उनके तेज बुद्धि बल सम्मान आदि में अभ्युदय रखती है। सन् ७३-८५ तक बाल स्वर कुछ लाभप्रद ओर ८५ से कुमार चलेगा।

यही स्थिति सुरेश राजेश्वर, पद्मा, नाम की है। इन नामों के साथ अन्य नामों के विस्तृत फलादेश का विवेचन उतरोत्तर आगे के पृष्ठों में होगा।

श्री प्रकाश नाम का योग स्वर अ है। जिसका द्वादश वार्षिक स्वर ओ पाँचवां स्वर है जो कि सन् १९५९-६० से प्रायः सन् १९७१-७२ तक चलता है। यह अवधि अभीष्ट नाम के लिए उत्तम या शुभ नहीं कही जा सकती जो उनके बुद्धिबल और तेज में कमी की परिचायक है। इसे फलादेश की भाषा में इसी प्रकार कहा जा सकता है। यही स्थिति केदारदत्त-युगलकिशोर और जवाहरलाल, आदि नामों की है।

वार्षिक स्वर :--

वार्षिक स्वर निकालते के लिए प्रथम प्रभवादि सम्वत्सरों से प्रारम्भ कर प्रत्येक ५ मूल स्वरों का प्रत्येक सम्वत्सर में क्रमशः भोगकाल निर्धारित करते हैं, इस प्रकार वर्तमान सम्वत्सर की प्रारम्भ की क्रम संख्या में ५ का भाग देने से वार्षिक स्वर ज्ञात करते हैं। जैसे वर्तमान शक वर्ष १८८९ से १८९० तक दुर्मति सम्वत्सर है। जिसकी प्रभवादि क्रम से संख्या ५५ होती है। ५ मूल स्वरों की आवृत्ति के अनुसार वर्तमान दुर्मति सम्वत्सर में ओ स्वर वार्षिक स्वर होगा फलादेश के लिए किसी नाम के पिण्ड स्वर का वार्षिक स्वर ओ, से समन्वय कर फलादेश करेंगे। यथार्थ फलादेश के लिए वार्षिक स्वर में प्रत्येक स्वर का अन्तर दशा काल के अनुसार भोगकाल निर्धारित करते हैं जो १ माह २ दिन कुछ········होता है।

उदाहरण के लिए इन्दिरा नाम का पिण्ड स्वर ए, वार्षिक स्वर ओ से

कुमार स्वर की दशा चल रही है, जिसके अनुसार वर्तमान सम्वत्सर बल बुद्धि सम्मान की दृष्टि से अभ्युदय का प्रतीक है। इसके आगे का सम्वत्सर (१९६९-७०) अति उत्तम रहेगा। यही स्थिति मोरार जी, पृथ्वीराज, हीरादेवी, लल्लू नामक व्यक्तियों की भी होगी।

अयन स्वर :—

एक वर्ष में छ मास के दो अयन होते हैं, जिन्हें क्रमशः उत्तरायण और दक्षिणायन कहते हैं। जिसके निर्धारण के लिए दो प्रकार के मान्य सिद्धान्त हैं जिसे निरयण स्थिर सम्पात और सायन चल सम्पात कहते हैं जिसके अनुसार उत्तरायण और दक्षिणायन इस प्रकार हैं —

उत्तरायण	१५ जनवरी से १५ जुलाई तक नियरण-स्थिर सम्पात से, २१ दिसम्बर से २२ जून तक सायन चल सम्पात से,
दक्षिणायन	१६ जुलाई से १४ जनवरी तक निरयण-स्थिर सम्पात से, २३ जून से २२ दिसम्बर तक सायन चल समाप्त से,

उत्तरायण में अ स्वर और दक्षिणायन में इ स्वर का उदय होता है। किसी भी नाम के नक्षत्र स्वर का अयन स्वर से सम्बन्ध स्थापित कर उसकी बाल कुमारादि दशाएँ स्थिर की जाती हैं। पूरे अयन में स्वरों की अन्तर्दशा के अनुसार एक स्वर का भोग काल १६ दिन २१ घटी ४९ पल होता है। जिसके अनुसार फलादेश में सूक्ष्माति-सूक्ष्म विचार करते हैं।

उदाहरण के लिए —सुरेश नाम का नक्षत्र स्वर ओ है उत्तरायण में अ स्वर के उदय होने से यह अवधि कुमार स्वर के दशा की है जो कि उनके बल, विद्या और सम्मान के लिए अर्द्धलाभ की स्थिति का है। यही दशा गोपीनाथ, सुधाकर दोनों की है। जो उनकी समन्नति का द्योतक है। ऐसे नामों के व्यक्ति इस अवधि में अपनी स्थिति, सामाजिक अवस्था जाति के अनुरूप उन्नत होंगे, ऐसी सम्भावना है। दक्षिणायन तो इन नामों के व्यक्तियों के लिए पूर्ण अभ्युदय का है।

ऋतुस्वर :—

यद्यपि ज्योतिष-शास्त्र के मान्य ग्रंथों में, एवं लोक व्यवहार में भी छः ऋतुएं मानी जाती हैं, किन्तु स्वरशास्त्रीय ज्योतिष की फलादेश पद्धति में ५ मूल स्वर ग्रहीत करने से मुख्यतः ऋतुओं का पाँच स्वरों के अनुरूप पाँच विभागों में समाहार करते हैं। और प्रत्येक कालांश की दिन संख्या ७२ मानते हैं। इस प्रकार पूरे वर्ष में इन पाँचों स्वरों का क्रमशः निम्नलिखित निरयण गणना के अनुसार उदय होता है। जो निम्न तालिका से :—

१. अ स्वर का उदय—मेष वृष और मिथुन के १२° तक, सम्भावित तारीख १३ अप्रैल से २६ जून तक

२. इ स्वर का उदय–१८ मिथुन,कर्क,और सिं २४° तक, २७ जून से ९ सि०

३. उ स्वर का उदय–सिं ६° कन्या,तुला,वृश्चिक ६° तक,,१० सि० से २१ नव०

४. ए स्वर का उदय–वृ० २४° धन, मकर १८° तक,, २२ नव० से ३१ जन०

५. ओ स्वर का उदय–मकर १२ कुम्भ, मीन तक ,, १ फरवरी से १२ अप्रै०

अन्तर्दशा के अनुसार एक ऋतु में प्रत्येक स्वर का भोग काल ६ दिन ३२ घटी ४३ पल होता है। किसी नाम के शुभाशुभ विचार के लिए उसके राशि स्वर का ऋतु स्वर से सम्बन्ध स्थापित कर उसकी वाल कुमार आदि स्वर दशाएं निर्धारित करनी चाहिए।

जैसे—राधाबल्लभ नाम का राशि स्वर उ है। इसलिए १३ अप्रैल से २६ जून तक ऋतु स्वर अ स्वर होने से यह अभीष्ट नाम के लिए वृद्ध स्वर की दशा है जो बल बुद्धि सम्मान उत्साह की दृष्टि से साधारण है। बाद का ऋतु कालांश (२७ जून से ९ सि० तक) शुभ कर नहीं है किन्तु १ फरवरी से १२ अप्रैल तक का समय सब दृष्टि से उत्तम है।

यही स्थिति पृथ्वीराज, श्री प्रकाश, राजेश्वर, रवीन्द्रनाथ, पद्मा आदि नामों की है।

मास स्वरः—

स्वरशास्त्रीय फलादेश की पद्धति में मास-स्वर का विचार करने से पूर्व

एक बात अवश्य ध्यान देने की है, वह यह है कि यहाँ पर प्रतिपदा से लेकर पूर्णिमा पर्यन्त एक मास की ३० दिनों की गणना करते हैं। सामान्य प्रचलित अमावास्या से अमावास्या तक के मास गणना से यह भिन्न है। जैसा कि यामल ग्रन्थों में और नरपति जयचर्या ग्रन्थ के टीकाकार ने स्पष्ट किया है।

इस प्रकार चैत्र कृष्ण प्रतिपद से शुक्ल प्रतिपद तक १६ दिन और चैत्र शुक्ल द्वितीया से चैत्र पूर्णिमा तक १४ दिन तक एक मास की व्याप्ति मानने में ३० दिन पूरे होते हैं। पूरे वर्ष में इन पाँच मूल स्वरों का उदय क्रमशः इस प्रकार होता है।:

१. अ स्वर का उदय—भाद्रपद, मार्गशीर्ष, वैशाख
२. इ स्वर का उदय—आषाढ़-श्रावण-आश्विन
३. उ स्वर का उदय—चैत्र-पौष
४. ए स्वर का उदय—जेष्ठ-कार्तिक
५. ओ स्वर का उदय—माघ-गाल्गुन

अन्तर्दशा के अनुसार प्रत्येक स्वर का भोगकाल एक मास में ($\frac{३०}{११}$)= २ दिन । ४३ घटी। ३८ $_{११}$ प०। किसी नाम के शुभाशुभ फलादेश के लिए उसके जीव स्वर का मास स्वर से सम्बन्ध स्थापित करते हैं।

जैसे अमरनाथ नाम का जीव स्वर इ होने से युवा स्वर ए वाले जेष्ठ कार्तिक मास वर्ष में सर्वोत्तम रहेंगे। इसी प्रकार माघ फाल्गुन कुछ अच्छे रहेंगे। भाद्रपद मार्गशीर्ष वैशाख शुभकर नहीं है। आषाढ़ श्रावण आश्विन मास में अत्यधिक कार्यक्षेत्र से त्रुटियों की सम्भावना है। यही स्थिति पृथ्वीराज, राजेश्वर, राधावल्लभ पद्मा और केदारदत्त नामों की है।

पक्ष स्वर

किसी नाम के द्वारा स्वरशास्त्रीय फलादेश की पद्धति में एक पक्ष तक उसके शुभाशुभ भविष्य का फलादेश पक्षस्वर के अनुरूप होगा। यहाँ मास के कृष्ण एवं शुक्ल दो पक्षों में क्रमशः अ और इ स्वर की दशा चलती है। अन्तर्दशा के अनुसार पुनः उसमें प्रत्येक स्वर का भोग काल $\frac{१५}{५५}$ = १ दिन

२१ घटी ४९ प० २७ ३/१५ विपल होता है। स्वरों की यह अन्तर्दशा, तिथि का मान ६० घटी और पक्ष के पूरे १५ दिनों में किया गया है। किन्तु सूक्ष्म विवेक पूर्ण फलादेश के लिए पञ्चांगों में निर्दिष्ट तिथि मानों को ध्यान में रखकर प्रत्येक स्वर की अन्तर्दशा निर्धारित करनी चाहिए। पक्ष की अवधि में फलादेश के लिए किसी नाम के ग्रह स्वर के साथ पक्ष स्वर का सम्बन्ध स्थापित कर फलादेश करते हैं।

जैसे :—चरणचन्द्र नाम का ग्रह स्वर उ होने से कृष्ण पक्ष में बृद्ध स्वर की दशा चलेगी जो मन्त्रणा अनुदान आदि के लिए अच्छी, शुक्ल पक्ष उतना अनुकूल न होने की सम्भावना है।

इसी प्रकार भक्तदर्शन, आदि नामों का फलादेश होगा।

किन्तु, इन्दिरा, राजेश्वर, विभूतिनारायण, विश्वनाथ, राधावल्लभ, रवीन्द्र आदि नामों के लिए सम्पूर्ण कार्यों में कृष्ण पक्ष सर्वोत्तम रहेगा।

इसी प्रकार गौरीनाथ, गोपीनाथ, सुधाकर आदि नामों के लिए कृष्ण पक्ष की अपेक्षा शुक्ल पक्ष सर्वोत्तम रहेगा।

दिन स्वर :—

किसी नाम के अनुसार दैनिक शुभाशुभ का फलादेश करने के लिए १५ तिथियों में नन्दा, भद्रा, जया, रिक्ता और पूर्णा के अनुसार तीन तीन तिथियों में पाँच मूल स्वरों का उदय होता है जो निम्नलिखित तालिका से स्पष्ट है—

अ	इ	उ	ए	ओ
१	२	३	४	५
६	७	८	९	१०
११	१२	१३	१४	१५ पूर्णिमा या अमा
नंदा	भद्रा	जया	रिक्ता	पूर्णा

अन्तर्दशा में प्रत्येक स्वर का भोगकाल= $\frac{१ \times ६०}{११}$ = ५ घटी २७ $\frac{३}{११}$ पल नाम के अनुसार दैनिक फलादेश के लिए उस नाम के वर्ण स्वर से दिन स्वर का सम्बन्ध स्थापित करते हैं ।

उदाहरण के लिए

मोराजी का वर्ण स्वर इ है, इससे १।६।११ तिथियाँ जो अ स्वर की हैं वह अभीष्ट नाम के लिए अच्छी नहीं है, इन तिथियों में सावधानी पूर्वक कार्य करना चाहिए । किन्तु इस नाम के लिए ४।९।१४ तिथियां सर्वोत्तम है । इन्दिरा, श्रीनाथ, मधुसुदन, मनमोहन, मोहनदास, नामों की भी यही स्थिति होगी किन्तु राजेश्वर, राधाबल्लभ, सुधाकर, रवीन्द्र नामों के लिए १।६।११ तिथियाँ अत्यन्त अनुकूल रहेंगी तथा ४।९।१४ तिथियाँ हानिकर होंगी ।

घटी स्वर :—

दिन रात किसी भी समय किसी भी नाम के लिए फलाफल (शुभाशुभ फलादेश) करने के लिए घटी स्वर से विचार करते हैं । दिन-रात की ६० घटियों में ५ घटी २७ पल के क्रम से पाँच मूल स्वरों का क्रमशः उदय होता है । अन्तर्दशा के अनुसार एक स्वर का भोग काल ३२७ ÷ ११=२९ पल , ४३ विपल होता है । किसी भी नाम के अनुसार तत्काल में फलादेश के लिए उसके मात्रा स्वर से सम्बन्ध स्थापित कर शुभाशुभ का फलादेश करते हैं । यह ध्यान देना चाहिए कि सूर्योदय से प्रश्न काल तक की कितनी घटी बीत चुकी हैं और पूर्व तिथि की समाप्ति से वर्तमान तिथि कितनी बीती और उसमें किस स्वर का उदय हो रहा है । मात्रा स्वर के अनुसार तत्काल घटी में यदि युवा स्वर का उदय हो तो प्रश्न के विषय में सिद्धि का फलादेश करते हैं । यहाँ पर मात्रा स्वर, दिनस्वर और घटी स्वर और उसकी अन्तर्दशा में उदित होने वाले स्वर का सूक्ष्म विवेक ही यथार्थ एवं पूर्णतः सिद्धफलादेश के लिए परमावश्यक हैं ।

इस प्रकार अनेक कालों में अनेक प्रकार के स्वर-चक्रों की सहायता से निश्चित कालांश में शुभाशुभ का फला देश करते हैं किन्तु फलादेश के लिए कुछ आवश्यकीय तत्वों पर विचार करना परम आवश्यक है।

निश्चित एवं पूर्णतः सिद्ध (सत्य) फलादेश के लिए किसी नाम के व्यक्ति के जन्म काल के इष्ट समय का ज्ञान आवश्यक है । जिससे उसका द्वादश सम्वत्सर का स्वर ज्ञात हो सके और उस कालांश में तत्तत् भक्त भोग्य वर्षादिक का समीचीन ज्ञान हो सके, तथा आठ कालों के तत्तत् स्वरों का निर्धारण हो सके। इसके साथ ही उसकी वय का निश्चित ज्ञान हो सके।

फलादेश के लिए अनेक स्वरों की बाल कुमार युवा वृद्ध आदि दशाओं में इस प्रकार का फलादेश करते हैं—

१. बाल स्वर की दशा में बाल स्वर के अन्तरों में अनजाने में धोखा या बहकाव में आकर कोई मनुष्य बड़ी भूल कर सकता है। या बालस्वर दशा में मृत्यु स्वर का उदय होने पर दुर्घटना या मृत्यु तुल्य कष्ट हो सकता है।

२. बाल स्वर की दशा में कुमार स्वर का उदय होने से दिनचर्या का अच्छा योग समुपस्थित होता है।

३. बाल स्वर दशा में युवा स्वर का अन्तर किसी अच्छे या साहसिक कार्य में पूरी सफलता ला सकती है।

४. बाल स्वर दशा में वृद्ध स्वर दशा के अन्तर की दशा की तिथि में बड़ी दुर्बलता, निरुत्साह वृत्ति तथा वैराग्य से अनुराग हो सकता है।

५. बाल स्वर की दशा में मृत्यु स्वर की अन्तर दशा किसी बड़ी पराजय की सूचिका हो सकती है, यथा मनोनाश या मनोव्यथा का योग समुपस्थित कर सकती है।

इसी प्रकार—कुमार, युवा, वृद्ध, मृत्यु के समयों में बाल, कुमार, युवा, वृद्ध मृत्यु सम्बन्ध के सूक्ष्म समयों में शुभा-शुभ का प्रत्युत्पन्न मतिक विद्वान स्वरशास्त्री ज्योतिषी कर सकता है।

यदि द्वादश वार्षिक अयन, ऋतु, मास, पक्ष, दिन, घटी स्वरों में किसी

नाम के एक ही स्वर का उदय हो रहा हो और सभी अन्तर समयों में भी उसी एक स्वर का उदय हो रहा हो तो १२ वर्ष के अमुक वर्ष के अमुक अयन के अमुक ऋतु मास पक्ष की अमुक तिथि के अमुक घटी (समय) में उस-नाम के पुरुष या महिला जो बाल, (वयस्क) युवा, वृद्ध स्वस्थ, या आतुर हो उसे परम प्रद प्राप्त हो सकता है (यदि शुभ स्वर का उदय हो तो) अथवा उस पुरुष को उस समय महान कष्ट हो सकता है। (यदि अशुभ स्वरों का उदय हो तो)

शंका—

यदि एक स्वर दशा का आरम्भ तीन तिथियों में एक सा हो रहा है और यदि अन्तरों में भी साम्य आ रहा है और जीवन यात्रा में शरीर, धन, कुटुम्ब, गृह, पुत्र, विद्या, रोग, शोक, शत्रु, स्त्री, काम, मृत्यु, (छिद्रान्वेषण) तीर्थ, यात्रा, पद पदार्थ सम्मानादि लाभ, अनेक प्रकार की सम्पत्ति संचय, अनेक प्रकार के अच्छे या बुरे व्यय आदिकों का संघर्ष पदे पदे चालू है, तो उक्त शुभाशुभ किसी एक ही समय में होंगे। जैसे विवाहादि की एक ही तिथि होगी, जन्म का एक समय, मृत्यु का भी एकही समय निश्चित होगा तो उक्त तिथियों में किस तिथि को शुभाशुभ के लिए निश्चित रूप से कहा जा सकता है ?

१. प्रथमतः तिथि के सिद्ध घटिक होने पर उसमें ही विशेष खतरे या उत्तमता का फलादेश करना चाहिए।

२. यदि प्रथम तिथि टल जाय तो द्वितीय तिथि में इष्टानिष्ट का फलादेश करना चाहिए।

३. यदि दूसरी तिथि भी टल जाय तो अन्तिम तिथि में बिना किसी न नु न च के इष्टानिष्ट के फलादेश की तिथि, स्वरशास्त्री ज्योतिषी को कहनी ही चाहिए।

स्वरों की बारह अवस्थाएँ

जैसा कि पूर्व विवेचना से स्पष्ट है कि इन आठ कालांशों में ५ मूल स्वरों

का, अवधि विशेष में, अनेक रूपों में क्रमशः उदय होता है। यहाँ एक बात और भी ध्यान देने की है कि इन स्वरों में प्रत्येक के भोग काल में उसकी अवान्तर १२ अवस्थाएँ क्रमशः आती हैं। जिनके अनुसार ही उचित रूप से फलादेश करने में सुगमता होती है। प्रत्येक स्वर की इन बारह अवस्थाओं का ज्ञान, स्वर शास्त्री (ज्योतिषी) भी को होना अपेक्षित है। ये अवस्थायें यामल ग्रन्थों तथा नरपतिजयचर्या-नामक ग्रन्थ में इस प्रकार वर्णित है—

(१) बाल स्वर की बारह अवस्थायें—

१. मूल, २. बाल, ३. शिशु, ४. हासिका. ५. कुमारिका, ६. यौवन, ७. राज्यदा, ८. क्लेश, ९. निद्या, १०. ज्वरिता, ११. प्रवासा, और १२. मृता।

(२) कुमार स्वर की बारह अवस्थायें --

१. स्वस्था, २. शुभा, ३. मोघा, ४. अतिहर्षा, ५. बृद्धि, ६. महोदया, ७. शान्तिकरी, ८. सुदर्पा, ९. मंदा, १०. शमा, ११. शान्तगुणोदया और १२. मांगल्यदा।

(३) युवा स्वर की बारह अवस्थायें—

१. उत्साह, २. धैर्य, ३. उग्रा, ४. जया, ५. बला, ६. संकल्पयोगा, ७. सकामा, ८. तुष्टि, ९. सुखा, १०. सिद्धा, ११. धनेश्वरी, और १२. शान्ताभिधा।

(४) वृद्ध स्वर की बारह अवस्थायें—

१. वैकल्या, २. शोषा, ३. मोघा, ४, च्युतेन्द्रिया, ५. दुखिता, ६. रात्रि, ७. निद्रा, ८. बुद्धिप्रभंगा, ९. तपा, १०. क्लिष्टा, ११. ज्वरा, और १२, मृता।

(५) मृत्यु स्वर की बारह अवस्थायें—

१. छिन्ना, २. बन्धा, ३. रिपुघातकारी, ४. शोषा, ५. मही, ६. ज्वलना, ७. कष्टदा, ८. व्रणांङ्किता, ९. भेदकरी, १०. दाहा, ११. मृत्यु, और १२. क्षया।

इन स्वरों की दशाओं में से किस नाम की कौन स्वर दशा बाल कुमार आदि क्रम से वर्णित होगी इसका यह विवेक है कि, मान्य स्वर चक्रों के

अनुसार किसी कालांश के स्वर चक्र की स्वरदशा से विचार किया जाता है। स्वरचक्र के अनुसार किसी नाम का जो नियत स्वर होगा, कालांश स्वरों (८ काल स्वर) में से नियत काल का स्वर पूर्वक स्वर चक्र से गिना जायेगा। स्वरचक्र से प्राप्त मूल स्वर और कालांशस्वर जिस क्रम संख्या में आयेगा उसके अनुसार पहला बाल दूसरा कुमार तीसरा युवा चौथा वृद्ध और पाचवाँ मृत्यु स्वर होता है। जैसे किसी स्वर चक्र के अनुसार जिस नाम का इ स्वर होगा कालांश स्वर [१]इ बाल, [२]उ कुमार [3]ए युवा [४]ओ वृद्ध और [५]अ मृत्यु स्वर होगा, जिसका स्वर चक्र के अनुसार ए स्वर होगा उसके लिए कालांश स्वर [१]ए बाल [२]ओ कुमार [3]अ युवा [४]इ वृद्ध और [५]उ मृत्यु स्वर होगा।

इन स्वरों के क्रमशः बार-बार आगमन में उनकी बारह अवस्थाओं के अनुसार तत्तत् रूप में फलित घटेगा। इन दशाओं की बारह अवस्थाओं का नामकरण उनके तत्तत् परिवर्तनों को लक्ष्य कर ही किया गया हैं। इस प्रकार ५ मूल स्वरों की स्थिति विशेष के आधार पर १२ अवस्थाओं का अवान्तर भेद करने पर ५ स्वरों की दशाओं के अवान्तर ५ × १२=६० प्रभेद निष्पन्न होते हैं। जिनके पूर्णतः विवेक से ही स्वर शास्त्री (ज्योतिषी) फलादेश करता है।

सत्य और यथार्थ सिद्ध फलादेश के लिए इन स्वरों की प्रत्येक के १२ (प्रभेदों) अवस्थाओं का ध्यान देना परमावश्यक हो जाता है। इसके पूर्ण विवेक से ही स्वर शास्त्रीय ज्योतिष का फलित समाज में पूर्णतः सम्मान एवं उस पर लोगों की अटूट श्रद्धा हो सकती है।

उदाहरण से जैसे—

दिन स्वर यदि नन्दा तिथि (१।६।११) है तो अ स्वर का उदय होता है। जिसकी १२ अवस्थायें भी होंगी।

कल्पना कीजिए प्रतिपत् तिथि का मान यदि ६० घटी=२४ घण्टा है और वह किसी सूर्योदय के समय ६ बजे ही प्रारम्भ हो रही है, तो दूसरे दिन

के सूर्योदय ६ बजे तक रहेगी। इसमें तिथि में अ स्वर चलेगा। अ स्वर की १२ अवस्थाओं में प्रत्येक अवस्था का काल ५ घटी या २ घण्टा होगा। यदि इस दिन ८ बजे तक किसी ने किसी अभीष्ट कार्य के लिए प्रश्न पूछा तो अ स्वर में प्रथम अवस्था मूला आती है, तथा १० बजे तक वाला, १२ बजे दिन तक शिशु, २ बजे तक हासिका, ४ बजे दिन तक कुमारिका, दिन के सायं ६ बजे तक यौवन, रात्रि ८ बजे तक राज्यदा, रात्रि १० बजे तक क्लेशा, १२ बजे रात्रि तक निन्धा, २ बजे रात्रि तक ज्वरिता, ४ बजे रात्रि तक प्रवाशा, तथा ४ बजे रात्रि से ६ बजे द्वितीय सूर्योदय तक मृता अवस्था, अ स्वर में होगी। जिन नामों का वर्ण स्वर अ है, उसके लिए प्रतिपद् तिथि के उक्त अमुक अमुक समयों में वाल स्वर में अमुक दशा देखकर दशाओं के नामानुसार फलाफल विचार कर आदेश करना चाहिए। जिन-जिन नामों का वर्ण स्वर इ आता है उन नामों के लिए प्रतिपत् षष्ठी एकादशी तिथि का स्वर पाचवां मृत्यु संज्ञक होता है, यदि रोगी, आतुर संकट आदि के भविष्य के लिए कोई पूछे या विचार करे तो इ वर्ण स्वर के नर-नारियों में जो रोगी हैं आतुर हैं वे कष्ट में हैं। ऐसा भविष्य कहना चाहिए।

उक्त अवस्था के सम्बन्ध का एक उदाहरण—

अग्रिम संवत् २०२५ शकाब्द १८९० चैत्र शुक्ल प्रतिपदि तिथि (अंग्रेजी गणना से ता० २९ मार्च १९६८ को) दिन १२ बजे इष्टकाल काशी में सूर्योदय से (सूर्य घड़ी से ५।५४ बजे हैं।) १२ बजे तक ६ घण्टे ६ मिनट घण्टामान को $\frac{5}{2}$ से गुणने से १५ घड़ी १५ पल यह घटयात्मक इष्टकाल होता है। तिथि में एक अवस्था का मान ५ घटी होने से १५ घटी १५ पल ÷ ५= लब्धि ३, शेष=० । १५, अतः ३ + १=यह चौथी अवस्था आती है।

इस दिन मोरार जी देसाई के वर्ण स्वर इ

इन्दिरा.................................इ

,, श्रीनाथ.................................इ

इस प्रकार अनेक नामों के वर्ण स्वर से तिथि स्वर की साधनिका से प्रतिपद् तिथि में अकार स्वर का उदय होता है जो पहले बता चुके हैं, तो (ता० ३० रेलवे की) भारतीय ता० २९ शुक्रवार को रात्रि शेष ४।४२ (काशी में सूर्य घड़ी) तक इ से पञ्चम स्वर अ में चौथी अवस्था दिन के ११ बजे के ५५ मिनट से २ घण्टा या ५ घटी, १ बज के ५५ मिनट तक या घटी से २ घटी ४५ मिनट तक "कुमार" नाम की अवस्था में उक्त तीनों नाम के महानुभावों को कुमार अवस्था की फल प्राप्ति होगी तथा २०।१५ घटी से २५।१५ या ३।५४ बजे तक मृत्यु स्वर में यौवन स्वर में यौवन अवस्था पुनः २ घण्टे के आगे क्रम से राज्यदा अवस्था, क्लेशा-निन्द्या-ज्वरिता-प्रवाशा मृतादि अवस्था होगी ।

उ वर्ण स्वर के गोरीनाथ, पृथ्वीराज आदि नाम के व्यक्तियों के लिए यह समय अत्यन्त अनुकूल होता है ।

यदि विशेषतः आयु प्राप्त रोगी है, तो उसकी इ वर्णस्वर से प्रतिपत् षष्ठी एकादशी तिथि की १२ वीं अवस्था में चिन्ता की बात होगी इस भविष्य को निःसंशयः आदेश करना चाहिए ।

अथवा ए वर्ण स्वर के नर-नारियों के लिए प्रतिपत् षष्ठी एकादशी जो अ स्वर की तिथियाँ हैं उनके लिए युवा स्वर की होने से उन्हें उक्त तिथियों की ६ ठी अवस्था जो यौवनदा है अवश्य उस समय उन्हें सुख ऐश्वर्य प्रसन्नता पद, पदार्थ लाभ होगा । अपने-अपने क्षेत्र के नर-नारियों के तारतम्य से विचार कर फलादेश करना चाहिए ।

इसी क्रम से पक्ष स्वर की १२ अवस्थाओं का १५ दिन में $\frac{१५}{१२}$=१ दिन १५ घटी या ६ घण्टा मान एक-एक अवस्था का होता है । ३० दिन में मास स्वर की १२ अवस्थाओं का काल $\frac{३०}{१२}$=२ दिन ३० घटी या १२ घण्टा होता है ।

७२ दिन में ऋतु स्वर की १२ अवस्थाओं का काल $\frac{७२}{१२}$=६ दिन होता है ।

६ महीने के अयन स्वर की प्रत्येक अवस्था का मान $\frac{१८०}{१२}$=१५ दिन होता है ।

१ वर्ष के सम्वत्सर की ,, ,, ,, $\frac{३६०}{१२}$=३० दिन होता है ।

१२ वर्ष के द्वादशाब्दिक सम्वत्सर ,, ,, $\frac{१२ \times ३६०}{१२}$=३६० दिन या एक वार्हस्पत्य वर्ष होता है ।

ध्यान देने की बात यह है कि नर या नारी किसी व्यक्ति विशेष के नाम से आद्योपान्त फलादेश के लिए उक्त पद्धतियों में फलादेश के लिए पर्याप्त काल अपेक्षित है, यह पद्धति इतनी सूक्ष्म है कि वैदुष्य प्राप्त बुद्धिमान् त्रिस्कन्धज्ञ दैवज्ञ का एक अनवरत जीवन भी उक्त कार्य के लिए पर्याप्त नहीं है। प्राक्काल में राज्याश्रय या सम्पन्न सम्भ्रान्त व्यक्तियों के आश्रय में उक्त कार्य सम्पादनाय स्वरज्ञ-दैवज्ञ सर्वतन्त्र स्वतन्त्र होकर राष्ट्र, राजा या सेनापति आदिकों के ही प्रतिक्षण के स्वरों के विचार से राजा, राष्ट्र और राष्ट्र सेना को विशेष संकट से बचाते थे, तथा राजा राष्ट्र और राजा की विशेष राष्ट्रीय सम्पत्ति वर्धन का सुसमय भी बताया जाता था।

दिशा स्वर —

यात्रा प्रस्थान आदि के लिए दिशा स्वर का बहुत ही महत्वपूर्ण स्थान है, फलित में जिसका महत्वपूर्ण उपयोग प्राचीन काल में युद्ध के अवसर पर किया जाता था। जिसके अनुरूप ही स्वर शास्त्रीय ज्योतिषी युद्ध क्षेत्र में सेना के प्रस्थान की दिशा नियत करता था। दिशा स्वर स्थिर करने के लिए अपनी स्थिति के अनुसार पूरब पश्चिम आदि दिशाओं के पाँच क्षेत्र विभाग करते हैं और प्रत्येक दिशा के लिए एक स्वर नियत करते हैं। पूर्व दिशा में अ स्वर, दक्षिण में इ स्वर, पश्चिम में उ स्वर, उत्तर में ए स्वर, मध्य में ओ स्वर मानते हैं।

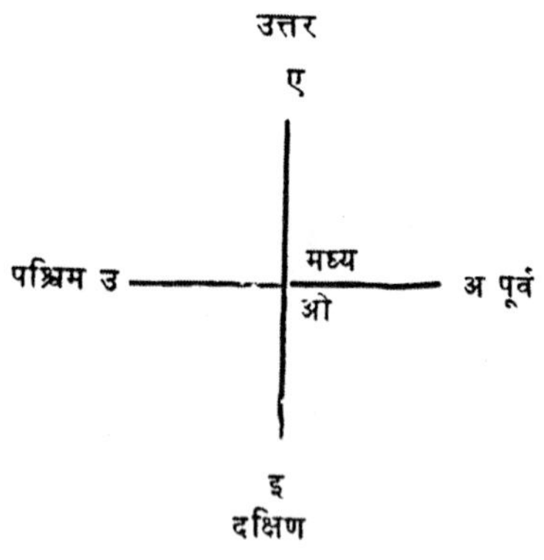

दिशास्वर के अनुसार ऐसा फलादेश का विधान है कि किसी नाम के वर्णस्वर के अनुसार जो पाचवें स्वर की दिशा है वह मृत्यु की दिशा होती है। उस दिशा में विशेषकर यात्रा कदापि कथमपि नहीं करनी चाहिए ऐसा स्वर-शास्त्र ग्रन्थों में लिखा है—

"यस्यां दिश्युदयं याति स्वरस्तत्पंचमी दिशम् ॥
वर्जयेत्सर्वकार्येषु यात्राकाले विशेषतः" ॥

इसी प्रकार विशिष्ट नामों देशों के साथ संघर्ष या युद्ध में गमन के अवसर पर स्वरशास्त्री को निर्भान्त रूप में फलादेश करना चाहिए।

जैसे :—मोरारजी नाम के वर्ण स्वर इ होने से दक्षिण दिशा अपने स्वर की दिशा होने से इ से पाँचवीं स्वर अ की दिशा पूरब है जो उनके हित की विरुद्ध की दिशा है, अतः इस नाम वालों को भूलकर भी पूर्व दिशा में चलकर या पूर्व दिशा में संघर्ष नहीं करना चाहिए। इसी प्रकार भारत का वर्ण स्वर अ पूर्व दिशा में होने से, युद्धस्थल के मध्य में (युद्धस्थल में) युद्ध नहीं करना चाहिए। पश्चिम दिशा अत्युत्तम होगी। इसी प्रकार चीन का वर्ण स्वर ओ है ओ से (मध्य से) ए स्वर उत्तर दिशा चीन की अस्त दिशा होगी। अतः यदि भारतीय सैनिक पश्चिम से युद्ध में प्रवृत्त होकर उत्तर की तरफ बढ़ेंगे तो चीन की अवश्य पराजय होगी।

और पाकिस्तान का वर्णस्वर उ (पश्चिम दिशा) के क्रम से इ स्वर (दक्षिण दिशा) अस्तंगत की दिशा होगी, अतः उसकी दक्षिण अस्त दिशा से उससे युद्धारम्भ करने पर उसकी पराजय अवश्यम्भावी है।

इसी प्रकार किसी देश, नगर व्यक्ति के नामों से उनके प्रतिद्वन्दियों के नामों से पक्ष की उत्तम दिशा और विपक्ष को अस्तंगत दिशा का निर्देश कर स्वर शास्त्री किसी के विजय प्रमाण की दिशा नियत करता है। युद्धारम्भ आदि अवसरों पर स्वरशास्त्र यह फलादेश की प्रमाणित पद्धति सफल सिद्ध होती है।

भारत वर्ष

मात्रा :—(१) भारतवर्ष नाम में भ वर्ण में आ की मात्रा है । अ, आ मात्रा की केवल अ मात्रा होने से भारतवर्ष का मात्रा स्वर अ सिद्ध होता है । जिसकी संख्या १ है ।

वर्ण :—(२) वर्ण स्वर चक्र में भारतवर्ष का आदि वर्ण भ अ स्वर के नीचे लिखा है । इसलिए भारतवर्ष का वर्ण स्वर भी अ सिद्ध होता है । जिसकी भी संख्या १ ही है ।

ग्रह :—(३) शतपदचक्र में भारतवर्ष का आदि भा "ये यो भा भी" मूल नक्षत्र में होने से ग्रह स्वर धनू राशि का उ स्वर, भारतवर्ष का ग्रह स्वर उ सिद्ध होता है । इसकी संख्या अ से ३ है ।

जीव :—(४) भारतवर्ष के; भ्+आ + र् + अ····त् + अ + व्+अ + र् + ष्+अ इन वर्ण और स्वरों के जीव स्वर चक्र के अनुसार भ् = ४+आ = २+र् = २+अ = १+त् = १ + अ = १+व् = ४+र् = २+ष् = २+अ = १ = २ ÷ ५ = शेष ० या ५=ओ, भारतवर्ष का जीव स्वर ओ सिद्ध होता है । जिसकी संख्या ५ होती है ।

राशि :—(५) भारतवर्ष की धनू राशि से एं स्वर, अतः भारतवर्ष का राशि स्वर ए है । जिसकी संख्या ४ है ।

नक्षत्र :—(६) भारतवर्ष नाम से मूल नक्षत्र का, चक्र से ए स्वर, अतः भारतवर्ष का नक्षत्र स्वर भी ए है, जिसकी संख्या ४ है ।

पिण्ड :—(७) भ्+र्+त् + व्+र्+ष् ये वर्ण हैं जिनके क्रमशः १ + ४+३+१ + ४ + ३ ये अंक वर्ण स्वर से होते हैं । आ + अ + अ + अ + अ ये स्वर हैं । जिनके मात्रा स्वर चक्र से १ + १ + १ + १ + १ ये अंक मात्रा स्वर से मिलते हैं ।

$$\frac{\text{वर्ण स्वर के अंकों के योग} + \text{मात्रा स्वर के अंकों का योग}}{५}$$

$=\frac{१६+५}{५}=\frac{३१}{५}=१$ शेष होने से भारतवर्ष का पिण्ड स्वर अ होता है जिसकी संख्या १ है।

	१	२	३	४	५	६	७	
योग :— (८)	मात्रा +	वर्ण +	ग्रह +	जीव ×	राशि +	नक्षत्र +	पिण्ड	सभी
	१ +	१ +	३ +	५ +	४ +	४ +	१	

स्वरों के $\frac{\text{अंक योग}}{५}$

$=\frac{१९}{५}=$शेष ४=ए, अतः भारतवर्ष का योग स्वर ए होता है, गणनया जिसकी संख्या ४ होती है।

प्राक्‌चीन, प्राचीन, अर्वाचीन इत्यादि तथा "श्री देवीभागवत-पुराण" में भी चीन शब्द का स्पष्ट उल्लेख मिलता है।

चीन

उक्त भांति	मात्रा	वर्ण	ग्रह	जीव	राशि	नक्षत्र	पिण्ड	योग
भारत वर्ष	अ१	अ१	उ३	ओ५	ए४	ए४	अ१	ए४
चीन	इ२	ओ.५	उ.३	अ१	ओ५	अ१	ओ५	इ२
पाकिस्तान	अ१	उ३	इ२	ए४	उ३	उ३	ए४	ओ५
नयपाल	अ१	इ२	अ१	ओ५	ए४	ए४	इ२	ए४

देवी भागवत सप्तम स्कन्ध अध्याय ३८ श्लोक १३—१४ में—

"श्री महालसा परं स्थानं योगेश्वर्यास्तथैव च
तथा नील सरस्वत्याः स्थानं चीनेषु विश्रुतम्" ॥

"वैद्यनाथे तु वगलास्थानं सर्वोत्तमं मतम्" ।
"भद्राश्ववर्षोपरिगो रविः भारतवर्षे स्वोदयं कुर्यात्"
(सूर्य सिद्धान्त भूगोलाध्याय श्लोक ७०)

१० दिसम्बर सन ६१ से १० अक्टूबर सन् ७३ तक ओ स्वर, जो भारतवर्ष के योग स्वर ए से दूसरा कुमार स्वर होता है। राष्ट्र की प्रत्येक समस्याओं में कष्ट के साथ आधी मात्रा में सफलता मिलेगी। प्रायः ७३ से ८५ तक युवा स्वर का उदय भारत वर्ष के लिए उद्दीयमान रहेगा।

सन् ६१, ६२ में स्वस्थ, ६२, ६३ में शुभ, ६३, ६४ में मोघ, ६४, ६५ में अतिहर्ष ६५, ६६ में वृद्धि, ६६, ६७ में महोदया, ६७, ६८ में शान्तिकरी ६८, ६९ में सुदर्पा, ६९, ७० में मन्दा, ७०, ७१ में शमा ७१, ७२ में शान्तगुणोदया७२,७३में मांगल्यदा अवस्थाओं के नामों के अनुसार शुभाशुभ भी रहा होगा।

पाकिस्तान के योग स्वर ओ से ओ स्वर वाल स्वर चल रहा है, अतः सन् ६०–६१–६२····७२–७३ तक सफलता चाहते हुये भयंकर धोखे या वाल बुद्धि से हानि हो सकती हैं। ६१–६२, मूला (यथावत्) ६२, ६३ वाला, ६३, ६४ शिशु, ६४, ६५ उपहास, ६५, ६६ कुमारिका, ६६, ६७ यौवन, ६७, ६८ राज्यदा, ६८, ६९ क्लेशा, ६९, ७० निन्द्या, ७०, ७१ ज्वरिता, ७१, ७२ प्रवासा, ७२, ७३ मृता, पाकिस्तान के लिए उक्त भांति का शुभाशुभ काल रहेगा। चीन के योग स्वर इ से ओ वृद्ध स्वर साधारण है।

६१, ६२—वैकल्य, ६२, ६३ शोषा, ६३, ६४ मोघा, ६४, ६५ च्युतेन्द्रिया ६५, ६६ दुखिता, ६६, ६७ रात्रि, ६७, ६८ निद्रा, ६८, ६९ बुद्धिप्रभंग, ६९, ७० तपा ७०, ७१ क्लिष्टा, ७१, ७२ ज्वरां, ७२, ७३ मृता चीन के लिए भी उपरोक्त उक्त सन वर्ष अनुपयुक्त हैं। नयपाल के ए स्वर से ६१, ७३ सन का समय भारतवर्ष की तरह ½ शुभोन्मुख सा रहेगा।

अतीत की ओर जाने से—सन ६०—१२=सन ४८ से सन ६० तक भारत का बाल स्वर था जो बालक की तरह प्रगतिशील रहना चाहिए था तथैव सन ३५····सन् १९४७ तक का समय भारतवर्ष के लिए, भारत के योग स्वर ए से पञ्चम उ स्वर अत्यन्त दुखप्रद एवं हानिप्रद भी रहा होगा। इसमें भी १२ अवस्थाओं में स्थूलतया ५ वीं अवस्था जो मही संज्ञक है वह

४१, ४१, ४२ में, तीसरी रिपुघातकारी—३८, ३९, ४० की अच्छी रह सकती थी। अतीत का सुविशद फलादेश इससे अधिक आवश्यक नहीं है इतना दिग्दर्शन पाठकों के लिए पर्याप्त होगा कि यह पद्धति देश के शुभाशुभ फल में कहाँ तक घटित हो रही है। यद्यपि उक्त फलाफल सूक्ष्म गणना से यहाँ पर इस समय सम्भव नहीं है। स्थूलतया ही यत्किञ्चित कहा जा रहा है। अस्तु। वार्षिक स्वर विचार से—

१६ नबम्बर ६७ से १२ नवम्बर ६८ तक भारतवर्ष का समय साधारण सा ही है।

१६–६७ से १२ नव, ६८ तक—पाकिस्तान के लिए कुछ अच्छा है। चीन के लिए परिणाम में +५—५=० जैसा है। नयपाल के लिए, उनकी कर्त्तव्य निष्ठा में कुछ दौर्वल्य से स्थिर कार्य की कोई स्पष्टता उद्घाटित नहीं हो रही है।

अयन

वास्तव में गुरुत्वाकर्षण सिद्धान्त, विज्ञान जगत में प्रतिष्ठा प्राप्त कर चुका है। तदनुसार वर्त्तमान खगोल से ता० २३ दिसम्बर से ता० २३ जून तक उत्तरायण, एवं २३ जून से २३ दिसम्बर तक दक्षिणायन होना चाहिए।

किन्तु कुछ ऐसे भी रूढ़िवादी भी सूर्योदय, सूर्यास्त, क्रान्ति, दिनबृद्धि आदि जो खगोल की प्राकृतिक देन ता० २३ दिसम्बर को है उसे मानते हुए पञ्चाङ्गों में सभी लोग इसी दिन से दिन मान की बृद्धि लिखते हुए भी ता० १४ जनवरी को ही मकर संक्रान्ति, तथा १६ जुलाई को ही कर्क संक्रान्ति प्रतिवर्ष स्थिर रूप में मानते आ रहे हैं। सृष्ट के आदिम वर्ष में पृथिवी की वर्ष पूर्त्ति का जो बिन्दु था तदनुसार ही फलित ज्योतिष का निर्माण हुआ, इसलिए फलित ज्योतिष एवं धर्मशास्त्र के लिए सदा स्थिर सम्पात से १४ जनवरी, तथा १६ जुलाई को ही क्रमशः उत्तर और दक्षिण अयन बिन्दु माना जा रहा है। यह एक जटिल विवाद है जिस का समाधान यहाँ तो नहीं हो सके, लेकिन कुछ ही आगे के वर्षों में दृश्यादृश्य सभी से एक ही मत स्वतः स्थापित हो जायगा। इस विवाद

पर कुछ तर्क सि० शि० ग्रहगणिताध्याय की भूमिका में पाठक अवश्य देखेंगे ।

अतः २३ जून से २२ दिसम्बर तक, प्रत्येक वर्ष में भारत के नक्षत्र ए से अ, युवा होने से भारतवर्ष की प्रत्येक स्थितियों में सर्वतोमुखी विजय रहेगी तथा २३ दिसम्बर से २२ जून तक कोई उल्लेखनीय प्रगति कम होगी ।

चीन के लिए दक्षिणायन की अपेक्षा उत्तरायण कुछ अनुकूल रहेगा ।

पाकिस्तान के लिए दक्षिणायन कुछ अच्छा किन्तु उत्तरायण नेष्ट ।

नयपाल का भारत के सदृश रहेगा ।

शुभ और अशुभ ऋतु काल

भारतवर्ष का ऋतु स्वर ए से प्रत्येक वर्ष में १३ अप्रैल से २६ जून तक का सर्वोत्तम समय

२७ जून	से	९ सेप्टे	से	कुछ अच्छा	तक
१० सेप्टे	,,	२१ नव०	,,	अत्यन्त ,,	,,
२२ नवम्बर	,,	३१ जनवरी	,,	साधारण	,,
१ फरवरी	,,	१२ अप्रैल	,,	अभ्युदय में प्रगति	,,

पाठक संशय करेंगे या समझेंगे कि लेखक ने नयपाल का स्वर भारत की तरह निकाला हैं ? ऐसी बात नहीं हैं. चारों राष्ट्रों के नामों से स्वरों का ज्ञान करते हुए यह दृढ़ तत्थ्य है कि पांच स्वरों के भेदो में विश्व के अनेक राष्ट्रों के स्वरों की यत्र तत्र कदाचित् समता हो सकने से फल में भी साम्य होगा। यहाँ नयपाल और भारत का ऋतु-फल समान है। चीन के लिए प्रत्येक वर्ष का २२ नवम्बर से ३१ जनवरी तक का पाकिस्तान के लिए ,, ,, २७ जून से ९ सेप्टेम्बर तक का समय अनिष्टकारक रहेगा ।

शुभ या अशुभ मास (महीने)

भारतवर्ष नाम से जीव स्वर ओ से आषाढ़ श्रावण आश्विन ये युवक मास, वर्ष भर में उत्तम रहेंगे । जेष्ठमास और कार्तिक मास सदा अनिष्ट

से रहेंगे। इन मासों में भूलकर भी राष्ट्र ने नयी योजनाओं का संकल्प, या उन्हें कार्यान्वित नहीं करना चाहिए। नयपाल के लिये भी मास फल यही घटित हो रहा हैं।

चीन के लिए माघ-फाल्गुन, पाकिस्तान के लिए चैत्र-पौष ये मास निन्द्य से निन्द्य रहेंगे।

शुभ या अशुभ मास (महीने)

भारतवर्ष के लिए उ से कृष्ण पक्ष (सदा वर्ष भरके) उत्तम, शुक्लपक्ष नेष्ट रहेगा।

यही स्थिति चीन की भी रहेगी।

पाकिस्तान के लिए कृष्ण पक्ष नेष्ट रहेगा।

नयपाल के लिए शुक्ल पक्ष इष्ट रहेगा।

शुभ और अशुभ तिथियाँ

भारत वर्ष नाम के वर्ण स्वर अ से

अ (१) प्रतिपदा, षष्ठी एकादशी—साधारण।

इ (२) द्वितीया सप्तमी द्वादशी—कुछ अच्छी।

उ (३) तृतीया अष्टमी त्रयोदशी सर्वोत्तम।

ए (४) चतुर्थी नवमी चतुर्दशी—केवल मन्त्रणा के लिए अच्छी।

ओ (५) पञ्चमी दशमी पूर्णिमा या अमावास्या—अत्यन्त नेष्ट रहेंगी।

नयपाल के लिए ४।९।१४ उत्तम १।६।११ अत्यन्त नेष्ट हैं।

चीन के लिए २।७।१२ उत्तम ४।९।१३ अत्यन्त नेष्ट एवं पाकिस्तान के लिए ५।१०।१५ उत्तम २।७।१२ ,, नेष्ट ,, है।

शुभाशुभ के लिए तिथियों का १२ वाँ विभाग

इस स्थल पर तिथियों तक की शुभाशुभता के अनन्तर उनके अवान्तर सूक्ष्म काल जो तिथिमान के पांच विभागों में प्रायः प्रत्येक ४ घन्टा ४८ मिनट का होता हैं वह समय समय पर विवेकी दैवज्ञ से तिथि का प्रारम्भ और अन्त का

समय समझ कर किसी राष्ट्र या व्यक्ति के नाम के मात्रा स्वर से जिस समय प्रातः, मध्यान्ह, अपराह्न, सांय, मध्य रात्रि आदि इष्ट समय में शुभाशुभ पूछा जा रहा हैं, तदनुसार तारतम्य से $\frac{\text{तिथि के सही मान}}{५}$ से १, २, ३, ४, ५, गुणित कालों में शुभाशुभ का आदेश करना चाहिए।

इसी प्रकार किसी राष्ट्र एवं व्यक्ति (नर-नारी) आदि के १२ वर्ष, १ वर्ष ६ महीने ७२ दिन, ३० दिन, १५ दिन, १ दिन और $\frac{\text{१ दिन के}}{५}$, में जहाँ-जहाँ वर्ष अयन ऋतु मास पक्ष तिथि और तिथि के समय में शुभता आ रही है, वह समय उस नारी या राष्ट्र के लिए स्वर्ण समय या हीरक काल कहना चाहिए। सर्वत्र के निन्द्य व नेष्ट समयों में उस मानव का महान पतन, मृत्यु या मृत्युतुल्य कष्ट कहना चाहिए। इति।

एक पद्धति से राष्ट्रों का शुभाशुभ फल विचार अध्याय समाप्त।

ज्योतिष के मुहुर्त्त ग्रन्थों में भी एक प्रक्रिया है। वह हैं—प्रत्येक स्वर और वर्णों के कुछ समूहों की, जिसे वर्ग संज्ञा दी गयी है।

			स्वामी	दिशा
(१)	जैसे अ वर्ग से	अ इ उ ऋ लृ ए ओ	गरुड़	पूर्व में
(२)	क वर्ग से	क ख ग घ ङ	मार्जार	अग्नि में
(३)	च वर्ग से	च छ ज झ ञ	सिंह	दक्षिण में
(४)	ट वर्ग से	ट ठ ड ढ ण	श्वान्	नैऋत्य में
(५)	त वर्ग से	त थ द ध न	सर्प	पश्चिम में
(६)	प वर्ग से	प फ ब भ म	मूषक	वायव्य में
(७)	य वर्ग से	य र ल व	मृग	उत्तर में
(८)	श वर्ग से	श ष स ह	मेष (बकरा)	ईशान में

ये आठ वर्ग और उनकी दिशाएें कही गई हैं।

जो क्रमशः पूर्वादिक दिशाओं में रहते हैं और गरुड़ आदि जिन वर्णों के अधिपति होते हैं। प्रत्येक वर्ग से उसका पाचवां वर्ग और दिशा उसके वैरी का वर्ग एवं वैरी की दिशा होती है। जैसे अ आ इ नाम के व्यक्तियों की पूर्व दिशा एवं गरुड़ वाहन होता है, अ से पञ्चक त वर्ग की दिशा पश्चिम है जो पूर्व की विपरीत एवं वर्ग सर्प है, जो स्वभावतः गरुड का वैरी है। इसी प्रकार क वर्ग की अग्नि दिशा स्वामी का मार्जार, जिसकी विपरीत दिशा वायु और वाहन मूषक (चूहा) है।

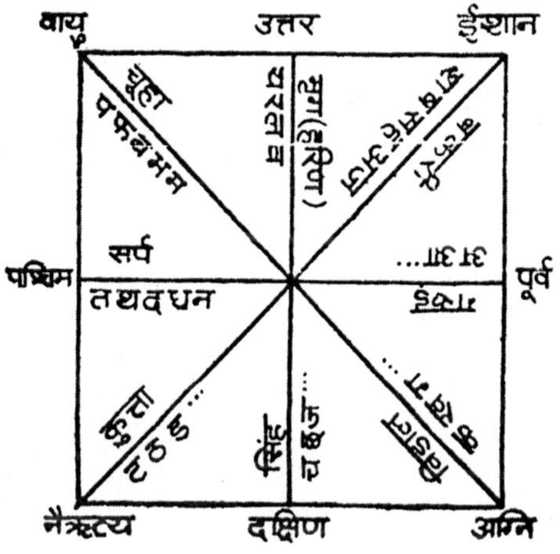

उपयोग :—जिन दो व्यक्तियों राष्ट्रों आदि का परस्पर का सम्बन्ध देखना हो तो निम्न उदाहरण से स्पष्ट होता है। इस प्रकार अ वर्ग दिकों की संख्या भी १, क वर्ग २, च=३, ट=४, त=५, प=६, य=७, श वर्ग=८ होती हैं।

जिन दो नामों का ऋण-धन ज्ञात करना है, उनमें अपनी द्विगुणित वर्ग

संख्या में प्रतिद्वन्दी की वर्ग सख्या जोड़कर आठ से भांग देकर शेष ग्रहण किया जाता है। अधिक शेष जिसका बचे वह दूसरे से ऋणी है।

भारतवर्ष का प वर्ग है जिसकी विपरीत दिशा वायु कोण के क वर्ग से आरम्भ होने वाले देशों के साथ सदा स्वभाविक वैर रहेगा।

पाकिस्तान एवं भारत दोनों का एक ही वर्ग है, दोनों एक ही राष्ट्र थे अतः आगे भी ही राष्ट्र हो सकतें हैं।

भारतवर्ष का प वर्ग, ६ × २=१२ + चीन का च वर्ग=३ अतः १२ + ३= १५ ÷ ८=७ शेष।

एवं चीन का च वर्ग= ३ × २–६ + भारत प वर्ग ६=१२ अतः १२ ÷ ८ शेष =४, जिसका अधिक अंक होता है वह ऋणी रहता है, इससे भारतवर्ष पर चीन का दबाव मालूम पड़ता है। व्यापारियों के लिए किस नाम से किस नगर देश में लाभ होगा ? इत्यादि अवसरों पर उक्त पद्धति अधिक सत्य की ओर देखी गई है। विपरोत नगर देश में व्यापार करने से लाभ की जगह घर से देने की स्थितियाँ देखी गई हैं, लेने के देने पड़े हैं। अतः, उक्त पद्धति जो सर्व साधारण के समझने की है उसे उपयोग में लाना चाहिए! यात्रा युद्ध आदि में भी उक्त पद्धति अपनाई जाती है।

विश्व प्रसिद्ध चार राष्ट्र (१) भारतवर्ष (२) पाकिस्तान (३) चीन और (४) नयपाल के मात्रादिक प्रसिद्ध आठ स्वरों की साधनिका के साथ-साथ अपने से सम्बन्धित और सुपरिचित कुछ सभ्य नामों की जिनके भारतीय पवित्र परिवारिक संस्कृति में अच्छा योग दान है।

भारत—देश के विभिन्न क्षेत्रों में विख्यात

कुछ नामों की स्वर साधनिका को, उदाहरण स्वरूप से यहाँ दी जा रही है। इन नामों के मात्रादिक आठ स्वरों की परिगणना के साथ उनकी अष्टविध कालों से समन्वित कर उनके अतीत-वर्तमान और भविष्य की शुभाशुभ फल विवेचना यहाँ पर की जा रही है।

स्वरशास्त्रीय ज्योतिष की लुप्तप्राय इस पद्धति को प्रश्रय देने में, उक्त नामों के व्यक्तिविशेष से शायद उत्साह प्राप्त होगा, जिससे यह शोध-कार्य अग्रेसरित करने के लिए उनका सहयोग भी प्राप्त होगा। ऐसी शुभाशा है।

ध्यान देने की बात

विभिन्न क्षेत्रों में संलग्न एक नाम के अनेक व्यक्तियों के शुभाशुभफलों में उनके स्तर के अनुसार फलादेश की एकता होती हुई भी वर्णजाति सम्प्रदाय और कार्य-आदि की विभिन्नता से फल में विभिन्नता होगी। एक मजदूर के नाम के समान नाम के एक शिक्षा शास्त्री दोनों की कोई दिन चर्या, यदि उत्तम फल की आती है, तो मजदूर अनायासेन उस दिन अच्छा सञ्चय करेगा, बुद्धिजीवी की बौद्धिक प्रतिभा प्रस्फुरित होने में विलम्ब नहीं लगेगा। ऐसा सर्वत्र समझना चाहिए।

प्रत्येक विध स्वर गणना के काल क्रम में, पञ्चम स्वर की मृत्यु संज्ञा दी गई है। अतः प्रत्येक तिथि-पक्ष-मास-ऋतु-अयन-वर्ष-१२ में प्रत्येक नाम का पाचवाँ मृत्यु स्वर अवश्य आवेगा, तो क्या उस वर्ष मास तिथि..................में मृत्यु का आदेश दिया जाय ? कदापि नहीं ? तत्तसमय कुछ क्लेश, मनोव्यथा, आकरण वैर, अकस्मात् अकारण अनावश्यक व्यय आदि हो सकता है। मृत्यु के विचार के लिए अवस्था के अनुसार आयुष्य के प्रथम खण्ड ३२.....६४ वर्ष तक द्वितीय खण्ठ ३६ से ७२ तक तथा ४० वर्ष से × २.३= ८०, १२० आदिक वर्षों में मृत्यु स्वाभाविक होगी ही।

दिवंगत देश रत्नों के नाम से आठ स्वरों का ज्ञान

	१	२	३	४	५	६	७	८	
	मात्रा	वर्ण	ग्रह	जीव	राशि	नक्षत्र	पिण्ड	योग	मृत्यु
(१) ब्रह्मर्षि महामना पं० मदन मोहन मालवीय	अ१	इ२	अ१	ओ५	इ२	इ२	उ३	अ१	ओ
(२) महात्मा मोहनदास कर्म चन्द्र गांधी	ओ५	इ२	अ१	ओ५	इ२	इ२	इ२	ए४	उ
(३) दानवीर सन्त युगलकिशोर विड़ला	उ३	उ३	अ१	ओ५	ए४	ए४	अ१	अ१	ओ
(४) कनेडी	अ१	अ१	इ२	ओ५	अ१	अ१	अ१	इ२	अ
(५) महामहोपाध्याय पं० सुधाकर द्विवेदी	उ१	ए४	ओ५	ए४	ओ५	ओ५	अ१	ओ५	ए
(६) होमी छहांगीर भाभा	ओ५	ओ५	इ२	अ१	इ२	इ२	उ३	ओ५	ए
(७) श्री रवीन्द्रनाथ टैगोर	अ१	ए४	ए४	ए४	उ३	उ३	ओ५	ए४	उ
(८) श्री पं० जवाहर लाल नेहरू	अ१	इ२	ओ५	इ४	ए४	ए४	उ३	अ१	ओ

स्थूलनया—ता० १० दिसम्बर ६१ से २० अक्टोबर ७३ तक ओ,द्वादश वार्षिक स्वर में जिन जिनके योग स्वर अ हैं उनसे पाचवाँ द्वादश वार्षिक ओ मृत्युस्वर है, अतः—

३ और ८ नामों का श्री जवाहरलाल नेहरू और श्री युगलकिशोर इन दो महापुरुषों का निधन सन् ६१ से ७३ के बीच में (आसन्न आरम्भ ६४ से ६७ में) हुआ है।

(१) महामना पं० मदनमोहन मालवीय जी का निधन १२-११-४६ को उनके योग स्वर अ से युवा स्वर के अन्त वृद्ध स्वर के प्रारम्भ ए[४] कालों के वैकल्य और शोषा और शान्तामिधा अवस्थाओं में शरीर शान्त हुआ है।

(२) सन् ३६-३७ से सन् ४७,४८ तक चलने वाले १२ द्वादश वार्षिक उ स्वर की दशा—मोहनदास कर्मचन्द्र गांधी के योग स्वर ए से (ए[१] ओ[२] अ[3] इ[४] उ[५]) पांचवीं मृत्यु स्वर की समाप्ति की क्षया नामक १२ वीं अवस्था में शरीर क्षय हुआ है।

(३) रवीन्द्रनाथ टैगोर का भी ए स्वर द्वादश वार्षिक से ए ओ अ इ उ भी प्रायः सन ३६, ३७ से ४७-४८ सन के बीच में निधन समय सम्भवतः छिन्ना वन्धा या रिपुघातकरी अवस्थाओं में निधन हुआ होगा।

(४) कनेडी के पूरे नाम से स्वर साधनिका नहीं की जा सकी है तथापि केवल कनेडी नाम से इ योग स्वर से ओ बृद्ध स्वर के प्रारम्भ की च्युतेन्द्रिया इन्द्रियों की शून्यता अवस्था में निधन हुआ है।

(५) होमी जहाँगीर भाभा के योग स्वर से, उनकी मृत्यु के सन् ६५-६६ में में द्वादश वार्षिक स्वर वाल स्वर होता है, वाल स्वर की प्रवासा अवस्था की समाप्ति और मृता अवस्था के प्रारम्भ में प्रवास में ही मृत्यु हुई है।

(६) म० म० पं० सुधाकर द्विवेदी का निधन भी सन् १९१० से २२ के बीच हुआ होगा।

	दिन के प्रत्येक १,१ घण्टे के विचार में	प्रत्येक तिथि में	प्रत्येक पक्ष में	प्रत्येक चान्द्र मास में	प्रत्येक ऋतु में	प्रत्येक दक्षिण और उत्तर अयन में	प्रत्येक विजयादिक ६० संवत्सर में	आयु के प्रत्येक १२, १२ वर्ष में
	मात्रा	वर्ण	ग्रह	जीव	राशि	नक्षत्र	पिण्ड	योग
(१) श्री पं० गौरीनाथ	ओ ५	उ ३	ओ ५	उ ३	ओ ५	ओ ५	इ २	२८/५ = शे० =उ
(२) ,, मोरार जी	ओ ५	इ २	अ १	इ २	इ २	इ २	ए ४	१८/५ =शे० ३ =उ
(३) ,, रमाप्रसाद	अ १	ए ४	ए ४	उ ३	उ ३	उ ३	इ २	२०/५ =५ शे५ =ओ
(४) ,, इन्दिरा	इ २	इ २	ए ४	उ ३	अ १	अ १	ए ४	१७/५ =२ =इ
(५) ,, विभूतिनारायण	इ २	अ १	ए ४	ओ ५	अ १	अ १	इ २	१६/५ १ शे० =अ
(६) श्रीमती हीरा देवी	इ २	ओ ५	इ २	ए ४	इ २	इ २	ए ४	२१/५ =शे० १ =अ
(७) श्री पं० जनार्दन	अ १	इ २	उ.षा. ३चमकर ओ ५	उ ३	ए ४	ए ४	ए ४	२३/५ =३ शे० उ ३
(८) ,, पं० मधुकर	अ १	इ २	मघा.१. सिंह अ१	ओ ५	इ २	इ २	ए ४	१७/५ =शेर इ

९—हरीकृष्ण	अ	ओ	इ	उ	इ	इ	अ	१६=अ
१०—श्री पं० पीताम्बर	इ	उ	इ	ए	उ	उ	इ	१ ९/५ ए
११— ,, ,, शिवदत्त	इ	इ	ओ	ओ	ओ	ओ	ए	२ ८/५ उ
१२— ,, ,, देवकीनन्दन	ए	ओ	उ	ओ	ओ	ओ	इ	२ ९/५ ए
१३— केदारदत्त	ए	अ	इ	इ	इ	इ	ए	१ ७/५ इ
१४—श्री विश्वनाथ प्रसाद	इ	अ	ए	उ	अ	अ	ओ	१ ७/५ इ
१५—सौ० विजया	इ	अ	ए	उ	अ	अ	ओ	१ ६/५ इ
१६—चि० गौरव (उर्फ किन्नू)	आ अथवा इ	उ	ओ	ओ	ओ	ओ	ओ	३ ३/५=उ
१७—श्री सुरेश	उ	ए	ओ	उ	ओ	ओ	उ	२ ८/५ उ
१८— ,, दिनेश	इ	ओ	उ	उ	ओ	ओ	अ	२ ४/५ ए
१९— ,, तारकेश	अ	उ	ए	अ	उ	उ	इ	१ ७/५=इ

२०–श्री नवीन	अ	इ	अ	ओ	उ	ए	ओ	२१/५ = अ
२१– ,, उर्वीदत्त	उ	उ	ए	इ	अ	अ	इ	१६/५ = अ
२२– ,, पद्मा	अ	उ	इ	इ	उ	उ	इ	१६/५ = अ
२१– ,, कौशल	ओ	अ	उ	अ	अ	इ	ए	१७/५ = इ
२४– ,, प्रकाश	अ	उ	इ	ए	उ	उ	उ	१९/५ = ए
२५– ,, गिरीश	इ	उ	ओ	ए	ओ	ओ	उ	२६ = अ
२६– ,, उमा	उ	उ	ए	इ	अ	अ	अ	१५/५ = ओ
२७– ,, कैलाश	ए	अ	इ	इ	इ	अ	ओ	१७/५ = इ
२८– ,, विमला	इ	अ	ए	उ	अ	अ	अ	१०/५ = उ
२९– ,, मनीष	अ	इ	अ	इ	इ	ई	अ	११/५ अ
३०– ,, जयदत्त	अ	इ	अ	अ	ए	ओ	ए	१८ = उ

३१—श्री हीरावल्लभ	इ	ओ	इ	उ	इ	इ	ओ	२१/५ = अ
३२— ,, शङ्कर	अ	इ	ओ	अ	ओ	अ	ए	१९/५ = ए
३३— ,, जयन्ती	अ	इ	ओ	अ	ओ	इ	ए	१०/५ = ओ
३४— ,, प्रमोद	अ	उ	इ	अ	उ	उ	अ	१४ ÷ ५ शे ए
३५— ,, लता	अ	ओ	अ	इ	अ	अ	ए	१५/५ = ओ
३६— ,, योगेश	ओ	अ	अ	ओ	उ	ए	उ	२२/५ = उ
३७— ,, नीमा	इ	इ	अ	अ	उ	ए	इ	१५/५ = ओ
३८— ,, विद्यानाथ	इ	अ	ए	उ	अ	अ	ए	१६/५ = १ = अ
३९— ,, सुधा	उ	ए	ओ	ए	ओ	ओ	ए	३०/५ = ओ
४०— ,, काशीनाथ	अ	अ	इ	उ	अ	अ	ए	१३/५ शेष = उ
४१— ,, गोपाल	ओ	इ	ओ	उ	ओ	ओं	ए	२४/५ शेष ए

४२–श्री देवब्रत	ए	ओ	उ	उ	ओ	अ	इ	२३ शेष=उ
४३–विनोद कुमार	इ	अ	ए	ओ	अ	अ	ओ	१९/५ = उ
४४–धुण्डिराज	उ	अ	उ	उ	ए	ए	अ	१९/५ = ए

राष्ट्र, देश, मण्ठल, नगर और ग्रामों की स्वर साधनिका

१–राष्ट्र–भारतवर्ष	अ	अ	उ	अ	अ	ए	ओ	अ
२–प्रदेश–उत्तरप्रदेश	उ	उ	ए	ए	अ	अ	इ	उ
३–नगर–अल्मोड़ा	अ	अ	अ	इ	अ	अ	अ	उ
४–ग्राम–जुनायल	उ	इ	ओ	अ	ए	ए	ओ	ए
५–सरयू रामगङ्गा का मध्यवर्तीय पर्वतीय कुमाउंनी क्षेत्र गङ्गोली-'दानपुर'	अ	अ	उ	ओ	ओ	अ	ए	ए
६–वर्धमान बेल श्री सीतावर का आ० चि 'ललित' जोशी	अ	ओ	अ	इ	अ	अ	ए	ओ

आदावन्ते च निर्विघ्नता सिद्ध्यर्थं 'श्री गणेश:' स्मृति से सम्बन्धित व्यक्तियों के ये उक्त नाम उदाहरणार्थ प्रस्तुत किये गए हैं।

"ग्रन्थकारों" ने उदाहरण से स्वर-साधनिका में "यज्ञदत्त" या "देवदत्त" इन दो ही नामों को अपनाया है, अतः यहाँ स्वरसाधन प्रक्रिया को सरल और सुगम किया जा रहा है, अनेक नामों के उदाहरणों को देखकर प्रत्येक जिज्ञासु अपने मित्रों (नर-नारियों) के नामों से मात्रादि-योग स्वर तक स्वरों की साधनिका से २४ मिनट के छोटे समय से १२ वर्ष या १२ × २....३ ४....५....१० = २४, ३६, ४८, ६०, ७२, ८४, ९६, १०८ और आगे के वर्षों तक के शुभाशुभ भविष्य का स्वयं अनुभव कर सकेगा।

इन ४२ नामों के मात्रादि आठ स्वरों का १२ वर्षादि २ २ घण्टे तक के कालों से समन्वय किया जा रहा है।

इन नामों में मात्रादि आठ स्वरों की जहाँ एक रूपता है वहाँ उन नामों के भविष्य फल समान होंगे, जो उन नामों के कार्य क्षेत्र में उन्नत या अवनति शुभ या अशुभ, प्रकाश या अन्धकार का सूचक होगा।

फल मीमांसा में प्रत्येक नाम का उल्लेख न कर इन नामों की १—४२ तक की क्रमिक संख्या संकेत से विचार किया जा रहा है जैसे संख्या के केदारदत्त का शुभाशुभ, फल संख्या के रमाप्रसाद के शुभाशुभ की आठों कालों की विभिन्नता की तरह, अपने अपने शिक्षा, राजनीति, व्यापारादिक यथेष्ट अपने अपने कार्य क्षेत्रों में समझना चाहिए, इत्यादि समझिये।

दिसम्बर ई० सन् ६१ से सन् १९७३ ई० तक ओकार स्वर का भोग काल है, यह उल्लेख पूर्व में जगह-जगह पर किया जा चुका है। जिन-जिन नामों का योग स्वर उ है, उन-उन नामों से ओ यह तीसरा स्वर युवा स्वर होता है। अतः इन नामों का ७१, ७३ वर्ष के भीतर विशेष उत्थान अपने-अपने क्षेत्रों में होगा, विशेषता से ६१, ६२ में उत्साह, ६२, ६३ में धैर्य, सकल्प में तन्मयता, ६७, ६८ में इच्छा वृद्धि, ६८, ६९ में तुष्टि, ६९, ७० में सुख, ७०, ७१ में सिद्धि, ७१, ७२ में धन का विशेष लाभ, ७२, ७३ में मनः शान्ति रहेगी।

यह फल क्रम संख्या जिनका योग स्वर उ होता है उन सभी के लिए उक्त-उक्त वर्षों में कथित फलादेश होना चाहिए।

योग स्वर अ नाम की क्रम संख्याओं के लिए ये समय प्रायः ६७; ७१, ७३ तक अच्छे नहीं हैं। वृद्धावस्था के आसन्न व्यक्तियों को शरीर भय, कम-अवस्था या युवा, कुमार अवस्था के व्यक्तियों को शारीरिक या मानसिक या पारिवारिक या आर्थिक या राजकीय कष्ट हो सकते हैं।

योग स्वर अ की संख्याओं के नामों के लिए ६१—७३ तक का समय साधारण शुभ।

ए,योग स्वर नामों के लिए उक्त समय सामान्य उत्साह वर्धक रहेगा।

१६ नवम्बर से सन् ६७ से १२ नवम्बर सन् १९६८ तक वृहस्पति के वर्ष का फलादेश=

पिण्ड स्वर से संबत्सर स्वर के विचार में, उक्त समय (१६-११-६७ से १२-११-६८) में सम्वत्सर स्वर ओ की प्रगति रही है। अतः उ पिण्ड स्वर के नामों के लिए उक्त समय, उत्साह, धैर्य, जय और सन्तोष के लिए उत्तम रहेगा।

'ए' स्वर जिन नामों का है उनके लिए वर्ष कुछ नैराश्य-प्रद "ओ" पिण्डस्वर नाम की संख्याओं के लिए मन्त्रणा आदि से सफलता के साथ बीतराग की भावनाएँ प्रबुद्ध हो सकती हैं।

ए पिण्ड स्वर के लिए नामों लाभालाभ सुखदुख आदि में न हर्ष ओर न शोक ही रहेगा।

ओ पिण्ड स्वर संख्या नामों के व्यक्तियों के लिए जबकि यदि ये वास्तविक अवस्थाओं में २४, ३६, ४८, ६०, ७२, ८४ किसी भी वर्ष की अवस्था के क्यों न हों, ये अपने-अपने कार्य क्षेत्रों में भूल या भ्रम से बालक की सी त्रुटि कर सकते हैं।

अयन ६ महीने (नामों के नक्षत्र स्वर से)

समय शीघ्र बदल रहा है, दृश्य पञ्चाङ्गों के (वेध) आदिक अंशों की तुल्यता के बावजूद अदृश्य पञ्चाङ्ग कहते हुए भी मात्र से दृश्य विरोध प्रकट करने का स्वभाव हो गया है? यह विवाद का विषय है। पाठक फलादेश से स्वयं निर्णय करेंगे कि उन्हें २३ दिसम्बर से २३ जून का उत्तरायण, और २३ जून से २३ दिसम्बर का दक्षिणायन अपेक्षित होगा? अथवा १४ जनवरी से १६ जुलाई का उत्तरायण या १६ जुलाई से १४ जनवरी का दक्षिणायन। दक्षिणायन नेष्ट रहेगा।

उत्तरायण के ६ महीने में "इ" स्वर का उदय और दत्रिणायन के ६ महीनों 'अ' स्वर का उदय होता है।

इनका भोगकाल=वार्षिक स्वर भोगकाल÷२ अर्थात् १ महीना २ दिन ४३ घटी ३८ पल के आधे के तुल्य, ६ मास १० दिन २४ घटी और ४९ पल के तुल्य होता है।

६ महीने के अयन में उदित अस्वर होने से तथा नामों के नक्षत्र स्वर से बाल-कुमार-युवा–वृद्ध और मृत्यु स्वर के समन्वय से अयन का शुभाशुभ फल समझना चाहिए। जैसे—

प्रत्येक वर्ष के जिन नामों का नक्षत्र स्वर "अ" है उनका १४ जनवरी से १५ जुलाई तक का समय कुमार की तरह साधारण शुभ, जिन नामों का नक्षत्र स्वर इ है उनके लिए उक्त समय बाल अवस्था की तरह क्रिया क्षेत्र में आशोन्मुखी प्रगति, जिन नामों का नक्षत्र स्वर "उ" है उनके लिए उक्त समय विशेष चिन्ता सूचक, एवं जिन नामों का नक्षत्र स्वर "ए" उनके लिए सात्विक सद्भावनामय जीवनोपयोग सुख, और जिन नामों का ओ है उन नामों के लिए उक्त उत्तरायण का समय विशेष सुख समृद्धि लाभ के साथ उत्साह वर्धक भी होता है।

प्रत्येक वर्ष के १६ जुलाई से १३ जनवरी तक में "अ" स्वर का उदय होता है। अतः जिन नामों का नक्षत्र स्वर 'अ' है उन नामों का बाल समय, "इ" नामों का अनिष्ट सूचक "उ" नक्षत्र स्वर नामों के लिए बीतराग भावों का उद्गम, ए नक्षत्र स्वर नामों के लिए सविशेष उत्साह वर्धक, "ओ" नक्षत्र स्वर नामों के लिए साधारण सुख का दक्षिणायन समय होता है।

ऋतुकाल का शुभाशुभ फल (राशि स्वर से)

२६ मार्च से आगे के ७२ सौर दिनों लगभग सूर्य ९।० + २।१२=सू११।१२ या १४ जनवरी से ता० २६ मार्च तक हेमन्त+शिशिर ऋतु में अ स्वर का उदय होता है। तथा सूर्य ११।१२ + २।१२ = सू० १।२४ अर्थात् २७ मार्च से ता० ८ जून तक शिशिर बसन्त ऋतु में इ स्वर का उदय होता है। तथा सूर्य १।२४ + २।१२ = सू० ४।६ अर्थात ता ९ जून से ता० २३ अगस्त तक

ग्रीष्म वर्षा ऋतु में ऋतु स्वर का उदय होता है तथा सूर्य ४।६+सू० २।१२ = स्पष्ट सूर्य ६।१८ तक अर्थात ता० २४ अगस्त से ता० ४ नवम्बर तक वर्षा शरद ऋतु में ऋतु स्वर ए का उदय होता है। इसी प्रकार स्पष्ट सूर्य ६।१८+स्प० सू० २।१२ = ९।० स्पष्ट सूर्य प्राय: ता० ४ नवम्बर से १३ जनवरी तक शरद+हेमन्त ऋतु में ओ स्वर का उदय होता है।

स्वर शास्त्रों में ७२ सौर दिनों की एक ऋतु कही गई है। सौर महीनों के ३६० अंशों में ५ पांच ऋतु कही जाने से ३६०÷५ = ७२ सौर अंश भोग काल का मान यहाँ प्रत्येक ऋतु मान कहा है। ऋतु स्वर का काल = सौर दिन होने से ७२÷११ = ६ सौर दिन ३२ सौर घटी एवं ४३ सौर पल प्रत्येक स्वरोदय में अन्तरोंदय का मान होता है। दशा क्रम के अनुसार स्वर दशा का पूर्ण भोग समय के साथ उसके अन्तर समयों का ज्ञान कर ज्ञात स्वर दशाओं में शुभाशुभ भविष्य विचार करना चाहिए। उक्त इस प्रकार हैं—

ऋतु स्वर प्रत्येक वर्ष के मकर-कुम्भ राशिगत और मीन राशि के १२अंशगत सूर्य तक वसन्त ऋतु में अ स्वर,इसी प्रकार ७२ सौर दिनों में ग्रीष्म ऋतु में इ स्वर, तथा आगे के ७२ सौर दिनों में वर्षा ऋतु में उ स्वर आगे के ७२ सौर दिनों में शरद ऋतु में ए स्वर और वर्ष के अन्तिम ७२ दिनों में हेमन्त ऋतु में ओ स्वर का उदय होता है।

अत: प्रत्येक वर्ष के १४ जनवरी से २६ मार्च तक के ७२ दिनी में अ स्वर के उदय में अ राशि स्वर के नामों के लिए, साधारण, इ राशि स्वर नामों के लिए नेष्ट, उ राशि स्वर नामों के लिए नैराश्य ए राशि स्वर नामों के लिए उत्साहवर्धक और ओ नाम राशि स्वर के व्यक्तियों के लिए यह साधारण अभ्युदय समझना चाहिए। इसी प्रकार सर्वत्र ऋतु स्वरोदय में अपने-अपने राशि स्वर से बाल कुमार, युवा वृद्ध और मृत्यु स्वरोदयों में शुभाशुभ फल समझना चाहिए।

मास का शुभाशुभ (चान्द्र मास) अपने जीव स्वर से।

भाद्रपद मार्गशीर्ष और वैशाख मासों मे अ स्वर का उदय होता

है। जीव स्वर अ नामों के लिए साधारण, जीव स्वर इ नामों के लिए नेष्ट उ नाम राशियों के लिए वृद्धता ए जीव स्वर के लिए उत्साह सम्पन्नता। और ओ जीव स्वर नामों के बिए उक्त मास साधारण शुभ रहेंगे।

आश्विन, श्रावण, आषाढ़ मासों में इ स्वर का, चैत्र, पौष मासों में उ स्वर का, ज्येष्ठ, कार्तिक मासों में ए स्वर का एवं माध, फाल्गुन मासों में ओ स्वर का उदय होता है। अपने नाम के जीव स्वर वश मास स्वर को समझते हुए बाल कुमारादि उदय विचार करना चाहिए।

१५ तिथियों का पक्ष फल

अपने ग्रह स्वर से विचारना चाहिए।

ग्रह स्वर ओ से दूसरा ४, ६, ८, १४, २७, २८ के लिए कुछ अच्छा रहेगा।

"पक्षे ग्रह स्वरो ज्ञेयः" १५ तिथ्यात्मक पक्ष में अपने अपने ग्रह स्वर से विचार करना करना चाहिए।

कृष्ण पक्ष की १५ तिथियों में 'अ' स्वर का एवं शुक्लपक्ष की पन्द्रह तिथियों में 'इ' स्वर चलता है। जैसा कहा है 'अ'स्वरः कृष्णपक्षेशः शुक्लपक्षेश इ 'स्वर' इति।

जिन नामों का ग्रह स्वर 'अ' है उनके लिए कृष्ण पक्ष सामान्य शुभ "बाल राज" की तरह जिन नामों का ग्रह स्वर इ है उन नामों के लिए कृष्ण पक्ष विशेष अनिष्ट, जिन नामों का ग्रह स्वर 'उ' है उनके लिए कृष्ण पक्ष वैराग्य सूचक, जिन नामों का ग्रह स्वर ए है उनके लिए कृष्ण पक्ष अत्यन्त शुभ उत्साहवर्धक, और जिन नामों का ग्रह स्वर 'ओ' है उन नाथों के लिए कृष्ण अर्द्ध शुभ एवं अर्द्ध साधारण शुभ फलद होता है।
शुक्ल पक्ष में 'इ' स्वर का उदय होने से ग्रह स्वर के 'अ' नामों के लिए अर्द्ध शुभ, ग्रह स्वर के 'इ' नामों के लिऐ बालक राज का सुख, जिन नामों का ग्रह स्वर 'उ' है उनके लिए शुक्ल पक्ष विशेष अशुभ, जिन नामों की ग्रह स्वर 'ए' है उनके कार्य क्षेत्र में शिथिलत्व और जिन नामों का ग्रह स्वर 'अ'

है, उनके लिए शुक्ल पक्ष विशेष सुख सौभाग्य सूचक समझना चाहिए और इस प्रकार पक्ष का शुभाशुभ फलादेश करना चाहिए।

१५ तिथि ÷ ११ = १।२१।४९ यह एक पक्ष का ११वाँ विभाग पक्ष स्वर का अन्तरोदय मान होता है।

दोनों पक्षों में

'दिने वर्णस्वरस्तथा' से तिथियों में अपने वर्ण स्वर से शुभाशुभ जानना चाहिए।

(१।१६।११) प्रतिपदा षष्ठी एकादशी तिथियाँ में अ स्वरोदय में 'ए'मात्रा स्वर के नामों के लिए उत्तम इ नाम वर्ण स्वरके लिए विशेष्ट नेष्ट हैं।

(२।७।१२) द्वितीया सप्तमी द्वादशी तिथियाँ में 'इ' स्वरोदय ओ वर्ण के लिए सर्वोत्तम तथा उ वर्ण स्वर के लिए विशेष नेष्ट हैं।

(३।८।१३) तृतीया अष्टमी त्रयोदशी तिथियों में उ तिथि स्वर 'अ' वर्ण स्वर के लिए सर्वोत्तम ए वर्णस्वर क्रमांकों के लिए विशेष नेष्ट हैं।

(४।९।१४) चतुर्थी नवमी चतुर्दशी तिथियों में 'ए' तिथि स्वर इ वर्ण स्वर नामों के लिए विशेष उत्तम एवं ओ वर्ण स्वर नामों के लिए विशेष नेष्ट हैं।

५।१०।१५, या ३० पञ्चमी दशमी पूर्णिमा और अमावस्या में ओ तिथि स्वर जो उ वर्ण स्वर नामों के लिए उत्तम एवं 'अ' वर्ण स्वर के लिए विशेष नेष्ट हैं।

२, २ घण्टे के क्रम से चलने वाले घटी स्वर का उदाहरण प्रश्न कर्त्ता जिज्ञासु की प्रश्न कालीन समय से ही करना चाहिए।

उक्त फलादेश की सटीक तथ्यता या तत्थ्य हीनता जो हो यथार्थ सम्मतियों से उल्लिखित महानुभाव प्रोत्साहन या जो चाहें देंगे। इति।

ता० १५ अगस्त सन् १९८१ को किन्हीं पञ्चाङ्गों में श्रावण मास पूर्णिमा तिथि शनिवार के दिन सायंकाल ६½ बजे तक लिखी है। यह तिथि ता० १४-८-८१ शुक्रवार रात्रि १० बजकर ३६ मि० से प्रारम्भ होकर ता० १५ की रात्रि १०.७ बजे तक श्री काशी केन्द्राभिप्रायिक हैं।

भारत की राजधानी दिल्ली में प्रातः काल आसन्न ९ वजे श्री इन्दिरा गांधी राष्ट्रीय पताका फहरायेंगी। ये और जनता भी ध्वजा का अभिवादन करेगी। इस समय पूर्णिमा तिथि का व्यतीत समय लगभग होता है "दिने वर्ण स्वरो ग्राह्यः" से इन्दिरा के वर्ण स्वर इ, में झन्डोतोलन होगा।

श्री इन्दिरा के वर्ण स्वर इ से पूर्णिमा तिथि का ओ स्वर वृद्ध स्वर में राजधानी से शुभाशा होगी इ स्वर के साम्राज्य में ए युवा स्वर का तात्कालिक भोग हो तो राष्ट्र का भविष्य उज्वल समझा जावेगा।

श्री इन्दिरा के वर्ण स्वर इ से तिथि स्वर वृद्ध में तत्काल के ए युवा स्वर के साम्राज्य का झण्डोतोलन अभिवादन आदि से राष्ट्र की राष्ट्रीय समृद्धि एवं राष्ट्र के यत्र तत्र-सर्वत्र के सस्थानों विश्वविद्यालयों में युवा स्वर के उदय में झण्डोत्तोलन करने से राष्ट्र की ज्ञान विज्ञान की समृद्धि अच्छे रूप में वर्धमान होगी। दोनों अपने कार्य में सफल होंगे, गौरव वृद्धि होगी।

झण्डा किस दिशाभिमुख होकर किससे फहराना चाहिए। दोनों के नामों के स्वरो से उत्तराभिमुख होकर झण्डोतोलन कार्य अतीव शुभद रहेगा।

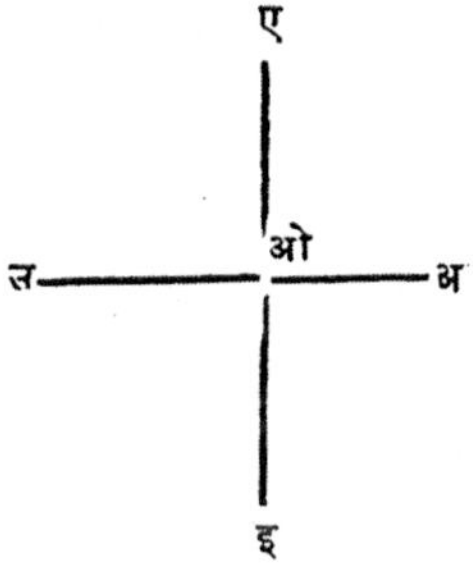

झण्डोतोलन के समय अपने वर्णस्वर से युवा स्वर का उदय समझ कर झण्डोतोलन करना चाहिए तथा अपने वर्ण स्वर से युवा स्वर की पूर्व पश्चिम उत्तर दक्षिण की जो यथा दिशा है उस दिशाभिमुख होकर झण्डा भिवादनादि शुभकार्य करते रहने चाहिए। यथाशक्ति भद्रा व्यतिपातादि अशुभ समय को भी वर्जित करना चाहिए।

अथ सर्वतोभद्रचक्रप्रकरणम्

अथातः सम्प्रवक्ष्यामि चक्रं त्रैलोक्यदीपकम् ।
विख्यातं सर्वतोभद्रं सद्यः प्रत्ययकारकम् ॥ १ ॥

ऊर्ध्वगा दश विन्यस्य तिर्यग्रेखास्तथा दश ।
एकाशीतिपदं चक्रं जायते नात्र संशयः ॥ २ ॥

अकारादिस्वराः कोष्ठेष्वीशादिविदिशि क्रमात् ।
सृष्टिमार्गेण दातव्याः षोडशैवं चतुर्भ्रमम् ॥ ३ ॥

कृत्तिकादीनि धिष्ण्यानि पूर्वाशादि लिखेत् क्रमात् ।
सप्त सप्त क्रमादेतान्यष्टाविंशतिसंख्यया ॥ ४ ॥

अवकहडादिषु प्राच्यां मटपरताश्च दक्षिणे ।
नयभजखाश्च वारुण्यां गसदचलास्तथोत्तरे ॥ ५ ॥

त्रयस्त्रयो वृषाद्याश्च पूर्वाशादिक्रमाद्बुधैः ।
राशयो द्वादशैवं तु मेषान्ताः सृष्टिमार्गतः ॥ ६ ॥

शेषेषु कोष्ठकेष्वेवं नन्दादितिथिपञ्चकम् ।
वाराणां सप्तकं लेख्यं भौमाद्यं च क्रमेण वै ॥ ७ ॥

भौमादित्यौ च नन्दायां भद्रायां बुधशीतगू ।
जयायां च गुरुः प्रोक्तो रिक्तायां भार्गवस्तथा ॥ ८ ॥

पूर्णायां शनिवारश्च लेख्यं चक्रेऽत्र निश्चितम् ।
इत्येष सर्वतोभद्रविस्तारः कीर्तितो मया ॥ ९ ॥

अ.	कृ.	रो.	मृ.	आ.	पुन.	पुष्य.	श्ले.	आ.
भरणी	उ	अ	व	क	ह	ड	ऊ	भ
अश्वि	ल	लृ	वृष	मिथुन	कर्क	लृ.	भ.	पू.फा.
रेवती	च	मेष	ओ	१ सू ६ नन्दा ११ म.	औ	सिंह	ट	उ.फा.
उत्तरा भा.	द	मीन	४ शु ९ रिक्ता १४	५ शनि १० पूर्णा १५	२ च. ७ भद्रा १२ बु.	कन्या	प	ह.
पू. भा.	स	कुम्भ	अः	३ बृह ८ जया १३	अं	तुला	र	चि
शतभि	ग	ऐ	मकर	धनु	वृश्चिक	ए	त	स्वा
धनिष्ठा	ऋृ	रव	ज	भ	य	न	ऋृ	वि
ई	श्र	अभि जित	उ. षा.	पू. षा.	मू	ज्ये	अनुरा.	इ

ऊर्ध्वदृष्टी च भौमार्कों केकरो बुधभार्गवौ ।
समदृष्टी च जीवेन्दू शनिराहू रधोदृशौ ।। १० ।।
नीचस्थितोर्ध्वदृष्टिश्च उच्चैरधो निरीक्षयेत् ।
समश्च पार्श्वतो दृष्टिस्त्रिधा दृष्टिः प्रकथ्यते ।। ११ ।।
शन्यर्कराहुकेत्वाराः क्रूराः शेषाः शुभग्रहाः ।
क्रूरयुक्तो बुधः क्रूरः क्षीणचन्द्रस्तथैव च ।। १२ ।।
यस्मिन्नृक्षे स्थितः खेटस्ततो वेधत्रयं भवेत् ।
ग्रहदृष्टिवशेनात्र वामसम्मुखदक्षिणे ।। १३ ।।
भुक्तं भोग्यं तथा क्रान्तं विद्धं क्रूरग्रहेण च ।
शुभाशुभेषु कार्येषु वर्जनीयं प्रयत्नतः ।। १४ ।।
वक्रो दक्षिणा दृष्टिर्वामदृष्टिश्च शीघ्रगे ।
मध्यचारे तथा मध्या ज्ञेया भौमादिपञ्चके ।। १५ ।।

सूर्यमुक्ता उदीयन्ते सूर्यप्रस्तास्तगामिनः ।
ग्रहाद्वितीयगे सूर्ये स्फुरद्बिम्बाः कुजादयः ।। १६ ।।
समा तृतीयगे ज्ञेया मन्दा भानौ चतुर्थगे ।
वक्रा स्यात्पञ्चषष्ठेऽर्के त्वतिवक्राष्टसप्तमे ।। १७ ।।
नवमे दशमे भानौ जायते कुटिला गतिः ।
द्वादशैकादशे सूर्ये भजते शीघ्रतां पुनः ।
अदृश्यतां पुनर्लोके व्रजन्त्यर्कगता ग्रहाः ।। १८ ।।
राहुकेतू सदा वक्रौ शीघ्रगौ चन्द्रभास्करौ ।
गतेरेकस्वभावत्वादेषां दृष्टित्रयं सदा ।। १९ ।।
क्रूरा वक्रा महाक्रूरा सौम्या वक्रा महाशुभाः ।
स्युः सहजस्वभावस्थाः सौम्याः क्रूराश्च शीघ्रगाः ।२०।
अवर्णादिस्वरौ द्वौ द्वावेकवेधे द्वयोर्व्यधः ।
स्वरयुक्तात्मनोर्वेधश्चानुस्वारविसर्गयोः ।। २१ ।।
बवौ शसौ यखौ चैव ज्ञेयौङञौ परस्परम् ।
एकेन द्वितयं ज्ञेयं शुभाशुभखगव्यधे ।। २२ ।।
घङछाः षणठाश्चैव धफढास्थझञास्तथा ।
एतत्त्रिकं त्रिकं विद्धं विद्धैः कपदमैः क्रमात् ।। २३ ।।
घङछाः रौद्रगे वेधे षणठा हस्तगे ग्रहे ।
धफढाः पूर्वाषाढायां थझञा भाद्र उत्तरे ।। २४ ।।
अवर्णादिस्वरद्वन्द्वेष्वेकवेधे द्वयोर्व्यधः ।
युक्तस्वरात्मके वेधे त्वनुस्वारविसर्गयोः ।। २५ ।।

त्रैलोक्य दीपक नामक स्वर शास्त्र का प्रसिद्ध और बहुत उपयोगी यह सर्वतो भद्र चक्र है। इसमें १० संख्यक पूर्वापर और १० संख्यक याम्योत्तर रेखाओं के खींचने से ८१ कोष्ठों का यह चक्र बनता है। ईशान कोण से आरम्भ कर चार कोण कोष्ठों में अ आ इ ई, तदन्तः उ ऊ ऋ ॠ, पुनः ऌ ॡ ए ऐ, पुनः ओ औ अं अः लिखते हुए स्थापित कोष्ठ के अग्रिम कोष्ठ से चारों तरफ के कोष्ठों में ७ सात सात एवं क्रमशः कृतिकादि, अभिजित सहित २८ नक्षत्रों

की स्थापना करनी चाहिए।

तथा पूर्व के ५ कोष्ठों में अ ब क ह ड दक्षिण में म ट प र त पश्चिम में न य भ-ज ख औरउत्तर में ग स द च ल को नक्षत्रों,के आगे के कोष्ठों ने लिखना चाहिए। शेष जो तीन तीन कोष्ठ चारों दिशाओं में हैं उनमें पूर्व में वृष मिथुन कर्क, दक्षिण में सिंह, कन्या, तुला, पश्चिम में वृश्चिक, धनु मकर और कुम्भ, मीन, मेष को उत्तर दिशा के कोष्ठों में स्थापित करना चाहिए। शेष कोष्ठों में क्रमशः प्रतिपद षष्ठी, एकादशी=नन्दा और म० सूर्य तथा २।७।१२,=भद्रा, चन्द्र बुध ३, ८, १३ जया गुरुवार एवं ४, ९, १४ रिक्ता शुक्रवार को लिखते हुए, बीच में पूर्णिमा ५।१०।१५ में शनिबार लिखना चाहिए जो चित्र देखने से स्पष्ट होता है ॥ १""२५ ॥

कोणस्थधिष्ण्ययोर्मध्ये अन्त्यादिपापगे ग्रहे।
अस्वरादिचतुष्कस्य वेधः पूर्णातिथेः क्रमात् ॥ २६ ॥
एकादिक्रूरवेधेन फलं पुंसां प्रजायते।
उद्वेगश्च भयं हानी रोगो मृत्युः क्रमेण च ॥ २७ ॥
ऋक्षे भ्रमोऽक्षरे हानिः स्वरे व्याधिर्भयं तिथौ।
राशौ विद्धे महाविघ्नं पञ्चविद्धो न जीवति ॥ २८ ॥
एक वेधे भयं युद्धे युग्मवेधे धनक्षयः।
त्रिवेधेन भवेद्भङ्गो मृत्युर्वेधश्चतुष्टये ॥ २९ ॥
यथा दुष्टफलाः क्रूरास्तथा सौम्याः शुभप्रदाः।
क्रूरयुक्ताः पुनः सौम्या ज्ञेयाः क्रूरफलप्रदाः ॥ ३० ॥
अर्कवेधे मनस्तापो द्रव्यहानिश्च भूसुते।
रोगपीडाकरः सौरी राहुकेतू च विघ्नदौ ॥ ३१ ॥
चन्द्रे मिश्रफलं पुंसां रतिलाभश्च भार्गवे।
बुधवेधे भवेत्प्रज्ञा जीवः सर्वफलप्रदः ॥ ३२ ॥
सौम्यपापग्रहो हन्यान्नाम्नो व्याधिधनक्षयः।
वेधे वैनाशिकर्क्षस्य त्रिवेधे चायुषो भयम् ॥ ३३ ॥

जिस नक्षत्र के जिस चरण पर शुभ या अशुभ ग्रह हो उस नक्षत्र के उस

चरण में उस ग्रह की स्थापना कर वेध व ग्रह दृष्टि, से भविष्य विचार करना चाहिए।

स्वर शास्त्र के अनुसार ग्रहों की दृष्टि—

सूर्य और मंगल जहाँ है वहाँ से उनकी ऊर्ध्व (ऊपर) दृष्टि, बुध और शुक्र की तिर्यक् दृष्टि=तिरछी (पार्श्व) गुरु और चन्द्रमा की समदृष्टि=बराबर (चतुर्दिक) तथा शनि और राहु की अधो अर्थात् नीचे की दृष्टि होती है।

ग्रह के उच्च नीच राशि स्थिति वश दृष्टि—नीच राशिस्थ ग्रह की दृष्टि ऊर्ध्व, उच्च राशिस्थ ग्रह की दृष्टि अधः, अपनी उच्च एवं नीच राशियों के मध्यगत ग्रह की तिरछी दृष्टि होती है।

स्वर ग्रन्थों में शनि-राहु केतु और मंगल ये चार क्रूर ग्रह या पाप ग्रह कहे गए हें। शेष सभी शुभ ग्रह हैं। फलित जातक ज्योतिष की तरह यहाँ भी "क्षीणेन्द्वर्कयमाः शिखिनः पापा बुधस्तैर्युतः" से, क्षीणचन्द्र, सूर्य, शनि, मंगल, राहु, केतु के अतिरिक्त स्वाभाविक शुभ ग्रह बुध को उक्त पापग्रहों के संयोग से पाप ग्रह अर्थात् अशुभ ग्रह कहा गया है।

वाम, सम्मुख, दक्षिण इस प्रकार तीन प्रकार के वेध होते हैं। क्रूर ग्रह जिस नक्षत्र का भोग कर चुका हो, और जिस नक्षत्र पर जाने वाला है (भोग्य) और जिस नक्षत्र पर स्थित है और क्रूर ग्रह जिस नक्षत्र को वेधित करता है इस प्रकार इन चारो नक्षत्रों का, शुभ या अशुभ कार्यों में उपयोग नहीं करना चाहिए। शुभ में अनिष्ट एवं अशुभ में विशेष अनिष्ट का भय रहता है।

मंगल-सूर्य की ऊपर की (ऊर्ध्व) दृष्टि, बुध-शुक्र की तिरछी (सामने) गुरु-चन्द्र की समदृष्टि और शनि-राहु की अधो दृष्टि होती है।

नीच राशि गत ग्रह की ऊर्ध्व, उच्च राशिगत ग्रह की दृष्टि अधः एवं उच्च व नीच की मध्य राशिगत ग्रह की तिरछी दृष्टि होती है।

शनि-राहु-मंगल और केतु को क्रूर ग्रह या पाप ग्रह और शेष सू० चं० बु० बृ० और शुक्र को शुभ ग्रह समझना चाहिए। क्रूर ग्रह युक्त बुध भी क्रूर एवं क्षीणस्थिति के चन्द्रमा को भी पाप ग्रह समझना चाहिए।

यथेष्ट नक्षत्र स्थित ग्रह से वाम दक्षिण और सम्मुख ३ प्रकार के वेध होते हैं।

क्रूर ग्रह से भुक्त, या भोग्य (जिस नक्षत्र पर ग्रह जाने वाला है वही भोग्य नक्षत्र हैं) जिस नक्षत्र को क्रूर नक्षत्र वेधित कर रहा है और जिस नक्षत्र पर ग्रह स्थित है, इस प्रकार ये चार नक्षत्र शुभाशुभ कर्म में वर्जित होने चाहिए ।

वक्री ग्रह की दृष्टि दक्षिणाभिमुख, शीघ्रगतिक ग्रह की दृष्टि वाम और मध्यगति के तुल्य स्पष्ट गतिक ग्रह की समान दृष्टि होती है ।

पहिले पञ्चाङ्ग से भौमादिक ५ ग्रहों का उदय, अस्त और शीघ्र मन्दादिक गति का ज्ञान कर लेना चाहिए ।

सूर्य से कोई ग्रह तृतीय रूप में समगतिक चतुर्थ में मन्द गतिक पञ्चम छठी राशियों पर वक्रगति और सूर्य से सप्तमाष्टम राशिगत ग्रह होने से वह ग्रह अति वक्र गतिक कहा जाता है ।

राहु-केतु सदा वक्र और चन्द्रमा सदा शीघ्रगति का होता है ।

अ वर्ण के वेध से आ का, एवं इ वेध से ई पर, तथा अंअः पर भी वेध एवं सर्वत्र वेध समझना चाहिए ।

ब व श ष स ख और ङ ञ को सजातीय वर्ण समझना चाहिए। इन सभी में एक पर का वेध सभी पर वेध समझना चाहिए ।

क प भ द में किसी एक के वेध से क्रमशः घ ङ और छ वर्णों पर वेध समझना चाहिए ।

ल कार के वेध से घ ङ छ, प कार के वेध से ष, ण, ठ, भ कार के वेध से ध फ ढ, द कार वेध से थ, झ, ञ वर्णों पर वेध होता है ।

अर्थात् आर्द्रा नक्षत्र पर ग्रह वेध से घ ङ छ वर्ण, हस्तवेध से, ष, ण, ठ वर्ण पूर्वाषाढ़ा पर ग्रह वेध से ध, फ, ढ और उत्तरा भाद्रपद पर वेध होने से थ झ ञ वर्णों पर वेध समझना चाहिए ।

कोणस्थित नक्षत्रों के अन्तिम और आदि चरणगत होने से कोणस्थ स्वरों, तथा चक्रमध्यगत पूर्णातिथि पर वेध होता है। अर्थात् अग्निकोणगत श्लेषा मघा नक्षत्रों की ग्रहस्थिति से आ ऊ लृ और पूर्णातिथि पर वेध हो रहा है। पुरुष स्त्री देश और ग्राम के नामों के आदिम वर्ण पर क्रूर ग्रह वेध से मन में

उद्वेग, दो स्वर और ग्रह वेधित से भय, तीन क्रूर ग्रहों के तीन स्वरों पर वेध से हानि, चार से रोग पाचों क्रूर ग्रहों का पांचों स्वरों पर वेध होने से मृत्यु होती है। जन्म नक्षत्र पर क्रूर वेध से भ्रम, अक्षर वेध से हानि, स्वर वेध से व्याधि, तिथि वेध से भय, और राशि वेध से बड़ा विघ्न और पांचों विद्ध होने से मृत्यु होती है। युद्धादि में भी एक ग्रह वेध से संग्राम में भय, दो वेध से धनहानि, तीन ग्रह वेध से युद्ध में पराजय, चार ग्रह वेध से मृत्यु होती है। पाप ग्रह वेध से अशुभ फल एवं शुभ ग्रह वेध से शुभ फल प्राप्ति होती है। पृथक्-पृथक् ग्रहों के वेध से – सूर्य वेध से मानसिक सन्ताप, भौम से द्रव्य हानि, शनि से रोगपीडा, राहु केतु बेध से कार्यों में विघ्न आते हैं। चन्द्रवेध से मिश्रित फल होता है। शुक्र वेध से स्त्री सुख, बुध वेध से बुद्धि वर्द्धन, और गुरु के वेध से सभी सुख प्राप्त होते हैं ॥ २६……३३ ॥

स्वक्षेत्रस्थे बलं पूर्णं पादोनं मित्रभे गृहे ।
अर्द्धं समगृहे ज्ञेयं पादं शत्रुगृहे स्थिते ॥ ३४ ॥
इदं च सौम्यक्रूराणां बलं स्थानवशात्मकम् ।
एतदेव बलं बोध्यं सौम्ये क्रूरे विपर्ययात् ॥ ३५ ॥
स्थानवेधसमायोगे यत्संख्यं जायते बलम् ।
तत्संख्यं वेध्यवस्तूनां फलं ज्ञेयं विचक्षणैः ॥ ३६ ॥
ग्रहाः क्रूरास्तथा सौम्या वक्रमार्गोच्चनीचगाः ।
स्थानं च वेध्यमित्येवं बलं ज्ञात्वा फलं वदेत् ॥ ३७ ॥
वक्रग्रहे फलं द्विघ्नं त्रिगुणं स्वोच्चसंस्थिते ।
स्वभावजं फलं शीघ्रे नीचस्थो निष्फलो ग्रहः ॥ ३८ ॥

जिस पुरुष के वैनाशिक, सामुदायिक और साङ्घातिक इन तीनों नक्षत्रों पर यदि क्रूर ग्रह का वेध होता है तो उसकी मृत्यु होती है। (वैनाशिक सामुदायिक………आदि नक्षत्र ज्ञान इसी के ६२ से ७० श्लोकों में देखिए।)

अपनी राशिस्थ शुभ ग्रह पूर्णबली, मित्र राशिस्थ ग्रह ३/४ बली, समराशिस्थ ग्रह का १/२ बल और शत्रु राशिगत ग्रह का १/४ बल समझना चाहिए।

अपनी राशिस्थ पाप ग्रह का बल १/४ मित्रराशिस्थ का १/२, समराशिगत

ग्रह का बल $\frac{3}{4}$ और शत्रु राशिगत पाप ग्रह को पूर्ण बली समझना चाहिए। ग्रहों के बलाबल संख्या का तारतम्य से ज्ञान कर तदनुसार लाभालाभादि में उक्त संख्या का आदेश करना चाहिए

वक्री ग्रह का द्विगुणित, उच्च गत ग्रह का त्रिगुणित, शीघ्रगतिक ग्रह का बल स्वभावानुसार और नीचंगत ग्रह का बल $\frac{1}{2}$ समझना चाहिए ॥ ३४....३८ ॥

तिथिराश्यंशनक्षत्रं विद्धं क्रूरग्रहेण यत् ।
सर्वेषु शुभकार्येषु वर्जयेत्तत्प्रयत्नतः ॥ ३९ ॥
न नन्दति विवाहे च यात्रायां न निवर्तते ।
न रोगान्मुच्यते रोगी वेधवेलाकृतोद्यमः ॥ ४० ॥
रोगकाले भवेद्वेधः क्रूरखेचरसम्भवः ।
वक्रगत्या भवेन्मृत्युः शीघ्रे याप्या रुजान्वितः ॥ ४१ ॥
वेधस्थाने रणे भङ्गो दुर्गे खण्डिः प्रजायते ।
कविप्रवेशनं तत्र योधघातश्च तत्र वै ॥ ४२ ॥

क्रूर ग्रह से वेधित अंश, राशि, तिथि और नक्षत्र को सभी कामों में त्याज्य कहा गया है।

वेधित नक्षत्र का विवाह, असफल कहा गया है। यात्रा करने से यात्री वापस नहीं आता, वेधित नक्षत्र में रोगोत्पत्ति मृत्युसूचक कही गई है। शुभ ग्रह वेध से रोग दीर्घकालीन होता है। वेधित नक्षत्र के समय का संग्राम, भंग सूचक, दुर्ग भंग कहा गया है। सुप्त व्यक्ति पर प्रहार करने से सफलता। योधा के नक्षत्र से वेध जिस नक्षत्र के जिस अंग में पड़ता है उस अंग में प्रहार करने से विजय होती है ॥ ३९-४२ ॥

यत्र पूर्वादिकाष्ठायां वृषराश्यादिगो रविः ।
सा दिगस्तमिता ज्ञेया तिस्रः शेषाः सदोदिताः ॥ ४३ ॥
ईशानस्थाः स्वराः प्राच्यां ज्ञेया आग्नेयगा यमे ।
नैऋर्त्यस्थास्तु वारुण्यां वायव्यां सौम्यगा मताः ॥ ४४ ॥
नक्षत्राणि स्वरा वर्णा राशयस्तिथयो दिशः ।
ते सर्वेऽस्तं गता ज्ञेया यत्र भानुस्त्रिमासिकः ॥ ४५ ॥

वृषादिक तीन-तीन राशियों में जब सूर्य रहता है तो वे दिशाएं अस्त कही जाती हैं। शेष तीन दिशाओं को उदित दिशा समझनी चाहिए।

अर्थात् वृष-मिथुन-कर्क के सूर्य के समय ज्येष्ठ आषाढ़ श्रावण मासों में पूर्व दिशा अस्त समझनी चाहिए। शेष दिशा व मासादि उदय समझने चाहिए।

ईशानादिक कोण स्थित स्वरों में अ उ ऌ ओ को पूर्व दिशा में एवं अग्नि कोणगत स्वरों को दक्षिण, नैऋत कोणगत स्वरों को पश्चिम और वायु कोणगत स्वरों को उत्तर में समझना चाहिए। अर्थात् त्रैमासिक सूर्य की दिशा में वर्ण स्वर नक्षत्र राशि तिथि और दिशा अस्त समझना चाहिए ॥ ४३.....४५ ॥

नक्षत्रेऽस्ते रुजो वर्णे हानिः शोकः स्वरेऽस्तगे।
राशौ विघ्नं तिथौ भीतिः पञ्चास्ते मरणं ध्रुवम् ॥ ४६ ॥
यात्रायुद्धं विवादश्च द्वारं प्रासादहर्म्ययोः।
न कर्तव्यं शुभं चान्यदस्ताशाभिमुखं नरैः ॥ ४७ ॥
अस्ताशायां स्थितं यस्य यदा नामाद्यमक्षरम्।
तदा तु सर्वकार्येषु ज्ञेयो दैवहतो नरः ॥ ४८ ॥
कवौ कोटे तथा द्वन्द्वे चातुरंगे महाहवे।
उद्यमोस्तंगतैर्योधैर्वर्जनीयो जयार्थिभिः ॥ ४९ ॥
नक्षत्राभ्युदिते पुष्टिर्वर्गे लाभः स्वरे सुखम्।
राशौ जयस्तिथौ तेजः पदाप्तिः पंचकोदये ॥५० ॥

नक्षत्र के अस्त होने से रोग, वर्ण से हानि स्वर से शोक राशि से विघ्न और तिथि अस्त हो तो भय होता है। यदि पाचों अस्त हों तो मृत्यु होती है।

अस्तदिशा के उन्मुख, यात्रा, युद्ध विवाद प्रासाद व ग्रह का मुख्य द्वार के साथ अशुभ कर्म जैसे मारणादिक भी नहीं करने चाहिए।

यदि पुरुष या राजा का नाम का आदि अक्षर अस्त दिशा में हो तो वह पुरुष दैवहत हो जाता है। अर्थात् वह तात्काल मूक होकर बैठा रह जाता है।

इसी प्रकार जिस सेनापति या सेनानी........का नामादि वर्णादि अस्तंगत दिशा में रहता है तो उसे कोट युद्ध, द्वन्दयुद्ध, चतुरंग महायुद्ध आदि में विजय

की आशा नहीं करनी चाहिए।

नक्षत्र के उदय से पुष्टि वर्णोदय से सुख राश्युदय से विजय, तिथि उदय से श्री और पांचों उदित हो तो ईप्सित पद की प्राप्ति होती है ॥ ४६....५० ॥

प्रश्नकाले भवेद्विद्धं यल्लग्न क्रूरखेचरैः।
तद्‌वृष्टः शोभननं सौम्यैर्मिश्रफलम् मतम् ॥ ५१ ॥
ग्रहाभिन्नं तु यल्लग्नं फलं लग्नस्वभावतः।
ज्ञातव्यं देशिकेन्द्रेण भाषितं यच्चरादिकम् ॥ ५२ ॥
क्रूरैरुभयतो विद्धा यस्याऽक्षरतिथिस्वराः।
राशिर्धिष्ण्यं च पंचापि तस्य मृत्युर्न संशयः ॥ ५३ ॥
मण्डलं नगरं ग्रामो दुर्गं देवालयं पुरम्।
क्रूरैरुभयतो विद्धं विनश्यति न संशयः ॥ ५४ ॥

प्रश्नकालिक लग्न नक्षत्रादि वश भी प्रश्नकर्ता के प्रश्न का उक्त भाति समाधान किया जाना चाहिए।

राशियों के दिग्देश काल अधिपति ग्रह स्वभाव सम्बद्ध से समन्वय कर उक्त भांति फल विचार करना चाहिए।

व्यक्ति के अक्षर, तिथि, स्वर, राशि और नक्षत्र ये पांचों क्रूर ग्रह से विद्ध हों तो उसकी मृत्यु में संशय नहीं है।

ग्राम समूह का नाम मण्डल, नगर, देवालय, राजधानी आदि के आदि अक्षर उभयतः क्रूर से विद्ध होने से मण्डल नगर राजधानी आदि पर महान संकट प्राप्ति की सम्भावना होती है ॥ ५१....५४ ॥

कृत्तिकादित्रिकाद्ये भे क्रूरविद्धे च कूर्मतः।
देशा नाभिस्थदेशाद्या विनश्यंति यथाक्रमम् ॥ ५५ ॥
कृत्तिकायां तथा पुष्ये रेवत्यां च पुनर्वसौ।
विद्धे सति क्रमाद्धंधो वर्णेषु ब्राह्मणादिषु ॥ ५६ ॥
तैलं भाण्डं रसो धान्यं गजाश्वादिचतुष्पदम्।
सर्वं महर्घतां याति यत्र क्रूरो व्यवस्थितः ॥ ५७ ॥

क्रूरवेधसमायोगे यस्योपग्रहसम्भवः ।
तस्य मृत्युर्न सन्देहो रोगाद्वाथ रणेऽपि वा ॥ ५८ ॥
सूर्यभात्पञ्चमं धिष्ण्यं ज्ञेयं विद्युन्मुखाभिधम् ।
शूलं चाष्टमभं प्रोक्तं सन्निपातं चतुर्दशम् ॥ ५९ ॥
केतुरष्टादशे प्रोक्त उल्का स्यादेकविंशतौ ।
द्वाविंशतितमे कम्पस्त्रयोविंशे च वज्रकम् ॥ ६० ॥
निर्घातश्च चतुर्विंशे उक्ता अष्टावुपग्रहाः ।
स्वस्थाने विघ्नदाः प्रोक्ताः सर्वकार्येषु सर्वदा ॥ ६१ ॥

कूर्म चक्र में ९ अंगों की कल्पना से देश विभाग किया गया है। उस चक्र के अनुसार कृतिकादि तीन-तीन नक्षत्रों के वेध जिन-जिन देशों पर के वर्ण स्वर आदिक पर वेध होने से वे देश नष्ट हो जाते हैं।

कृत्तिका नक्षत्र पर क्रूर वेध से ब्राह्मण वर्ण, पुष्य वेध से क्षत्रिय, रेवती-वेध से वैश्य और पुनर्वसु वेध से शूद्र वर्ण वेधित होता है।

कूर्म चक्र के प्रदेशों के अनुसार, उन-उन प्रदेशों में तेल, रत्न, मीठे पदार्थ हाथी, घोड़ा या अन्य पशुओं में जिनके नाम के आदिवर्ण पाप ग्रह से वेधित या पापाक्रान्त होते हैं उन-उन द्रव्य व जीवों की कमी होती है अर्थात् वे पदार्थ वहाँ मँहगे हो जाते हैं।

उपग्रह—सूर्य नक्षत्र से ५ वें, ८ वें, १४ वें, १८ वें, २१ वें, २२ वें, २३ वें और २४ वें नक्षत्र का नाम क्रमशः विद्युन्मुख, शूल, सन्निपात, केतु, उल्का, कम्प २३ को वज्र और २४ वें नक्षत्र की निर्घात संज्ञा कही गई है। अपने-अपने भोग के समय में सर्वदा विघ्न पैदा करते हैं। ॥ ५५....६१ ॥

जन्मभं कर्म आधानं विनाशं सामुदायिकम् ।
साङ्घातिकमिदं धिष्ण्यं षट्कं सर्वजनीनकम् ॥ ६२ ॥
जातिदेशाभिषेकैश्च नवधिष्ण्यानि भूपतेः ।
वेधं ज्ञात्वा फलं ब्रूहि सौम्यैः क्रूरैः शुभाशुभम् ॥ ६३ ॥
जन्मभं जन्मनक्षत्रं दशमं कर्मसंज्ञकम् ।
एकोनविंशमाधानं त्रयोविंशं विनाशभम् ॥ ६४ ॥

अष्टाविंशं च नक्षत्रं सामुदायिकसंज्ञकम् ।
साङ्घातिकं च विज्ञेयमृक्षं षोडशमत्र हि ॥ ६५ ॥
षट्त्रिंभंराज्यभंप्रोक्तं जातिनामस्वजातिभम् ।
देशभं देशनामर्क्षं राज्यर्क्षमभिषेकभम् ॥ ६६ ॥
मृत्युः स्याज्जन्मभे विद्धे कर्मभे क्लेश एव च ।
आधानर्क्षे प्रवासः स्याद्विनाशे बंधुविग्रहः ॥ ६७ ॥
सामुदायिकभेऽनिष्टं हानिः साङ्घातिके तथा ।
जातिभे कुलनाशश्च बन्धनं चाभिषेकभे ॥ ६८ ॥
देशर्क्षे देशभङ्गश्च क्रूरैरेवं शुभैः शुभम् ।
उपग्रहसमायोगान्मृत्युर्भवति नान्यथा ॥ ६९ ॥
भयं भङ्गश्च घातश्च मृत्युर्भङ्गः पुरःस्थितेः ।
क्रूरैरेकादिपञ्चान्तैर्युधि वेधे फलं भवेत् ॥ ७० ॥

अपने ज़न्म नक्षत्र से १० वें, १९ वें, २३ वें, १८ वें, १६ वें और २६ वें नक्षत्र की क्रमशः कर्म, आधान, विनाश, सामुदायिक, सांघातिक, राज्य नक्षत्र संज्ञा कही गई है।

स्वजातीय नक्षत्र का नाम जाति नक्षत्र, देश नक्षत्र का नाम देश नक्षत्र और राज्याभिषेक कालीन नक्षत्र का नाम राज्य नक्षत्र कहा गया है।

क्रूर विद्ध जन्म नक्षत्र से मृत्यु, कर्म से क्लेश, विनाश, नक्षत्र विद्ध क्रूर से वन्धु विग्रह, सामुदायिक पर वेध से अनिष्ट, सांघातिक में हानि क्रूर विद्ध जाति नक्षत्र से कुल नाश होता है। शुभ ग्रह वेध से शुभ फल प्राप्त होता है।

वेधकाल में पूर्वोक्त उपग्रह संयोग मृत्यु सूचक होता है। संग्रामादि में जन्म आदि नाड़ी नक्षत्रों पर एक क्रूर वेध से भय, दो से पलायन, तीन से घात और चार व पांच क्रूर ग्रह वेध से मृत्यु ही होती है। ॥ ६२····७० ॥

तिथिमृक्षं स्वरं राशि वर्णं चैव तु पञ्चकम् ।
यद्दिने विध्यते चन्द्रस्तद्दिने स्याच्छुभाशुभम् ॥ ७१ ॥

तिथि-नक्षत्र-स्वर-राशि और वर्ण ये पांचों जिस दिन पाप ग्रह से विद्ध

होकर चन्द्रमा से भी वेधित हों तो कदाचित् शुभ और अशुभ दोनों फल हो सकते हैं ॥ ७१ ॥

अथार्घ्यं सम्प्रवक्ष्यामि यदुक्तं ब्रह्मयामले ।
एकाशीतिपदे चक्रे ग्रहवेधाच्छुभाशुभम् ॥ ७२ ॥
देशः कालस्ततः पण्यमिति त्रीण्यर्घनिर्णये ।
चिंतनीयानि वेध्यानि सर्वकालं विचक्षणैः ॥ ७३ ॥
देशोऽथ मण्डलं स्थानमिति देशस्त्रिधोच्यते ।
वर्षं मासो दिनं चेति त्रिधा कालोपि कथ्यते ॥ ७४ ॥
धातुर्मूलं च जीवश्च इति पण्यं त्रिधा मतम् ।
अथ त्रिकस्त्रिकस्यास्य वक्ष्यामि स्वामिखेचरान् ॥ ७५ ॥

ब्रह्मयामल ग्रन्थ के अनुसार पदार्थों की मंहगाई, समता और समर्थता का विचार किया जा रहा है।

स्वर शास्त्रज्ञ पण्डितों को प्रत्येक समय में उक्त विषयों को वेध से विचार करना चाहिए।

देश—कान्यकुब्ज सौराष्ट्र आदि, मण्डल ग्राम (समूह) तथा अपना स्थान इस प्रकार तीन प्रकार के देश, वर्ष-मास और दिन ये काल के तीन भेद तथा धातु=सुवर्ण रजतादि, मूल=चन्दन, वृक्ष जड़ी बूटी आदि, जीव=कीट पतंग से लेकर मनुष्य तक तथा क्रय-विक्रय पदार्थों के भी तीन भेद होते हैं। जिनके स्वामी=अधिपति निम्न भाँति समझने चाहिए। ॥ ७२....७५ ॥

देशेशा राहुमन्देज्या मण्डलस्वामिनः पुनः ।
केतुसूर्यसिताः स्थाननाथाश्चन्द्रारचन्द्रजाः ॥ ७६ ॥
वर्षेशा राहुकेत्वार्की जीवो मासाधिपः पुनः ।
भौमार्कज्ञसिता ज्ञेयाश्चन्द्रः स्याद्दिवसाधिपः ॥ ७७ ॥
धात्वीशाः सौरिपातारा जीवेशा ज्ञेन्दुसूरयः ।
मूलेशाः केतुशुक्रार्की इति पण्याधिपा ग्रहाः ॥ ७८ ॥
पुंग्रहा राहुकेत्वर्कजीवभूमिसुता मताः ।
स्त्रीग्रहो शुक्रशशिनो सौरिसौम्यो नपुंसकौ ॥ ७९ ॥

सितेन्दू सितवर्णेशो रक्तेशो भौमभास्करो ।
पीतौ सौम्यगुरु कृष्णा राहुकेस्वर्कजा मताः ॥ ८० ॥
ग्रहो वक्रोदये स्वांशे उदये च बलाधिकः ।
देशादीनां स एकैकः स्वामी खेटस्तदा मतः ॥ ८१ ॥

राहु-शनि और गुरु ये देश के स्वामी, केतु, सूर्य और शुक्र ये मण्डलाधिपति, चन्द्र, मंगल और बुध ये स्थानाधिपति होते हैं ।

राहु-केतु-शनि-वर्ष के, भौम, सूर्य, बुध, शुक्र, मास के, और चन्द्रमा दिन का मालिक होता है ।

शनि-राहु-मंगल धातु के स्वामी, बुध, चन्द्रमा, गुरु जीव के, और केतु सूर्य शुक्र मूल=पण्य (बाजार भाव) के स्वामी होते हैं ।

राहु-केतु-सूर्य-गुरु और मंगल पुरुष ग्रह, शुक्र चन्द्रमा स्त्री ग्रह और शनि बुध नपुसंक ग्रह कहे जाते हैं ।

शुक्र चन्द्रमा से श्वेत (सफेद) पदार्थ, भौम सूर्य से रक्त लाल, पदार्थ बुध गुरु से पीत (पीले पदार्थ) और रहु केतु से कृष्ण (काले) वर्ण का व्यापार में विचार करना चाहिए ।

जो वक्री ग्रह और जो उदय हो और जो ग्रह अपने नवांश में है उस ग्रह को देशाधिपति समझना चाहिए । ॥ ७६....८१ ॥

वक्रोच्चगः स्वहर्म्येषु पूर्णवीर्यो ग्रहो भवेत् ।
मेषो वृषो मृगः कन्या कर्कमीनतुलाधराः ॥ ८२ ॥
आदित्यादिग्रहोच्चाः स्युर्नीचं यत्तस्य सप्तमम् ।
परमोच्चा दिशो रामा अष्टाविंशास्तिथींद्रियाः ॥ ८३ ॥
सप्तविंशास्तथा विंशाः सूर्यादीनां तथांशकाः ।
परमोच्चात्परं नीचमर्धचक्रान्तसंख्यया ॥ ८४ ॥
उच्चान्नीचाच्च यत्तुर्यं समं स्थानं तदुच्यते ।
तदग्रपृष्ठगे खेटे बलं त्रैराशिकं मतम् ॥ ८५ ॥
उच्चस्थे च बलं पूर्णं नीचांशस्थे बलं दलम् ।
स्वक्षेत्रस्थे बलं पूर्णं पादोनं मित्रभे गृहे ॥ ८६ ॥

अर्घं समगृहे ज्ञेयं पादं शत्रुगृहस्थिते ।
त्रैराशिकवशाज्ज्ञेयमन्तरे तु बलं बुधैः ॥ ८७ ॥
एवं देशाधिनाथा ये ग्रहवेधे व्यवस्थिताः ।
सुहृदः शत्रवो मध्याश्चिन्तनीयाः प्रयत्नतः ॥ ८८ ॥
स्वमित्रसमशत्रूणां वेधे देशाधिपु क्रमात् ।
शुभग्रहः शुभं धत्ते चतुस्त्रिद्व्येकपादकैः ॥ ८९ ॥
स्वमित्रसमशत्रूणां वेधे देशाधिपु क्रमात् ।
दुष्टं दुष्टग्रहः कुर्यादेकद्वित्रिचतुःपदैः ॥ ९० ॥

अपनी उच्च राशिगत ग्रह या वक्री ग्रह या अपनी राशिगत ग्रह बली होता है। सूर्यादिक ग्रहों की उच्च नीचादि राशियाँ फलित ज्योतिष में कथित अन्य ग्रन्थों के अनुसार यहाँ भी समझनी चाहिए।

ग्रह की उच्च राशि से चतुर्थ स्थान समस्थान होता है। उच्च-नीच समस्थान आदि में स्थित ग्रह जहाँ हो त्रैराशिक से उसका बलाबल देखना चाहिए। उच्चगत ग्रह का बल=१, नीचंगत ग्रह का बल=$\frac{१}{२}$, अपने घर के ग्रह का भी बल १ होता है। मित्र गृही ग्रह का बल $\frac{३}{४}$, समराशिगत ग्रह का बल $\frac{१}{२}$ और शत्रुराशिगत ग्रह का बल $\frac{१}{४}$ होता है।

ग्रह वेध चक्र से वाम-दक्षिण-सम्मुख दृष्टि विचार पूर्वक, वेध करने वाले ग्रह देशाधिप ग्रह का समशत्रु मित्रादि क्या हैं ? तद्नुसार उस देश में उन-उन वस्तुओं का शुभाशुभ फल कहना चाहिए। अर्थात् देश, मण्डल, ग्राम में अपने मित्र-सम-शत्रु ग्रह के वेध से १, $\frac{३}{४}$, $\frac{१}{२}$, $\frac{१}{४}$ फल करना चाहिए। वेधकारक शुभग्रह का शुभ फल पाप ग्रह से पाप फल समझना चाहिए। ॥ ८२''''९० ॥

विद्धं पूर्णदृशा पश्यंस्तत्पादेन फलं ग्रहः ।
विवक्षात्यन्यथा ज्ञेयं फलं दृष्ट्यानुमानतः ॥ ९१ ॥
वर्णादिस्वरराशीनां मेषाद्ये राशिमण्डले ।
ग्रहदृष्टिवशात्सोऽपि वेधो वर्णादिके मतः ॥ ९२ ॥
स्वरवर्णाः स्वचक्रोक्तास्तिथिवेधे च पीडिताः ।
तिथौ वर्णे च राशौ च स्वदृष्ट्या दृष्टिजं फलम् ॥ ९३ ॥

अशुभो वा शुभो वापि शुक्ले विध्येत्तिथिं ग्रहः ।
सर्वं निजफलं दत्ते कृष्णपक्षे तु तद्बलम् ॥ ९४ ॥
खेटस्य स्वांशके ज्ञेया पूर्णा दृष्टिः सदा बुधैः ।
दृष्टिहीने पुनर्वेधे न स्यात्किञ्चिच्छुभाशुभम् ॥ ९५ ॥
इत्येवं दृष्टिभेदेन निर्दिष्टं सकलं फलम् ।
वर्णादिपञ्चके विद्धग्रहो दत्ते शुभाशुभम् ॥ ९६ ॥

देशादि की नाम राशि को वेध करने वाले ग्रह को यदि देशाधिपति ग्रह देखता है, और वह उसका मित्र शत्रु सम जैसा हो तदनुसार फल होता है।

देशादिकों के नाम के आदि अक्षर से वर्णादि स्वर पञ्चक में वेध होने से ग्रह दृष्टि के अनुसार फल कहना चाहिए ।

शुक्लपक्ष की तिथि पर वेध करने वाला ग्रह पाप या शुभ जो भी हो वह पूर्ण फल देता है। कृष्णपक्षादि तिथि पर वेध करने वाला ग्रह $\frac{१}{२}$ फल देता है। अपनी राशि एवं अपने अंश गत ग्रह की पूर्ण दृष्टि होती है। दृष्टिहीन वेध निष्फल समझना चाहिए ।

वर्णादि पांचों पर वेध के साथ दृष्टि के विचार के तारतम्य से शुभाशुभ फल कहना चाहिए। ॥ ९१ ...९६ ॥

सौम्यः पूर्णदृशा पश्यन्विध्यन्वर्णादिपञ्चकम् ।
फलं विंशोपकाः पञ्च क्रूरस्तु चतुरो दिशेत् ॥ ९७ ॥
वेधो वर्णादिके यावत् स्थानवेधे च यावती ।
दृष्टिस्तदनुमानेन वाच्या विंशोपका बुधैः ॥ ९८ ॥
एवं विंशोपका यत्र सम्भवन्ति शुभाशुभाः ।
अन्योऽन्यं शोधयेत्तेषां शेषं ज्ञेयं शुभाशुभम् ॥ ९९ ॥
वर्तमानार्घविंशांशकल्पनास्तेषु च क्रमात् ।
वर्तमानार्घके देया पात्या चैव शुभाशुभे ॥ १०० ॥

वर्णादि पांचों पर शुभ ग्रह की पूर्ण दृष्टि से विंशोपक बल=५ होता है। क्रूर ग्रह से विंशोपक बल=४। दृष्टि के तारतम्यानुमान से विंशोपक बल लेना चाहिए। इस प्रकार शुभ और पाप दोनों ग्रहों के विंशोपक बल संख्याओं के

अन्तर से शुभादिक में कम बली पाप ग्रह से शुभ अन्यथा अशुभ फलादेश कहना चाहिए । ॥ ९७....१०० ॥

देशध्वंसः प्रजापीडा नृपतिप्रवधस्तथा ।
यत्र दृष्टिश्च तत्र स्याद्दुर्भिक्षं मण्डले स्फुटम् ॥ १०१ ॥
अकालेपि फलं पुष्पं वृक्षाणां यत्र जायते ।
स्वजातिमांसभुक्तिश्च दुर्भिक्षं तत्र रौरवम् ॥ १०२ ॥
परचक्रागमस्तत्र विग्रहश्च स्वराजके ।
ऋतोर्विपर्ययो यत्र दुर्भिक्षं मण्डले भवेत् ॥ १०३ ॥
भूमिकम्पो रजःपातो रक्तवृष्टिश्च जायते ।
देशे सर्वसुखोपेते वेधादेवं वदेद्बुधः ॥ १०४ ॥
वृक्षाणां जायते वृद्धिः स्वकाले फलपुष्पयोः ।
सुभिक्षं क्षेमारोग्यं च प्रजानां तत्र जायते ॥ १०५ ॥
स्वचक्रं परचक्रं च नकदाचित्प्रजायते ।
बान्धवाः सुहृदस्तत्र शुभानां वेधसम्भवे ॥ १०६ ॥
दीपो यथा गृहस्यान्तरुद्द्योतयति सर्वतः ।
तथेदं सर्वतोभद्रं चक्रं ज्ञानप्रकाशकम् ॥ १०७ ॥
बिना बलिं बिना होमं कुमारीपूजनं बिना ।
शुभग्रहं बिना देवि चक्रराजं न वीक्षयेत् ॥ १०८ ॥
अविचार्यतया पृच्छेत्पृच्छकः कथकस्तथा ।
द्वाविमौ विघ्नदौ प्रोक्तावत्र देवि न संशयः ॥ १०९ ॥
जातकं च तिथि राशि विज्ञेयं नामतोज्ज्वलो ।
अज्ञातजातकानां तु समस्तमभिधानतः ॥ ११० ॥
विस्तारेण मयाख्यातं यथोक्तं ब्रह्मयामले ।
न देयं यस्य कस्यापि चक्रमेतत्सुनिश्चितम् ॥ १११ ॥

इति ब्रह्मयामले नरपतिजयचर्यायां स्वरोदये
सर्वतोभद्रचक्रं समाप्तम्

अधिक संख्यक क्रूर ग्रह वेध और क्रूर ग्रह दृष्टि जिस देश, ग्राम और मण्डल

में होती है, उस देश, ग्राम और मण्डल का विनाश, राजा का वध एवं उस देश मण्डल में दुर्भिक्ष भी हो जाता है।

असमय में वृक्षों में फूल, फल आते हों जैसे—ग्रीष्मकालीन फल शरदकाल आदि में हों तथा अपनी जातियों में भी एक दूसरे के प्रति दुर्भावना की जहाँ दुबुद्धि उत्पन्न हो गई हो निश्चयेन वहां दुर्भिक्ष होगा ही।

ऋतु विपर्यय ग्रीष्म में जाड़ा, शीत ऋतु में गर्मी का अनुभव हो, मानवों में परस्पर कलह ही कलह की प्रवृत्ति हो गई हो वहाँ शत्रु बाधा के साथ बिग्रह और दुर्भिक्ष के लक्षण स्पष्ट होते हैं।

सम्पन्न समृद्ध देशों में क्रूर ग्रह के वेध से भूमि कम्प, धूलि वृष्टि और रक्तवृष्टि के साथ-साथ अन्य दुष्ट फल भी होते रहते हैं।

समय पर प्रकृति के अनुकूल फल-फूल, अन्न आदि की जहाँ उपज हो रही है वहाँ की प्रजा सुभिक्ष के साथ सुख से रहती है। ऐसे देश में शत्रु का आक्रमण नहीं हो सकता सभी भाई चारे से सुखमय जीवन बिताते हैं।

दीपक के प्रकाश की तरह शुभ ग्रह के शुभ वेध सम्पन्न देश राष्ट्र में, सर्वतो भद्र चक्र का सर्वता भद्र नाम सार्थक होता है।

प्रइमत चक्र को बलि-पूजा होम और कुमारिका पूजन से सिद्ध करना चाहिए। नियम के विपरीत चक्र के उपयोग से स्वरज्ञ, दैवज्ञ और प्रश्नकर्त्ता दोनों का भविष्य अन्धकारमय हो जाता है।

ब्रह्मयामल ग्रन्थोक्त से जातक के नाम से तिथि, वार, नक्षत्र, योग, ग्रह-स्पष्ट करणादि का ज्ञान कर उक्त सर्वतो भद्र चक्र का उपयोग करना चाहिए।

अज्ञात जन्म वाले की तिथि वारादिक प्रश्न लग्नादि से शास्त्रान्तर में कथित विधि के अनुसार ज्ञात कर उक्त सर्वतोभद्र चक्र का सदुपयोग करना चाहिए।॥ १०१....१११ ॥

अथ शतपदचक्रप्रकरणम्

चक्रं शतपदं वक्ष्ये भपादाक्षरसम्भवम् ।
नामादिवर्णतो ज्ञेया ऋक्षराश्यंशकास्तथा ॥ १ ॥

तिर्यगूर्ध्वगता रेखा वह्निसंख्या लिखेद्बुधः ।
जायते कोष्ठकानां तु शतमेकं न संशयः ॥ २ ॥
न्यसेदवकहडादीनि रुद्रादिविदिशि क्रमात् ।
पञ्च पञ्च क्रमेणैव शुद्धवर्णान्नियोजयेत् ॥ ३ ॥
पञ्चस्वरसमायोगादेकैकं पञ्चधा कुरु ।
कुर्यात्कुपुमुवुस्थाने त्रीणि त्र्यक्षराणि च ॥ ४ ॥
कुघङछ भवेत्स्तम्भे रौद्रे त्वीशानगोचरे ।
पूषणठ भवेत्स्तम्भे हस्ते आग्नेयसंज्ञके ॥ ५ ॥
ऋक्षे पूर्वाभुधफढं स्तम्भे नैरृत्यगोचरे ।
थुधझञास्तथा वायौ स्तम्भ उत्तरभाद्रके ॥ ६ ॥
आर्द्रा हस्तस्तथाषाढपूर्वोत्तरपदाभिधे ।
एवं स्तम्भचतुष्कं च ज्ञातव्यं स्वरवेदिभिः ॥ ७ ॥
धिष्ण्यानि कृत्तिकादीनि प्रत्येकं चतुरक्षरैः ।
साभिजित्यंशकास्तस्य शतैकं द्वादशाधिकम् ॥ ८ ॥
यदृक्षांशककोष्ठस्थः क्रूरः सौम्योऽपिवा ग्रहः ।
ततस्तद्वेधयेत्तिर्यक् पुंसो नामाद्यमक्षरम् ॥ ९ ॥
सौम्यवेधे शुभं ज्ञेयमशुभं पापखेचरैः ।
मिश्रैर्मिश्रफलं तत्र निर्वेधेन शुभाशुभम् ॥ १० ॥
यदुक्तं सर्वतोभद्रे ग्रहोपग्रहवेधतः ।
शुभाशुभफलं सर्वं तदिहापि विचिंतयेत् ॥ ११ ॥

इति यामलीये नरपतिजयचर्यायां स्वरोदये
शतपदचक्रं समाप्तम्

शतपदचक्र से विचार—

फलित ज्योतिस में नक्षत्र ज्ञान से नाम ज्ञान या नाम के ज्ञान से नक्षत्र का ज्ञान से नाम के आदि अक्षर पर क्रूर ग्रह वेध से, व्यक्ति–देश-ग्राम पर संकट और शुभ वेध से शुभ फल प्राप्ति में विचार करना चाहिए ।

अश्विनी से प्रारम्भ कर अभिजित सहित २८ नक्षत्रों से प्रत्येक नक्षत्र में

चार पाद (चरण) होने से २८×४=११२ एक सौ बारह संख्या के नामों के आदि वर्ण ज्ञात होते हैं। स्वरशास्त्रों में इस प्रकार एक चक्र बनता है जिसे शतपदचक्र कहते हैं। समान ११ पूर्वापर और समान ११ याम्योत्तर रेखाओं के समानांन्तर संयोग से यह १०० कोष्ठ का शतपद चक्र निम्न भांति का होता है।

अ.	व.	क.	ह.	ड.	मो.	मे.	मु.	मि.	म.
इ.	वि.	कि.	हि.	डि.	टो.	टे	टु.	टि.	ट.
उ	वु.	कु. घ. ङ. छ.	हु.	डु.	पो.	पे.	पु. ष. ण. ठ.	पि	प
ए	वे.	के.	हे.	डे.	रो.	रे.	रु.	रि.	र.
ओ.	वो.	को.	हो	डो.	तो.	ते.	तु.	ति.	त.
ल.	लि	लु.	ले.	लो.	षो	जो.	भो.	यो.	नो.
च.	चि.	चु.	चे.	चो.	षे	जे.	भे.	ये.	ने.
द.	दि.	दु. थ. झ. ञ.	दे.	दो.	षु	जु	ध. फ. भु. ढ.	यु.	नु
श.	शि.	शु.	शे.	शो.	षि.	जि.	भि.	यि.	नि.
ग.	गि.	गु.	गे.	गो.	ष.	ज.	भ.	य.	न.

ईशान कोण अर्थात् उत्तर पूर्व कोने से ५ वर्ण अ व क ह ड

अग्नि कोण ,, पूर्व दक्षिणाके ,, ५ वर्ण मटपरत

नैऋत्य कोण ,, अग्नि दक्षिण के ,, ५ वर्ण न य भ ज ष

वायु कोण ,, पश्चिम उत्तर के कोने से ५ वर्ण ग श द च ल

वर्णों को लिखते हुए इनके ठीक नीचे के कोष्ठों में इ, उ, ए, ओ कार सम्बन्ध से इ वि कि हि डि, मि टि पि रि ति, उ वु कु हु डु इत्यादि ....वर्णों को लिखना चाहिए। जिस कोष्ठ में जहाँ कु आया है वहाँ ३ तीन और वर्ण

घ ङ छ, और जहां पु आया है वहां ष ण ठ और जहां भु वहां ध फ ढ़ और जहां दु आया है वहां दु थ झ ञ और अधिक वर्ण लिखने चाहिए। इस प्रकार $(१०)^२$=१००+४×३ = ११२ कोष्ठों में पूरे वर्ण हो जाते हैं। बीच के ४ स्तम्भ स्थानों में कु घ ङ छ, पू ष ण ठ, भू ध फ ढ और दु थ झ ञ विशेष वर्ण आते हैं प्रत्यक्ष देखिए।

जिस पुरुष स्त्री या देश या ग्राम के जिस नक्षत्र के जिस अंश के कोष्ठ में पाप ग्रह हो वह अपने सीधे के अन्य वर्णों को वेधित करता है। जैसे कृत्तिका के प्रथम चरण अ वर्णगत पाप या शुभ ग्रह अपने सीधे वि कु घ ङ छ, हे ढो षो जे भु ध फ ढ़ यि ओर न अक्षरों से प्रारम्भ होने वाले स्त्री या पुरुष या देश या राष्ट्र या नगर और ग्राम के लिए वेधित करता हैं। शुभ ग्रह वेध से उस नामादि के पुरुष राष्ट्र नगर .... के लिए शुभ फलद एवं पाप वेध से पाप फलद होता है। वेध के लिए तीन मार्ग माने जा सकते हैं जैसे कृतिका के १ चरणगत ग्रह व, क, ह, ड, मो मे मु मि म, तथा इ उ ए ओ; ल, च, द ष ग वर्णों को वेधित करता है। आचार्य के मत से सीधा वेध वि कु हे डो.... .... होता है। नरपति जयचर्या के श्लोक ॥ १-११ ॥

अथ अंशचक्र-प्रकरणम्

अष्टाविंशोर्ध्वगा रेखा अष्टविंशतितिर्यगाः।
अंशचक्रं भवत्येवं यदुक्तमादियामले ॥ १ ॥
कृत्तिकादीनि भान्यत्र पादाक्षरक्रमेण च।
साभिजित्विन्यसेत्सर्वाण्यष्टाविंशतिसंख्यया ॥ २ ॥
यो ग्रहो यत्र ऋक्षांशे तं तत्रैव न्यसेद्बुधः।
वेधयेत्सम्मुखं वर्णं क्रूरो वाथ शुभोऽपि वा ॥ ३ ॥
आद्यांशेन चतुर्थांशं चतुर्थांशेन चादिमम्।
द्वितीयेन तृतीयं तु तृतीयेन द्वितीयकम् ॥ ४ ॥
यस्य नामाक्षरं विद्धमंशचक्रे ग्रहेण तु।
क्रूरैरिष्टं शुभैर्हानिर्व्याधिर्मृत्युर्न संशयः ॥ ५ ॥

क्रूरोभयस्थिते वेधे मृत्युर्विघ्नं शुभाशुभैः ।
शुभोभयगते वेधे व्याधिः पीडा च बन्धनम् ॥ ६ ॥

वैधव्यं च विवाहे च यात्रायां न निवर्तते ।
रोगे मृत्यू रणे भङ्गः क्रूरवेधे न संशयः ॥ ७ ॥

अद्रयः सागरा नद्यो देवग्रामपुराणि च ।
क्रूरवेधे विनश्यन्ति नात्र कार्या विचारणा ॥ ८ ॥

चन्द्रऋक्षांशके वेधो भवेद्यद्यपरग्रहैः ।
तन्मानं तद्दिने वर्ज्यं सर्वदा शुभकर्मणि ॥ ९ ॥

इति नरपतिजयचर्यायां स्वरोदये
अशांस्वरचक्रम् ।

आदियामल ग्रन्थानुसार—

२८ तिरछी एवं २८ खड़ी रेखाओं के समानान्तर सयोग, से ७२९ कोष्ठ का अंश चक्र बनता हैं ।

ईशान कोण से आरम्भ कर कृतिकादिक अभिजित, सहित २७+१ नक्षत्रों को अपने-अपने १, २, ३, ४, चरणों के वर्णों के साथ लिखने से नीचे चक्रानुसार अंशचक्र तैयार होता जाता है ।

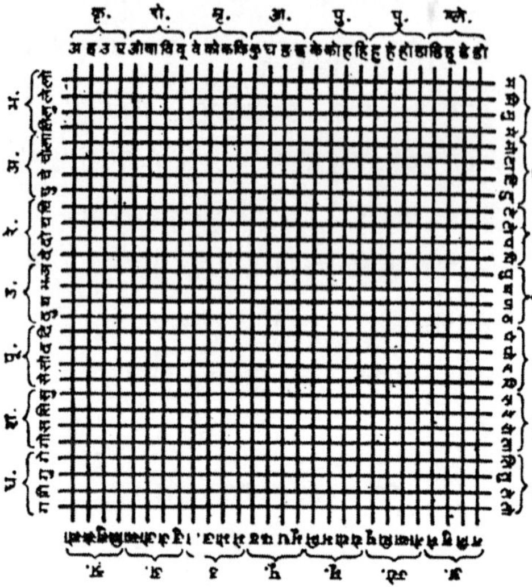

जिस नक्षत्र के जिस चरण में जो ग्रह हो उस ग्रह को उस नक्षत्र के उस चरण में रखना चाहिए ।

प्रत्येक नक्षत्र अपने सामने के नक्षत्रगत ग्रह नक्षत्र को वेध करता है । प्रथम चरणगत ग्रह अपने सामने के विद्धनक्षत्र के चतुर्थ चरणगत ग्रह को, द्वितीय चरणगत ग्रह सामने के तृतीय चरणगत ग्रह पर वेध करता हैं । इसी प्रकार चतुर्थ चरण से प्रथम, एवं तृतीय चरण से द्वितीय चरणगत ग्रह पर वेध होता है । क्रूर या शुभ दोनों ग्रहों से वेधित नामाक्षर से अरिष्ट एवं हानि, नामाक्षार पर दो या तीन ग्रहों का वेध आयु भय प्रद भी कहा गया है ।

एक रेखस्थित दोनों नक्षत्र चरणों पर वेध होने से मृत्यु या मृत्यु भय होता है । दोनों शुभ व पाप ग्रहों के वेध से विघ्न, यदि दोनों पर शुभ ग्रह का ही वेध होता है तो व्याधि पीडा और राज बन्धन या अन्य प्रकार का बन्धन होता है ।

जिस नक्षत्र पर क्रूर ग्रह का वेध होता है उसमें यात्रा नहीं करनी चाहिए। क्योंकि यात्री के वापस आने में संशय है। ऐसे नक्षत्र में रोगी जन की यात्रा से उसके परावर्तन में संशय प्रद होती है।

क्रूर वेधित नक्षत्र के दिन युद्धारम्भ करने से पराजय एवं ऐसे क्रूर विद्ध नक्षत्र चरण में विवाहादि मंगल कृत्य में वैधव्य (विधवा) भय होता है।

पर्वत, देश, नगर ग्राम, नदी' इत्यादि नामों के आदि अक्षरो पर क्रूर ग्रहों के वेध से पर्वत का गिरना, देश का विध्वंस, नगर का विनाश अस्तित्व हीन ग्राम एवं नदी का प्राकृत रूप भी विकृत हो जाता है

अभीष्ट शुभ कार्य के समय के स्पष्ट चन्द्रमा के नक्षत्र का प्रत्येक चरण का स्पष्ट समय ज्ञात करते हुए नक्षत्र का विभागीय वह स्पष्ट चन्द्रमा जिस नक्षत्र के जिस भाग पर वेध कर रहा हो और मंगल शनि राहु आदि भी उस नक्षत्र पर वेधकर रहे हो तो उस नक्षत्र और नक्षत्रांश को शुभ कार्य में वर्जित करना चाहिए ॥ १…९ ॥

अथ सिंहासनचक्रम्

इतश्चैवं सम्प्रवक्ष्यामि चक्रं सिंहासनत्रयम्।
येन विज्ञानमात्रेण क्रियते राज्यनिर्णयः ॥ १ ॥
सप्तविंशतिनक्षत्रैरेकैकं च नवात्मकम्।
अश्विनी-मघमूलाद्यं पंचनाडीविभेदतः ॥ २ ॥
अश्विन्याद्युत्तरे भागे मघाद्यं पूर्वतः स्थितम्।
मूलाद्यं दक्षिणे भागे ज्ञातव्यं नृपतित्रयम् ॥ ३ ॥
इतरेषु च राज्येषु नृपनामर्क्षतो भवेत्।
शुभाशुभमिदं सर्वं यस्य यत्र शनिस्थितः ॥ ४ ॥
नाडिकापञ्चवेधेन एकैकस्यासनं भवेत्।
आधारमासनं पट्टं सिंहं सिंहासनं तथा ॥ ५ ॥
आधारादिफलं सर्वमेकैकस्य वदाम्यहम्।
ग्रहवेधवशाज्ज्ञेयं सौम्यक्रूरैः शुभाशुभम् ॥ ६ ॥

नृप आधारमाड्यृक्षे यदा पट्टेऽभिषेचितः ।
पराधीनगतं राज्यं कुरुते नात्र संशयः ॥ ७ ॥
आसनस्थेन ऋक्षेण नीतियुक्तो भवेन्नृपः ।
प्रधानपुरुषावेशात्प्रजाशान्तिकरो भवेत् ॥ ८ ॥
पट्टऋक्षे यदा राजा चोपविष्टो यदासने ।
पूर्वराज्यस्थितेस्तुल्या चिरं पालयते महीम् ॥ ९ ॥
सिंहरूपी भवेद्राजा सिंहऋक्षासने स्थितः ।
संग्रामस्य प्रियो नित्यमसाध्यो मन्त्रिणां सदा ॥ १० ॥
सिंहासनगते ऋक्षे तेजस्वी भीषणाकृतिः ।
चलचित्तो भवेत् क्रोधी प्रजापीडाकरो नृपः ॥ ११ ॥
तत्कालेंदुगते ऋक्षे क्रूरनिर्बंधनाडिके ।
शुभावस्था शुभे लग्ने संस्थाप्यो नृप आसने ॥ १२ ॥
ईदृशे च समायोगे उपविष्टो य आसने ।
उच्छिद्य शत्रुसङ्घातमेकच्छत्रं करोति सः ॥ १३ ॥
क्रूरग्रहस्य नाड्यां चेदुपविष्टो य आसने ।
बन्धनं भूमिनाशश्च तथा मृत्युश्च जायते ॥ १४ ॥
आधारऋक्षगः सौरिरनावृष्टि करोति सः ।
दुर्भिक्षं रौरवं घोरं प्रजामृत्युश्च जायते ॥ १५ ॥
आसने च यदा सौरिर्युद्धे भङ्गप्रदो भवेत् ।
अथवा व्याधिपीडा च धातदुःखं च जायते ॥ १६ ॥
पट्टऋक्षे यदा सौरिः पट्टराज्ञी विनश्यति ।
प्रियो वाथ कुमारो वा मंत्रिवर्गक्षयोपि वा ॥ १७ ॥
सिंहे सिंहासने वाथ यदा तिष्ठति सूर्यजः ।
तदा मृत्युर्न संदेहो यदि शक्रसमो नृपः ॥ १८ ॥
शनिराह्वर्कमाहेया यदा चन्द्रर्क्षसंयुताः ।
यस्यासनगता एते तदा तस्य क्षयंकराः ॥ १९ ॥
क्रूरयुक्तोऽतिवक्रस्थः क्रूरनाडीगतोपि वा ।

आसने चन्द्रयोगेन कालरुपी शनैश्चरः ॥ २० ॥
एवं शुभफलं दद्याद्‌देवमन्त्री न संशयः ।
करोति विपुलं राज्यं यस्यासनगतो भवेत् ॥ २१ ॥

इति यामलीयस्वरोदये सिंहासनचक्रं समाप्तम् ।

२७ नक्षत्रों के तीन विभागों में, उत्तर में अश्वनी से श्लेषा तक, प्रथम भाग अश्वपति संज्ञक मघा से ज्येष्ठा तक द्वितीय भाग नरपति, संज्ञक मूल से रेवती तक तृतीय भाग गजपति संज्ञक के क्रम से सिंहासन चक्र होते हैं। इन तीनों चक्रों में ५ नाड़ी नक्षत्र वेध होता है।

नक्षत्रों के क्रम से सिंहासन की रचना की जाती है। प्रत्येक सिंहासन (१) नरपति, (२) अश्ववति, (३) गजपति में ५ सीढ़िया होंती हैं। इस प्रकार उन तीनों सिंहासनों में ५ × ३ = १५ सीढ़ियाँ होली हैं। चक्र देखने से स्पष्ट होता है।

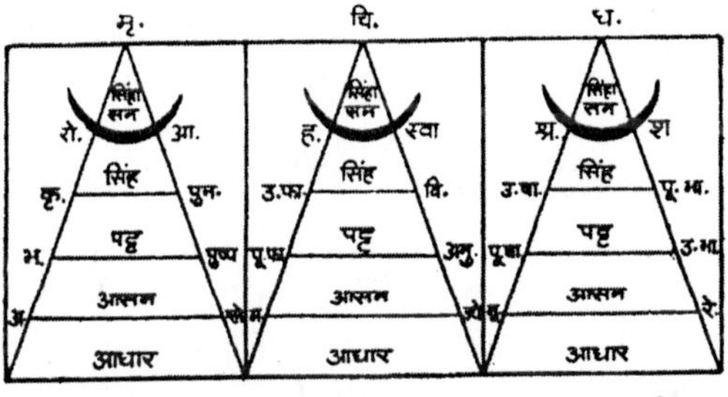

इन चक्रों का सदुपयोग और शुभाशुभ फल–प्राचीन काल में, भारतीय राज्यसञ्चालन परम्परा में राजा विद्वान् ब्राह्मणों से प्रेरणा लेता था। "व्यवहारान्नृपः पश्येद्विद्‌भिः ब्राह्मणैस्सह"।

स्वरज्ञ-शकुनज्ञ त्रिकालज्ञ दैवज्ञ से बताये गये शुभ मुहूर्त में राजा का अभिषेक होता था तब राजा से राजगद्दी सुशोभित होती थी। प्रजा का (सारे राष्ट्र) हित होता था। अस्तु अलम्।

यहाँ पर उक्त नक्षत्र सम्वंधेन उत्पन्न सिंहासन चक्र से विचार किया जा रहा है।

(१) आधार स्थित नक्षत्रों में राज्यभिषेक होने से राजा पराधीन होकर राज्य करता है।

(२) आसन स्थित नक्षत्रों में राज्यभिषक से, राजा नीति पटु, अपने उच्चाधिकारियों द्वारा राज्य में सुख शान्ति करता है।

(३) पट्ट संज्ञक नक्षत्रों में अभिषेक से साधारण पूर्वत्रत् पृथ्वी पर शासन करता है।

(४) सिंह संज्ञक नक्षत्रों में राज्यभिषेक से राजा सिंह की तरह पराक्रमी, युद्धप्रिय एवं मन्त्रियों की मन्त्रणा से दूर रहता है।

(५) सिंहासनगत नक्षत्र में अभिषेक से राजा तेजस्वी, भीषण स्वरूप का, चंचलचित्त, क्रोधी और प्रजा पीडा प्रद होता है।

राजा के लिए वैयक्तिक (पारिवारिक) भविष्य विचार—

राज्यभिषेक समय का चन्द्रनक्षत्र (दिन का नक्षत्र) क्रूर ग्रह के वेध से रहित होना चाहिए। तथा चन्द्रमा भी शुभग्रह राशि लग्न का होना चाहिए। साथ ही चन्द्रमा कीं १२ अवस्था जो मुहूर्त ग्रन्थों में बताई गई है तदनुसार भी चन्द्रमा को तत्कालीन अवस्थ शुभावस्था की होनी चाहिए। राजा के अभिषेक समय में वर्तमान राज्य प्रणाली के अनुसार यथा संभव मन्त्रिमण्डल औरराष्ट्रपति राज्यपालों न्यायधीशों आदिकी के शपथ ग्रहण समय में विचारार्थ तत्कालीन चन्द्रमा की अवस्था साधनिका का प्रकार मुहूर्तचिन्तामणि पीताम्बरा लेखक श्री केदारदत्त जोशी पेज २१२···२१३ देखिए। कन्यादान के शुभ लग्न के समय में भी उक्त अवस्थाओं का विचार करना चाहिए जैसा कुंमांयू में आज तक किया जाता है। १२ अवस्थायें निम्न भाँति की कही गई हैं।

(१) प्रवास, (२) नाश, (३) मरण, (४) जय, (५) हास्य, (६) रति, (७) क्रीडिति, (८) सुप्त, (९) भुक्त, (१०) ज्वर, (११) कम्प और १२वीं अवस्था का नाम स्थिर अवस्था हैं। इस प्रकार के शुद्ध मुहूर्त्त में क्रियमाण राज्यभिषेक से राजा शत्रु वर्ग को अच्छी तरह पराजित कर सिंहासन पर बैठता है तो अवश्य उसका एक छत्र राज्य शुभप्रद होता है। क्रूर ग्रह की नाडी हो और यदि आधारस्थ शनि नक्षत्र हो तो राज्य नाश बन्धन, और राजा की मृत्यु के साथ-साथ दुर्भिक्ष होता है और प्रजा पीड़ित होती है।

तथैव आसन के नक्षत्र पर शनि की स्थिति भी अनुकूल नहीं होती।

पट्ट नक्षत्र गत शनि से मन्त्रियों या सन्तान या अर्धाङ्गिनी (स्त्री) को कष्ट, सिंहासन नक्षत्र में शनि की स्थिति इन्द्र तुल्य पराक्रमी भी राजा क्यों न हो उसे शरीर भय होता ही है। यदि चन्द्र नक्षत्र पर शनि, राहु, सूर्य, और मंगल बैठे हो तो राज्य क्षय कर योग होता है। क्रूर ग्रह युक्त, अतिवक्रगामी शनि क्रूर नाडी गत होने से भी कालरूप अशुभ योग होता है। ऐसी स्थितियों में गुरु (बृहस्पतिग्रह) अपनी राशि नवांशादि शुभ वर्गगत व केन्द्र कोणस्थ होकर आसनस्थ नक्षत्र गत हो तो राजा की राज्य वृद्धि के साथ श्री वृद्धि भी अवश्य होती है ॥१…२१॥

अथ कूर्मचक्रम्

कूर्मचक्रं प्रवक्ष्यामि यदुक्तं कोशलागमे।
यस्य विज्ञानमात्रेण ज्ञायते देशविप्लवः ॥ १ ॥
यस्य शृङ्गैकदेशस्था देवास्त्रिशत्कोटयः।
सुमेरुः पृथिवीमध्ये श्रूयते दृश्यते न तु ॥ २ ॥
तादृशाः पर्वताश्चाष्टौ सागरा द्वीपदिग्गजाः।
सर्वे ते विधृता भूम्या सा धृता येन तं शृणु ॥ ३ ॥
दंष्ट्रया सा वराहेण विधृता सागरा धरा।
मुस्ताखननतोयस्य शोभते मृत्तिकेव या ॥ ४ ॥
ईदृशोऽसौ महाकायो वराहः शेषमस्तके।
तस्य चूडामणेरूर्ध्वं संस्थितो मशकोपमः ॥ ५ ॥
एवंविधः स शेषोऽपि कुण्डलीभूमिसंस्थितः।
कूर्मपृष्ठैकभागेन पद्मतन्तुरिवाबभौ ॥ ६ ॥
वपुःस्कन्धशिरःपुच्छनखांघ्रिप्रभृतीनि च।
मानेन तस्य कूर्मस्य कथयामि प्रयत्नतः ॥ ७ ॥
शङ्कोःशतसहस्राणि योजनानि वपुःस्थितम्।
तदर्धेन भवेत्पुच्छं पुच्छार्धेन द्विकुक्षिकम् ॥ ८ ॥

ग्रीवा सायुतकोटीभिर्मस्तकं सप्तकोटिभिः ।
नेत्रयोरन्तरं तस्य कोटिरेकप्रमाणतः ॥ ९ ॥
मुखं कोटिद्वयं तस्य द्विगुणेन च पादयोः ।
अङ्गुलीनां नखाग्रेषु योजनान्ययुतावधि ॥ १० ॥
एवं कूर्मप्रमाणं तु कथितं चाद्वियामले ।
तस्योपरि स्थिता तत्र सप्तद्वीपयुता मही ॥ ११ ॥
कूर्माकारं लिखेच्चक्रं सर्वावयवसंयुतम् ।
पूर्वभागे मुखं तस्य पुच्छं पश्चिममण्डले ॥ १२ ॥
पूर्वापरं लिखेद्वेधं वेधं चोत्तरदक्षिणे ।
ईशानराक्षसे वेधं वेधमाग्नेयमारुते ॥ १३ ॥
नाभिशीर्षचतुष्पादकुक्षिपुच्छेषु संस्थितम् ।
ताराव्रयांकिते तस्मिन् सौरिं यत्नेन चिन्तयेत् ॥ १४ ॥
अतिवृष्टिरनावृष्टिः शलभा मूषकाः शुकाः ।
स्वचक्रं परचक्रं च सप्तैता ईतयः स्मृताः ॥ १५ ॥
कृत्तिका रोहणी सौम्यं कूर्मनाभिगतं त्रयम् ।
साकेतं मिथिला चम्पा कौशांबी कौशिकी तथा ॥ १६ ॥
अहिच्छत्रं गया विंध्यमन्तर्वेदी च मेखला ।
कान्यकुब्जं प्रयागश्च मध्यदेशो विनश्यति ॥ १७ ॥
रौद्रं पुनर्वसुः पुष्यं कूर्मस्य शिरसि स्थितम् ।
सगौडो हस्तिबन्धश्च पञ्चराष्ट्रं च कामरुः ॥ १८ ॥
चरेंद्री च तथा ज्ञेया मगधश्च तथैव च ।
रेवातटं च नेपालः पूर्वदेशो विनश्यति ॥ १९ ॥
पूर्वाषाढाऽनलार्द्रा च त्रयाणां सम्मुखो व्यधः ।
मूले ब्रह्मादितीनां च वेधो गुर्विन्दुवज्रिणाम ॥ २० ॥
आश्लेषा च मघा पूर्वा पादे आग्नेयगोचरे ।
अङ्गवङ्गकलिङ्गाश्च पूर्वजाश्चैव कोसलाः ॥ २१ ॥
डाहली च जयन्ती च तथा चैव सुलंजिका ।

उड्रियामं वराङ्गं च अग्निवेशो विनश्यति ॥ २२ ॥
उत्तराहस्तचित्राश्च दक्षिणां कुक्षिमागताः ।
दर्दुरं च महेन्द्रं च वनवासं ससिंहलम् ॥ २३ ॥
तापी भीमरथी लङ्का त्रिकूटं मलयस्तथा ।
श्रीपर्वतश्च किष्किंधा इति नश्यन्ति दक्षिणे ॥ २४ ॥
स्वाती विशाखा मैत्रं च कूर्मे नैर्ऋतिगोचरे ।
नासिक्यं च सुराष्ट्रं च धृतमालवकं तथा ॥ २५ ॥
पर्यली च प्रकाशं च भृगुकच्छं च कोंकणम् ।
खेटापुरं च मोटेरं देशा नश्यन्ति तादृशाः ॥ २६ ॥
ज्येष्ठा मूलं तथाषाढा पुच्छे कूर्मस्य संस्थिताः ।
पारावतं मरुत्कच्छमवंतीपूर्वमालवम् ॥ २७ ॥
पारासरं बर्बरं च द्वीपं सौराष्ट्र-सैंधवम् ।
जलस्थाश्च विनश्यंति स्त्रीराज्यं पुच्छपीडने ॥ २८ ॥
उत्तराषाढभत्रीणि पादे वायव्यगोचरे ।
गुर्जराह्वं यामुनं च मरुदेशं सरस्वती ॥ २९ ॥
जालंधरं वराटं च बालूकोदधिसंतयुम् ।
मेरुश्रृंग विनश्यंति तये चान्ये कोणसंस्थिताः ॥ ३० ॥
शतभाविव्रयं चैव उत्तरां कुक्षिमाश्रितम् ।
नैपालं कीरकाश्मीरं गृंजनं खुरसानकम् ॥ ३१ ॥
माथुरं म्लेच्छदेशश्च खशं केदारमंडलम् ।
हिमाश्रयाश्च नश्यंति देशा ये चोत्तराश्रिताः ॥ ३२ ॥
रेवती अश्विनी याम्यं पादे ईशानगोचरे ।
गंगाद्वारं कुरुक्षेत्रं श्रीकंठं हस्तिनापुरम् ॥ ३३ ॥
अश्वचक्रैकपादाश्च गजकर्णास्तथैव च ।
विनश्यंति च ते सर्वे शनावीशानगोचरे ॥ ३४ ॥
सौरिः स्वदेशगो यत्र तत्र यत्नेन रक्षयेत् ।
परदेशस्थिते कुर्याद्विग्रहं पृथिवीपतिः ॥ ३५ ॥

यत्रस्थः पीडयेत्तत्र वेधस्थाने तथैव च ।
देशनामर्क्षगः सौरिर्भंगदाता न संशयः ॥ ३६ ॥
पृथ्वीकूर्म ,समाख्यातः कृत्तिकादियमांतकः ।
देशादिस्वस्वऋक्षादि वक्ष्ये कूर्मचतुष्टयम् ॥ ३७ ॥
पूर्ववच्चक्रमालिख्य देशनामर्क्षपूर्वकम् ।
देशकूर्मो भवेत्तत्र यत्र सौरिस्ततः क्षयः ॥ ३८ ॥
नगरे नागरं धिष्ण्यं कृत्वादौ विलिखेत्ततः ।
सौरिस्थाने भवेद् दुष्टं वेधस्थाने तथैव च ॥ ३९ ॥
ग्रामकूर्म समालिख्य ग्रामनामर्क्षपूर्वकम् ।
पूर्ववद्यत्रगः सौरिर्मध्यादौ भङ्गमाविशेत् ॥ ४० ॥
क्षेत्रजे क्षेत्रभान्यादौ कृत्वाकूर्मं यथास्थितम् ।
सौरिस्थानेविनाशः स्याज्जायते च महद्भयम् ॥ ४१ ॥
गृहकूर्मं समालिख्य गृहद्वारमुखस्थितम् ।
गृहनामर्क्षपूर्वं तु कृत्वा वीक्ष्यं शुभाशुभम् ॥ ४२ ॥
गृहमध्यगतः सौरिः शोकसंतापकारकः ।
द्वारे विद्युत्प्रदो ज्ञेयः पावके वह्निदायकः ॥ ४३ ॥
ज्ञेयो मृत्युप्रदो याम्ये राक्षसे राक्षसाद्भयम् ।
वारुणे शुभदो ज्ञेयो वायव्ये शून्यताप्रदः ॥ ४४ ॥
अर्थलाभप्रदः सौम्ये शांभवे सर्वसिद्धिदः ।
सौरिर्बलाधिको दुष्टः स्वल्पवीर्यः शुभावहः ॥ ४५ ॥
समकालं पीडयेद्यत्र भानुजः कूर्मपञ्चकम् ।
तत्र स्थाने महाविघ्नं जायते नात्र संशयः ॥ ४६ ॥
दुष्टस्थानगते मंदे कर्त्तव्यं तत्र शांतिकम् ।
यदुक्तं यामले तंत्रे सर्वविघ्नविनाशनम् ॥ ४७ ॥
कूर्मचक्रं महाचक्रं कथितं चादियामले ।
त्रिकालविषयज्ञानं पाणिस्थं तेन जायते ॥ ४८ ॥

इति नरपतिजयचर्यायां स्वरोदयेकूर्मपञ्चक्राणि समाप्तानि ।

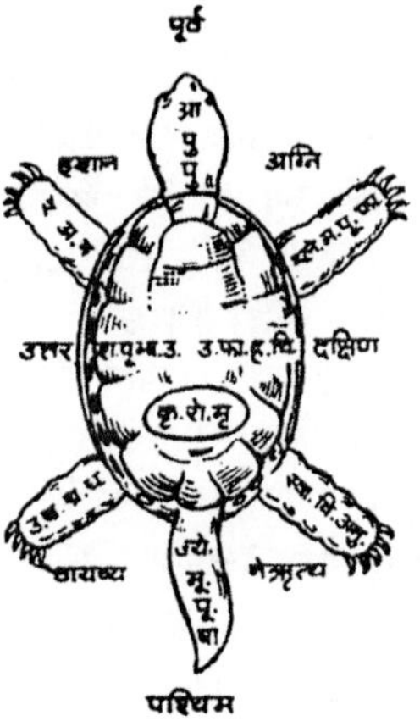

पौराणिक आरकानों के अनुसार, सप्त सागरों सहित सर्वशक्तिमान भगवान विष्णु ने वराह रूप धारण कर पृथ्वी को अपने दातों से धारण किया था।

"शङ्कोः शतसहस्राणि योजनानि बपुः स्थितम्" के अनुसार एक लाख गुणित शङ्कुमान जो बराबर १०००००००००००००००००० योजन के तुल्य कूर्म का शरीर होता है।

इस प्रकार "एवं कूर्मप्रमणन्तु कथितं चादि यामले" के अनुसार कूर्म शब्द दृश्य ब्रह्माण्ड या दृश्य १ सौर मण्डल हो सकता है। अस्तु।

कूर्म के पूर्व दिशा में कूर्म का मुख पश्चिम में पुच्छ के अनुसार पूर्वादिक आठों दिशाओं में २७ नक्षत्र स्तापिय करने से शनि ग्रह की नक्षत्र स्थिति समझ कर कहाँ किस प्रकार की अनिष्ट संभावना है वह निम्न भांति विचार करना चाहिए। जो चक्र देखने से स्पष्ट है।

(१) अतिवृष्टि (२) अनावृष्टि (३) टिड्डी (४) मूषक (चूहों) (५) सुग्गा (६) अपने चक्र (प्रपञ्च) और (७) शत्रुचक्र ये सात प्रकार ईतियाँ (भीतियां) कही जाती हैं।

नाभिगत तीन नक्षत्रों में—कृतिका, रोहिणी, मृगशीर्ष में, शनि ग्रह की स्थिति में साकेत, मिथिला, चम्पा, कौशाम्बी, कौशिकी, अहिच्छत्र,गया, विन्ध्य-प्रदेश, मेखला, प्रयाग और मध्यदेश पर किसी इति (भय) की संभावना होती है। आर्द्रा, पुनर्वसु, पुष्य, कूर्म शिरोगत नक्षत्रों में गौड, हस्तिबन्ध पंच-राष्ट्र कामरू, चरेन्द्री, मगध, रेवा के उत्तरवर्त्ती देश और नेपाल के उपर प्राकृतिक संकट की संभावना होती है। श्लेषा, मघा, पूर्वाफाल्गुनी से-अंग, वंग कलिङ्ग, कोसल डाहली, सुम्बिका उडियाम और वराड, तथा उत्तरा फा०; हस्त, चित्रा में शनि से—दुर्दर महेन्द्र वनवास, सिंहल, तापी, भागीरथी, लङ्का, त्रिकूट, मलय, श्री पर्वत, और किष्किन्धा आदि पर भय होता है। स्वाती, विषाखा, अनुराधा नक्षत्र गत शनि से—नासिक सौराष्ट्र, मालवा पर्यली प्रकाश भृगुकच्छ, कोंकण—खेटापुर और मोटेर देशों पर भय होता है।

ज्येष्ठा-मूल-पूर्वाषाढ़ा नक्षत्र गत शनि से—पारावत, मरुत, कच्छ, अवन्ती, पूर्वमालवा, पारासर, बर्बर द्वीप, सौराष्ट्र सैन्धव और स्त्री राज्य भयभीत होते हैं।

उत्तराषाढ़ श्रवण घनिष्ठा से—गुजरात, यामुन, मरुदेश सरस्वती, जालन्धर वराट् बालुका से युक्त समुन्द और मेरूश्रङ्ग (ध्रुव समीपस्थ देश), शतभिष, पूर्वाभाद्र, उत्तराभाद्रपद से—नेपाल कश्मीर, गृञ्जन, खुरसान माथुर-म्लेच्छ-देश, खश, केदार मण्डल हिमाच्छादित देशों पर प्राकृतिक भय होता है।

और रेवती, अश्विनी, भरणी नक्षत्र—जो कूर्म के ईशानकोण गत है इन नक्षत्रों के शनि के वेध से—हरिद्वार, कुरुक्षेत्र, श्रीकण्ठ, हस्तिनापुर, अश्वचक्र और गजकर्ण नामक देश ग्राम नगरों में प्राकृतिक या मानव कृत भय उत्पन्न होते हैं ॥ १…४८ ॥

चतुरङ्ग सूर्य चक्र

रेखात्रयं त्रिशूलाग्रं तिर्यग्रेखाद्वयान्वितम् ।
एकैककोणगास्तत्र मध्यादौ भानुभादितः ॥ १ ॥
अधस्त्रिके भवेन्मृत्युश्चतुर्भिः कोणगैः शुभम् ।
मध्यमा द्वादश प्रोक्ता नवर्क्षं भङ्गकारकम् ॥ २ ॥

ऊरर्ध्वाधर तीन खड़ी सीधी रेखा और पूर्वापर की ६ सीधी रेखाओं के साथ ऊर्ध्वाधर की तीनो रेखाग्रो में ३ त्रिशूल बनाने चाहिए तथा ईशान कोण से आरम्भ कर नैर्ऋत्य, एवं वायु से अग्निकोण तक दो रेखा और करनी चाहिए। ऊर्ध्वाधर की मध्य रेखा के मूल में सूर्य ग्रह जिस नक्षत्र में हो उस नक्षत्र को स्थापित कर वाम क्रम से अभिजित् सहित २८ नक्षत्रों को स्थापित करना चाहिए। नीचे चक्र देखिए स्पष्ट होगा।

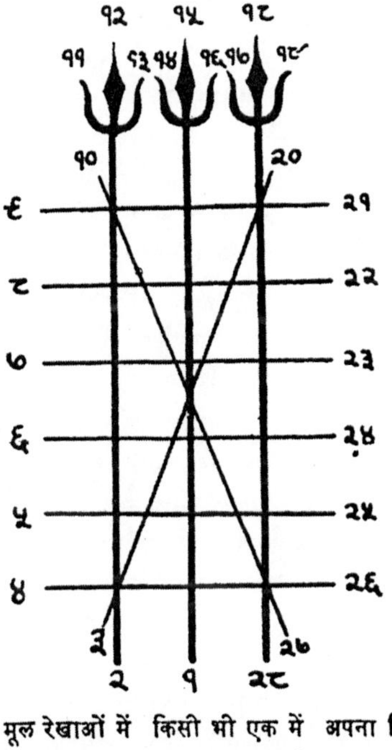

त्रिशूल त्रय मूल रेखाओं में किसी भी एक में अपना जिस दिन दिवस नक्षत्र=चन्द्र नक्षत्र गया होता है उस दिन भय विशेष (मृत्यु तक भी) होता है। चारों कोण गत नक्षत्रों में जिस दिन नाम नक्षत्र पड़ता है उस दिन सुख समृद्धि एवं ऐश्वर्य लाभ होता है।

त्रिशूल त्रय गत ९ नक्षत्रों में जिस दिन चन्द्रमा हो उस दिन हानि मनो-व्यथा आदि होती है शेष १२ नक्षत्रगत चन्द दिवसों में हानि लाभ मानापमान प्राय: समान रूप का एक सा साधारण होता है । १-२

प्रस्तार चक्र

त्रयोदशोर्ध्वगा रेखा दशरेखाश्च तिर्यगाः ।
भवेयुः कोष्ठकास्तत्र संख्ययाष्टोत्तरं शतम् ॥ १ ॥
मेषादिराशयो लेख्यास्तिर्यक् प्रथमपंक्तिषु ।
नवांशराशयश्चाधो नवधा सर्वराशिषु ॥ २ ॥
कवर्गं नवधा लिख्य कोष्ठके प्रथमेष्टमे ।
द्वितीये सप्तमे चाद्यान्यसेवाद्यत्रिषष्ठके ॥ ३ ॥
यशवर्गौ चतुर्थे तु अवर्गं पंचमे तथा ।
नवद्वादशके ताद्याः शेषे पाद्या द्विकोष्ठके ॥ ४ ॥
चतुरक्षरसंयोगादश्विन्यादिक्रमेण च ।
ज्ञेया नवांशका वर्णा मेषादौ राशिमंडले ॥ ५ ॥
भौमं शुक्रं बुधं चन्द्रं भानुं सौम्यं सितं कुजम् ।
गुरुं सौरिं शनि जीवं विदध्यात् कोष्ठकोपरि ॥ ६ ॥
कोष्ठाक्षरगतो ज्ञेयश्चन्द्रस्तत्कालसंभवः ।
तदधीनं फलं सर्वं लाभालाभं जयाजयम् ॥ ७ ॥
इष्टनाड्यो हतां धिष्ण्यैः २७ षष्टिभागाप्तशेषके ।
अश्विन्यादिन्दुभुक्तेन युक्तस्तत्कालचन्द्रमाः ॥ ८ ॥
क्रूरक्षेत्राक्षरे चन्द्रे न शुभं सर्वकर्मसु ।
शुभक्षेत्रे शुभं सर्वं प्रस्तारे चन्द्रनिर्णयः ॥ ९ ॥
अंशकेनांशकं गुण्यं अग्रयुक्तं कृतं पुनः ।
स्वगुणैर्गणयेत्पश्चान्मूलार्कैर्भाजयेत्ततः ॥ १० ॥
नाडी फलौ यशौ वर्गौ दिने वर्गफलोदयः ।
कपक्षेण च मासेन टवर्गेण ऋतुं वदेत् ।
अयने तपवर्गेण फलं ब्रूयाद्विचक्षणः ॥ ११ ॥

चतुःस्था मुनयः ७ । ७ । ७ । ७ सूर्याः
१२ सप्त ७ नंदा ९ गुणे ३ षवः ५ ।
मासाः १२ शैला ७ इना १२ स्तत्वा २५
राशीनां च ध्रुवा इमे ॥ १२ ॥

एते राशिध्रुवाः ।

गुणाः३शैला ७ युगाः ४ पंच ५
सप्त७ पंचा ५ त्रयो ७ युगाः ४ ।
नागा ८ बाणा ५ रसा ६ भूता ५
मेषादेरंशका मताः ॥ १३ ॥

तत्कालेन्दुं शकर्क्रांति कृत्वा ध्रुवयुता तथा ।
स्वगुणैर्गुणयेत्पश्चान्मूलांकैर्भाजयेत्सुधीः ॥ १४ ॥

षष्टिर्बाणविधौ नेत्रे पक्षाग्न्यक्षिरविस्तथा ।
चन्द्रभूसुतशुक्राणां गुरुज्ञरविसौरिणाम् ॥१५ ॥

शैला नन्दा रसा बाणा नन्दाः शैला युगा दश ।
इनाः१२सप्त७रसा६भूता५मूलांकाश्च उदाहृताः ॥ १६ ॥

अथ मूलांकाः क्वचित् ।

घना १७ नखा २० शिवप्रकृति
२१ युग्मेषु २५ दिक् १० रसाक्षि च २६ ।
सार्धद्वौ २ । ३० । वेदवेदाश्च ४४
वस्वष्टि १६८ युग्मपञ्च च ४२ ॥ १७ ॥

रसांगा ६६ खाब्धिशनो १४०. मूलांका मुनिभाषिताः ।
प्रश्नकाले विवाहे वा याने जन्मनि संगरे ।
शशांकस्य फलं श्रेष्ठं सर्वशास्त्रेषु भाषितम् ॥ १८ ॥

मेष	वृष	मिथुन	कर्क	सिंह	कन्या	तुला	वृश्चिक	धनु	मकर	कुम्भ	मीन	राशियाँ
म.	शु.	बु.	चं.	सू.	बु.	शु.	मं.	वृ.	श.	श.	वृ	अधिपति
क	च	ट	य	अ	ठ	छ	ख	त	प	फ	थ	वर्ण
ग	ज	ड	र	आ	ढ	झ	घ	द	ब	भ	ध	,,
ङ	ञ	ण	ल	इ	ट	च	क	न	म	प	त	,,
ख	छ	ठ	व	ई	ड	ज	ग	थ	फ	ब	द	,,
घ	झ	ढ	श	उ	ण	ञ	ङ	ध	भ	म	न	,,
क	च	ट	ष	ऊ	ठ	छ	ख	त	प	फ	थ	,,
ग	ज	ड	स	ए	ढ	झ	घ	द	ब	भ	ध	,,
ङ	ञ	ण	ह	ऐ	ट	च	क	न	म	प	त	,,
ख	छ	ठ	य	ओ	ड	ज	ग	थ	फ	ब	द	,,
७	७	७	७	१२	७	९	१३	१२	७	१२	२५	ध्रुवाङ्क
३	७	४	५	७	५	७	४	८	५	६	५	अंश

लाभ-हानि-जय-पराजय विचार—२०८ कोष्ठकों का चक्र होता है। प्रथम १२ कोष्ठों में मेषादि द्वादश राशियों को लिख कर तथा द्वितीय कोष्ठ में राशियों के अधिपति मं०शु०बु०इत्यादि लिखकर तब क ख ग घ ङ इन क वर्ग के अक्षरों को तृतीय कोष्ठ पंक्ति में, प्रथम अष्टम से लिखते हुए ११वें कोष्ठ तक लिखना चाहिए। इसी प्रकार ९ कोष्ठों में क वर्ग की ४ आवृत्ति होती है।

तीसरी पंक्ति के द्वितीय और सप्तम कोष्ठ में च वर्ग के अक्षरों, तृतीय छठे कोष्ठों में ट वर्ग लिखना चाहिए। य वर्ग और श वर्ग के अक्षरों को चौथे कोष्ठक में, अ वर्ग को पञ्चम कोष्ठ में, नवम और द्वादश कोष्ठों में त वर्ग के अक्षर शेष दो कोष्ठों में प वर्गाक्षर लिखने से लाभालाभ चक्र स्पस्ट हो जाता है। चार चार आक्षरों के संयोग से अश्विनी आदि के नक्षत्रों के आकार और मेषादि द्वादश राशियों के नवांशों के वर्ण हो जाते हैं। तात्कालिक चन्द्रमा का कोष्ठ ज्ञात कर अक्षर ज्ञात करने चाहिए जिससे जय-पराजय का ज्ञान हो जाता है। ७,७,७,७,१२,७,१३,१२,७,१२,२५,ये मेषादिक १२ राशियों के ध्रुवाङ्क, तथा ३,७,४,५,७,५,७,४,८,५,६और५,ये मेषा-

दिक १२ राशियों के अंशक होते हैं ।

तथा । ६० । ५ । १ । २ । २ । ३ ।और १२ ये अंक क्रमशः चन्द्र, भौम, शुक्र गुरु, बुध, सूर्य, और शनि के गुणङ्कांक होते हैं ।

तथा क्रमशः ७, ९, ६, ५, ९, ७, ४, १०, १२, ७, ६, और २५ ये अंक मेषादि द्वदश राशियों के मूलांक होते हैं ।

मुनियों के मतन्तार से, मेषादि १२ राशियों के मूलांक १७, २०, २१, २५, १०, २६, २, ३०, ४४, १६, ८, ५२ ६६, और १४० ये मूलांक होते हैं ।

तत्काल में अर्थात् इष्ट काल में चन्द्रमा का तात्कालिकी करण करना चाहिए । तात्कालिक चन्द्रमा कोष्ठ के आक्षर में होता है, उसी अक्षर के आधीन जय-पराजय लाभालाभ का ज्ञान होता है ।

प्रश्न समय में चन्द्रमा के नक्षत्र का भयात भभोग बनाकर भयात को २७ से गुणा कर गुणन फल में ६० का भाग देकर लब्धि और शेष को पृथक् पृथक् रखना चाहिए । लब्धि में आश्विनी आदिक गत नक्षत्र संख्या जोड़ देने से जो हो वह तात्कालिक चन्द्रमा का नक्षत्र होता है । शेष में १५ का भाग देने से शेष नक्षत्र का चरण होता है ।

जैसे सं० २०३७ श्रावण कृष्ण तृतीया सोमवार ता०२०-७-८१ है । (रेलवे ता०२१ रात्रि दो बजे का प्रश्न होने से) अश्विनी से आरम्भ कर शतभिषा संख्या २४ होती है । चन्द्रमा का गत नक्षत्र धनिष्ठा की संख्या २३ होती है । शतभिषा का भयात ५३ ।३१ × २७=१४३९।८३७

ल=१३।÷६०

=१४४४।५७ में पुनः ६० से   १४४४। शेष=५७

भाग देने से लब्धि =२४ और शेष=४ । लब्धि २४ में चन्द्रमा का गत नक्षत्र २३ जोड़ने से ४७ होता है । ४७ में १५ का भाग देने से लब्धि=३ और शेष=२ अतः तात्कालिक चन्द्रमा गत, नक्षत्र कृतिका वर्तमान रोहणी के दूसरे चरण में सिद्ध होता है । अर्थात् तात्कालिक चन्द्रमा वृष राशि के द्वितीय नवमांश में होता हैं । या यों कहिए चन्दमा रोहणी २चरण अर्थात् वृषराशि के पञ्चम नवांश में होता है । वृष का नवांश मकर से प्रारम्भ होने से वृष राशि के नवांश में

तात्कालिक चन्द्रमा होता है, वृष का स्वामी शुक्र है, शुक्र का अक्षर, च,ज,भ, छ,च,अ,व,म छ, है। शुक्र ग्रह है। तात्कालिक चन्द्रमा शुभ ग्रह के अक्षर में है, अतः उक्त पुस्तकों की प्राप्ति का सम्भव है। हां तात्कालिक चन्द्रमा वृष राशि में च वर्गाकार में (शुभ) राशिगत होने से नष्ट द्रव्य, या चोरी गई वस्तु की कुछ प्राप्ति आशा कही जा सकती है।

नष्ट या चोरी गई वस्तु ज्ञान के लिए समय की अवधि–तात्कालिक चन्द्रमा की नक्षत्र संख्या अर्थात् नक्षत्र चरण संख्या श्लोक में कही गई राशियों की अंश संख्या से गुणा कर गुणनफल में राशियों की कही गई ध्रुव संख्या को जोड़ कर योगफल को कथित गुणक से गुणा कर गुणनफल में ग्रहों के कथित मूलांक से भाग देने से प्राप्त, समय वर्ष मास दिन घटी तुल्य काल में नष्ट या चोरी गई वस्तु की प्राप्ति हो जाती है।

तात्कालिक चन्द्रमा वृष राशि के पञ्चम नवांश में अर्थात् वृष राशि गत वृष नवांश में जिसकी राशि और नवांश स्वामी दोनों शुक्र ही होते हैं, तो वर्गोत्तम राशि गत चन्द्रमा होता हैं।

पञ्चम नवांश संख्या=५ सिंह राशि का गुणाक=७। ५×७=३५ इसमें सिंह राशि का ध्रुवक =१२ जोड़ देने से ३५+१२=४७ होता है, सिंह राशि का सूर्य का गुणांक =१ से गुणा किया=४७×१=४७ में सिंह राशि के मूलाङ्क ९ से भाग देने से ४७÷९=५ मास, शेष=२×३० =६०, ६०÷९,६ दिन शेष ६×६०=३६०,३६०÷९=४० घटी अर्थात् ५ महिना ६ दिन ४० घटी या १० महीना १३ दिन २० घटी अथवा १५ महीना २० दिन में अथवा २० महीना २६ दिन २० घटी......में सम्भव हो नष्ट वस्तु प्राप्त हों सकती है या पता लग सकता है। [नामधारी सभ्य महत्वाकाङ्क्षी ने मेरे आवासके पुस्तकालय में ४ दिन अतिथि रूप में रह कर बड़े महत्व के ग्रहगणित सिद्धान्त ग्रन्थ एवं सूर्य सिद्धान्त सारिणी तक की चोरी कर मेहमान की तरह विदाई ली। जब स्वयं मुझे पुस्तकों की आवश्यकता हुई, देखने लगा बड़ी परेशानी के बावजूद मेरी दैनन्दिनीय कार्य की एक भी पुस्तक उपलब्ध नही हुई तब ज्ञात हुआ कि नामधारी मेहमानी ने स्वागत के साथ अच्छी पुस्तक सम्पत्ति पर हाथ मारा,

इसी आधार का प्रश्न समय है नष्ट या चोरी गई वस्तु का पता तो स्पष्टतया लगा ही है तिस पर भी मेरी प्रज्ञा उक्त व्यक्ति के सम्मान रक्षण का विशेष ध्यान दे रही है, अतः चोरी गई पुस्तकों की प्राप्ति सम्भव नहीं है ।१""१८ ।

इति प्रस्तार चक्रम्

प्रस्तारे द्वादशारे च ऋक्षाक्षरक्रमेण च ।
नवांशराशिमार्गेण चक्रं भवति तुम्बरम् ॥ १ ॥
यत्र मेषादिराशिस्थस्तत्कालेंदुः प्रजायते ।
ग्रहदृष्टिवशात्सर्वं ज्ञेयं तस्य शुभाशुभम् ॥ २ ॥
त्रिदशो पंचमे धर्मे चतुर्थाष्टमसप्तमे ।
पाददृद्धया निरीक्षन्ते प्रयच्छन्ति तथा फलम् ॥ ३ ॥
ऊर्ध्वदृष्टी च भौमार्कौ केकरो बुधभार्गवौ ।
समदृष्टी च जीवेंदू शनिराहू त्वधोमुखौ ॥ ४ ॥
मेषो वृषो मृगः कन्या कर्कमीनतुलास्तथा ।
आदित्यादिग्रहेषूच्चा नीचा यस्तस्य सप्तमः ॥ ५ ॥
परमोच्चा दिश १० रामा ३ अष्टाविंशास्तिथीन्द्रियाः ।
सप्तविंशास्तथा विंशाः सूर्यादीनां तथांशकाः ॥ ६ ॥
परमोच्चात्परं नीचमर्धचक्रांतसंख्यया ।
नीचस्थानात्क्रमेणोच्च उक्तः सर्वत्र खेचरः ॥ ७ ॥
उच्चान्नीचाच्च यत्तुर्यं समस्थानं तदुच्यते ।
उच्चनीचसमस्थाने चन्द्रं ज्ञात्वा फलं वदेत् ॥ ८ ॥
उच्चस्थाने स्थितं चन्द्रं भौमादित्यौ प्रपश्यतः ।
समस्थाने च गुर्विन्दू नीचस्थं राहुसूर्यजौ ॥ ९ ॥
बुधशुक्रौ त्रिकोणस्थं चन्द्रं तत्कालसंभवम् ।
अन्यत्रस्थं न पश्यंति जात्यधा इव खेचराः ॥ १० ॥
सौम्यदृष्टिस्थिते चन्द्रे सर्वसौख्यं प्रजायते ।
क्रूरदृष्टिस्थिते पुंसां मृत्युर्हानिर्महद्भयम् ॥ ११ ॥
एवं शुभयुते चन्द्रे सर्वसौख्यं प्रजायते ।

क्रूरैः क्रूरफलं तत्र मिश्रैर्मिश्रं न संशयः ।। १२ ।।
रक्तं पीतं सितं कृष्णं चंद्रे वर्ण चतुष्टयम् ।
ज्ञातव्यं च प्रयत्नेन प्रश्नकाले सदा बुधैः ।। १३ ।।
रविर्भौमः सितः सौम्यो गुरुः सौरी शशी तमः ।
वर्गेशा अकवर्गाद्यो ग्रहा ज्ञेया विचक्षणैः ।। १४ ।।
स्यातां रविकुजौ रक्तौ पीतौ जीवबुधौ ग्रहौ ।
शशिशुक्रौ सितौ वर्णौ कृष्णत्वं राहुमन्दयोः ।। १५ ।।
यद्वर्गवर्णगश्चन्द्रस्तस्य स्वामी तु यो ग्रहः ।
तस्य वर्णेन वर्णत्वं शशांकस्य प्रजायते ।। १३ ।।
रक्ते चन्द्रे भवेद्युद्धं कृष्णे मृत्युर्न संशयः ।
पीते शुभं विजानीयात्सिते शुभतरं फलम् ।। १७ ।।

इति दृष्टि तुंबरु चक्रम्

राशि नवांशक तुंबुरु चक्र में तात्कालिक चन्द्रमा से विचार करना चाहिए ।

मेषादिक द्वादश राशियों में चन्द्रमा जहां भी हो उस राशि पर ग्रहों की दृष्टिवश शुभाशुभ फल जानना चाहिए ।

स्वर शास्त्रों में दृष्टि विचार—ग्रह जिस राशि में बैठा हैं वहां से ३,१०,५, ९,४,८, और अपने से सप्तम को क्रमशः = १,२,३, और ४ चरण दृष्टि से देखते हैं और दृष्टि माप से शुभाशुभ फल माप भी समझना चाहिए ।

मंगल सूर्य की ऊर्ध्व दृष्टि बुध-शुक्र की तिरछी दृष्टि और गुरू,शनि की सम दृष्टि एवं शनि राहु की अधो (नीचे की) दृष्टि होती हैं ।

जातक शास्त्रों के अनुसार मेष, वृष, मकर, कन्या,कर्क, मीन, और तुला इन राशियों में सूर्यादिक ग्रहों की उच्च राशियाँ होती है । और क्रमशः १०,३,२८,१५,५,२७ और २० अंश ये सूर्यादिकों के परम उच्च विन्दु फलित ज्यौ० के अनुसार होते हैं । उच्चात्सप्तमं नीचम प्रसिद्धि है ही ।

उच्च से नीचे छठी राशि पर होता है । यथा सूर्य स्पष्ट जब ०।१०।०।० होता है तो वह परमोच्च में एवं जब ६।१०।०।०" है तब परम नीच में होता है एवं सर्वत्र सभी ग्रहों के उच्च नीच स्थान उक्त प्रकार से समझने चहिए ।

प्रत्येक ग्रह के उच्च या नीच स्थान से चौथा स्थान समस्थान कहा जाता है। जैसे सूर्य का उच्च मेष के १० अंश में है तो मेष से चौथी राशि =३।१० वह सूर्य का सम स्थान एवं सूर्य की नीच राशि=६।१० में तींराशि जोड़ने से ९।१० सूर्य का नीच स्थानीय समस्थान होता है। क्यों कि नीच स्थानीय समस्थान + ६ राशि = ९।१० + ६ = ३।१० नीच यह उच्च स्थानीय सम-स्थान सुस्पष्ट है।

इसी प्रकार सभी ग्रहों की विशेष कर चन्द्रमा की उच्च-नोच समस्थानीय स्थिति समझ कर शुभाशुभ फल कहना चाहिए।

उच्च स्थान गत चन्द्रमा को मंगल और सूर्य देखते हैं समस्थान गत तात्कालिक चन्द्रमा को गुरू और स्थूल चन्द्रमा (पञ्चाङ्गो में तथोक्त) देखते हैं। राहु और शनि नीचंगत चन्द्रमा को देखते हैं।

बुध,शुक्र अपने मूल त्रिकोणगत (वृषस्थ चन्द्रमा) को देखते हैं। उक्त स्थानों से अतिरिक्त स्थानगत तात्काल चन्द्रमा के ऊपर ग्रहों कीं दृष्टि नही होती। (जन्माध की तरह) शुभग्रह दृष्टिगत चन्द्रमा से मृत्यु और हानि का भय रहता है। शुभ पाप दोनों से दृष्टि सम्बन्धित चन्द्रमा से शुभ और अशुभ भी दोनों होते है।

चन्द्रमा के ग्रह सम्बन्ध से रक्त, पीत, श्वेत और कृष्ण चार वर्ण हो जाते हैं।

अ वर्गादिकों के स्वामी ग्रह—अ इ उ······अ वर्ग के स्वामी सूर्य

क ख ग घ ङ—क वर्ग ,, ,, मंगल

च छ ज झ ञ—च वर्ग ,, ,, शुक्र

ट ठ ड ढ ण—ट वर्ग ,, ,, बुध

त थ द घ न—त बर्ग ,, ,, गुरु

प फ ब भ म—प वर्ग ,, ,, शनि

य र ल व- —य वर्ग ,, ,, चन्द्र

श ष स ह —श वर्ग ,, ,, राहु

होते हैं।

तथा मंगल सूर्य का रक्त वर्ण, गुरु बुध का पीत वर्ण, चन्द्र शुक्र का श्वेत वर्ण और राहु शनि का कृष्ण वर्ण होता है।

अ क च ट आदि जिस वर्गाकार में चन्द्रमा हो, उस वर्ग के अधिपति जो ग्रह हो और उस ग्रह का जैसा पूर्व में रक्तश्वेत पीतादि वर्ण कहा है उसी से चन्द्रमा के वर्ण का समन्वय करना चाहिए।

रक्त वर्णगत चन्द्रमा से युद्ध, कृष्ण वर्णगत चन्द्रमा से मृत्यु होती है। पीत वर्ण गत चन्द्रमा से शुभ फल और श्वेत वर्ण गत चन्द्रमा से अत्यन्त शुभ फल होता है। १....१७।

अथ राशितुम्बरुचक्रम्

राशिचक्रं प्रवक्ष्यामि नृपाणां हितकाम्यया।
रविर्जीवस्तथा सौम्यस्तैश्चन्द्रे च समागते।
जलपातो भवेत्सत्यमित्युक्तं विष्णुयामले ॥ १ ॥
रविर्जीवस्तथा शुक्रस्तैश्चन्द्रे च समागते।
वायुपातो भवेत्सत्यमित्युक्तं विष्णुयामले ॥ २ ॥
रविर्जीवस्तथा सौरिस्तैश्चन्द्रे च समागते।
अग्निपातो भवेत्सत्यमित्युक्तं शक्तियामले ॥ ३ ॥
रविर्भौमस्तथा राहुस्तैश्चन्द्रे च समागते।
लोहपातो भवेद्घोरं इत्युक्तं रुद्रयामले ॥ ४ ॥
रवि राहुस्तथा केतुस्तैश्चन्द्रे च समागते।
पाषाणपातोऽपिभवेदित्युक्तं भानुयामले ॥ ५ ॥

इति राशि तुम्बरु चक्रम्

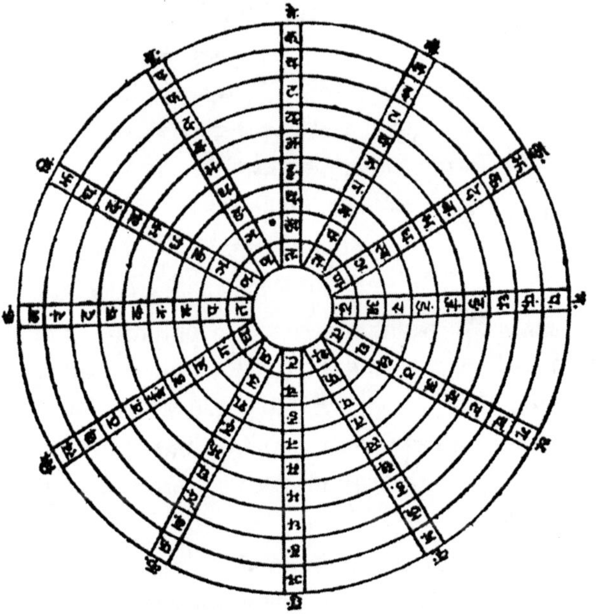

राष्ट्र हित कामनया राशि तुम्बुरु नामक चक्र से विचार किया जाता है। प्रश्नकालिक चन्द्रमा अर्थात् तात्कालिक चन्द्रमा का योग सूर्य-गुरु और बुध के साथ होने से निश्चय है वृष्टि होती है। जो विष्णु यामल ग्रन्थ का कथन है। रवि गुरु और शुक्र का तात्कालिक चन्द्रमा से योग होने से प्रबल वायु प्रवाह होता है।

सूर्य,गुरु और शनि का तात्कालिक चन्द्रमा से योग होने से निश्चयेन अग्नि-भय होता है। ('गौरी जातक के कथन) सूर्य-मंगल और राहु का तात्कालिक चन्द्रमा के साथ का योग घोर लोह पात होता हैं तथा सूर्य यामल ग्रन्थानुसार रवि, राहु और केतु का तात्कालिक चन्द्र से योग होने से पत्थर (ओले) वृष्टि होती है। १....५।

अथ नाम साधनम्

प्रथमे नवमे वेधो द्वितीये सप्तमे तथा ।
तृतीये पञ्चमे वेधो राशो षष्ठचतुर्थके ।। १ ।।
पञ्चमे पञ्चमे राशौ द्रेष्काणे च नवांशके ।
पंक्तियुक्तया लिखेद्वर्णान्संख्ययाऽष्टोत्तरं शतम् ।। २ ।।
सर्पाकारो भवेद्वेधस्तेन नामानि साधयेत् ।। ३ ।।

इति नाम साधनन्

नाम साधनम

द्रेष्काग और नवमांश का परस्पर वेध देखना चाहिए । प्रथम नवम, द्वितीय सप्तम ,तृतीय पच्चम, चतुर्थ और षस्ठस्थ रेखाओं में परस्पर वेध होता है । अर्थात् पाचवीं से पाचवीं राशियों में वेध होता है ।

आगे के चक्र देखने से स्पष्ट होगा । १०८ वर्णो को चक्र में लिखने से सर्पाकार वेध समझ कर चक्रस्थ वर्णो के संयोग से चोर का नाम स्पष्ट होता है ।। १''''३ ।

अथान्यत्सम्प्रवक्ष्यामि तत्कालेन्दुपरिस्फुटम् ।
येन विज्ञायते सर्वं त्रैलोक्यं सचराचरम् ।। १ ।।
लाभालाभौ सुखं दुःख जीवितं मरणं तथा ।
जयं पराजयं सन्धि समागमविनिर्णयः ।। २ ।।
लूका चिन्ता तथा मुष्टी राजावस्थादिकौतुकम् ।
एतत्सर्वं तथा चान्यज्ज्ञायते च परिस्फुटम् ।। ३ ।।
शिलतलेऽम्बुसंशुद्धे वज्रलेपे समेऽथ वा ।
स्वबुद्ध्या समभूम्यां वा स्फुरत्यत्र यथामतिः ।। ४ ।।
क्रियते वलयाकारं चक्रं कर्कटकेन च ।
विभागः परिधौ पश्चात् क्रियते राशिमानतः ।। ५ ।।
कुर्यात्तेषु समं भागं नवधा नवधा पुनः ।
एवं कृते भवन्तीह शतमष्टाधिकं गृहाः ।। ६ ।।

द्वादशारं भवेच्चक्रं मेषादिद्वादशान्वितम् ।
अस्वराद्याः स्वरा देया राशिवेधा भवन्त्यमी ॥ ७ ॥
प्रस्तारचक्रलिखितान् वर्णान् राशि-नवांशकात् ।
अन्योन्यं वेधयेद्वर्णान् सुमती रज्जुरेखया ॥ ८ ॥

तात्कालिक चन्द्र स्पष्ट ज्ञान के अनुसार फलादेश विचारा जा रहा है जिससे लोक में चराचर, अदृश्य और दृश्य वस्तु का ज्ञान किया जा सकता है ।

आय, व्यय, हर्ष-शोक, सुख-दुःख, जन्म-मृत्यु युद्ध में जय-, पराजय, सन्धि-समागम का निर्णय गुप्त चिन्ता, मुष्टिगत द्रव्य ज्ञान, राजा की कौतुक और चिन्ताआदि शुभाशुभ अवस्था अनेक विषयों का ज्ञान तत्काल चन्द्र स्थिति चक्र में यत्र तत्र जहाँ हो उसके द्वारा हो जाता हैं ।

स्वबुद्धि से तथा जैसा चक्र यहां बनाया गया है वैसा यथेष्ट समय में चक्र बना कर विचार करना चाहिए ।

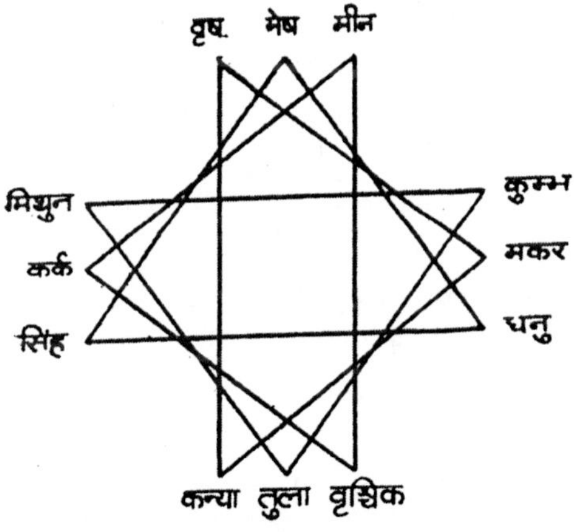

१२राशियों से १२ × ९=१०८ अंशों से चक्र का निर्माण करना चाहिए। अवर्गादि अकारों के विन्यास से वेध विचार करना चाहिए ॥१···८॥

एकद्वित्र्यादिकानंकांल्लिखेद्वर्णानपि क्रमात्
प्रथमे नवमे वेधो द्वितीये सप्तमे तथा ॥ ९ ॥
तृतीये पञ्चमे राशौ राशौ षष्ठचतुर्थके ।
पञ्चमे पञ्चमे राशौ द्रेष्काणे च नवांशके ॥ १० ॥
अजवृषमिथुनकुलीराः पञ्चमनवमैः सहेन्द्राद्याः ।
त्रिकोणराशयः प्रोक्ता मेषसिंहहयादिभि ॥ ११ ॥
आद्य १ द्वि २ वह्नि ३ तुर्यां शा
४ नवा ९ ष्ट नग ७ ष ण्मिषः ।
वेधयन्तस्त्रिकोणे तु पञ्चमं पञ्चमोंऽशकः ॥ १२ ॥
द्रेष्काणेऽप्यंशवेधोऽयं रज्जौ मुरजबन्धने ।
तुम्बुरे तुम्बुरावर्ते विज्ञेयः स्वरपारगैः ॥ १३ ॥
प्रथमेन तृतीयं तु तृतीयेनादिमं तथा ।
त्रिकोणे वेध्यतेऽन्योन्यं द्वितीयं सससप्तके ॥ १४ ॥
आद्यतृतीयौ द्रेष्काणौ वेधयन्तौ परस्परम ।
त्रिकोणे च द्वितोऽपि द्वितयं पमसप्तके ॥ १५ ॥

जैसा चक्र में प्रत्येक राशि १, २, ३, ४, ५, ६, ७, ८, ९, अंकों का परस्पर नवांश वेध होता है ।

मेष राशि का अपनी पाचवीं राशि सिंह के साथ एवं नवम राशि धनु के साथ वेध होता है ।

तथैव मेष के प्रथम नवांश का सिंह के नवम नवमाश सें वेध होता है । और स्पस्टतया मेष के द्वितीय नवांश का सिंह के ८ वें नवांश के साथ वेध होता है । मेप के द्वितीय सिंह के ८ वें के साथ अर्थात् मेष राशि की द्वितीय नवांश वृष का सिंह की ८ वीं नवांश वृश्चिक रासि से सप्तम अर्थात् द्वितीय सप्तम वेध होता है । एवं तृतीय-पञ्चम, चतुर्थ-अष्टम अर्थात् १, २, ३, ४, का क्रमशः ९, ८, ७, ६, नव श के साथ परस्पर वेध होता है । इसी प्रकार द्रेष्काण वेध पर भी विचार करना चाहिए ।

रज्जु, तुम्बुरु और तुम्बुरावर्त्त चक्रों से भी एसी प्रकार वेध का विचार

करना चाहिए ।

प्रथमः पञ्चदशमेऽन्योन्यं पञ्चमपूर्वयोः ।
नवमादिमयो राश्योस्तृतीयश्च त्रिविंशतिः ॥ १६ ॥
द्वितीयैकोनविंशौ च द्रेष्काणौ समसप्तके ।
द्रेष्काणबन्धवेधोऽयं कथितश्चादियामले ॥ १७ ॥
द्रेष्काणवेधः षट्त्रिंशदष्टोत्तरशताक्षरैः ।
चन्द्रवेधेन विज्ञेयं चौरनाम स्फुटं भवेत् ॥ १८ ॥
राज्ञो मनः स्त्रीशयनासनेषु स्वप्नाद्यवस्था रसभोजनेषु ।
नपुंसकस्त्रीपुरुषाभिधाते चौरास्य नष्टस्य च चिंतितस्य ॥ १९ ॥
मूकस्य मुष्टेर्हृदयस्थितस्य धात्वादियोनित्रितयस्य नाम ।
परोक्षमंत्रस्य महीपतीनां नामानि मुद्रालिखनस्य चापि ॥ २० ॥
द्रेष्काणवृद्ध्या प्रवदंति नाम त्रिपंचसप्ताक्षरमोजराशौ ।
तदन्यराशौ द्विचतुर्थषष्ठे नामाक्षरं वै द्वितनौ द्विनाम ॥ २१ ॥

प्रथम द्रष्काण का १५वें द्रेष्काण से अर्थात् प्रथम राशि के द्रेष्काणों का पञ्चम राशि द्रेष्काणों के साथ वेध होता है ।

इसी प्रकार तृतीय और २३ अंश व द्रेष्काणों से वेध होता है । द्वितीय का १९ वीं से वेध होता है ।

जैसे मेष के ७, ८, ९, नवमांशों में तृतीय द्रेष्काण होना स्पष्ट है, एवं धनू राशि के प्रथम द्वितीय एवं तृतीय नवमांशों में प्रथम द्रेष्काण होने से इनका परस्पर वेध होने से प्रथम द्रेष्काण का तृतीय द्रेष्काण से वेध होता है । जो सुस्पष्ट है ।

तथैव प्रथम राशि का नवम राशि के तीसरे एवं २३ नवांश वेध होगा ही । ऐसे ही चक्रों को देख कर सर्वत्र समझना चाहिए ।

नवमांश और द्रेष्काण वेधों के मिलान का नाम मुरज वेध (चर्म की रस्सी) कहा गया है ।

१२ राशियों के ३६ द्रेष्काण और १०८ नवमांश अतः १०८ ÷ ३६ = एक राशि में ३ द्रेष्काण सटीक ठीक होते हैं ।

तात्कालिक चन्द्र स्पष्ट की राशि नवांश और द्रेष्काण को सम्यक् स्मृति पथ में रख कर विचार करना चाहिए। तभी गत या नष्ट वस्तु की जानकारी में "चोर" (तस्कर) का नाम स्पस्ट हो जावेगा ।

राजा की मनोवृत्ति, स्त्रीशयन स्वप्नादि अवस्था में षड्स भोजन पदार्थों के नाम, नपुसंक स्त्री-पुरुष के चिन्ह ज्ञान विचार, चोरी गई, नष्ट हो गई, वस्तु के विचार के समय मुष्टि गत पदार्थ ज्ञान एवं मूक प्रश्न के समय हृदय गतवायु विचार, मूल धातु जीव आदि ज्ञान के समय, राजसभा के परोक्ष मन्त्रणा के समय के साथ मुद्रा (सिक्क) आदि के लेखन समय में उक्त चक्र विधि का सदुपयोग स्वरशास्त्रज्ञ दैवज्ञों द्वारा किया जाता है ।

विषम राशिगत चन्द्रमा का द्रेष्काण क्रम से ३, या ५' या ७ अक्षर का चोर का नाम होता है, अर्थात् विषम राशि के विषम नवांश गत और विषम द्रेष्काण गत चन्द्रमा से प्रथम द्रेष्काण में चोर का नाम ३ अक्षरों, का दूसरे द्रेष्काण में ५ अक्षरों एवं तीसरे द्रेष्काणगत चन्द्रमा से ७ अक्षर का चोर का नाम होता है। यदि, समराशिस्थ सम नवांश द्रेष्काण गत चन्द्र होने से, २, ४, एवं ६ अक्षरों का चोर का नाम होना चाहिए।

द्विस्वचभाव रशिगत चन्द्र से चोर के दो नाम होते हैं । १६''''२१ ।

वर्गोत्तमात्मीयनवांशराशौ नवांशनाथे द्विगुणो हि वर्णः ।
वक्रोच्चसंस्थे त्रियुणो ग्रहस्य त्रिघ्नोऽसकृद्दिद्वित्रिगुणस्वप्राप्ते ।। २२ ।।
नीचास्तसंस्थस्य नवांशपस्य वर्णस्य लाभेऽपि वदंति हानिम् ।
नामादिवर्णः परिपाटिलब्धैस्त्रि ३ पंच ५सप्त ७ द्वि २ चतुर्थ ४ षष्ठैः६
द्व्यक्षरं समचरांशकोदये त्र्यक्षरं विषमराशिसंस्थिते ।
नाम चास्य चतुरक्षरस्थिरे निश्चयादसमके षडक्षरम् ।। २४ ।।
आद्ये द्वितीये त्रिचतुःपवेषु वर्णा क्रमेणैव नियोजनीयाः ।
विलग्नतोयास्तनभःस्थलेभ्यः प्राप्ता यथानामनि दैवविद्भिः ।। २५ ।।

नवांश स्वामी के अपनी वर्गोत्तम राशिगत स्थिति में उक्त नाम चोर के द्विगुणित अक्षरों से भी सम्बन्धित हो सकते हैं। एवं वर्गोत्तमादि द्रेष्काणादि से

त्रिगुणित नाम होने चाहिए। द्विगुणित एवं त्रिगुणित की प्राप्ति में चोर का त्रिगुणित अक्षर सम्बन्धि नाम होता है।

वर्गोत्तमादि नवांश गत स्थिति में द्विगुणित अक्षर या क्+क्....कक्कड़—ऐसा भी समझा जाना चाहिए।

सम	राशिगत चर	नवांश में—चोर का नाम		२ अक्षर	का
विषम	,,	,,	,,	३	,,
समराशिगत स्थिर		,,	,,	४	,,
स्थिर राशिगत सम		,,	,,	६	,,

इसी प्रकार विषम द्विस्वभाव राशि चर नवांश में चोर के नाम में ५ अक्षर के दो नाम भी हो सकते हैं। इसी प्रकार विषम द्विस्वभाव राशि चर नवांश में चोरके नाम में चार अक्षर के दो नाम। इसी प्रकार विषम द्विस्वभाव राशिगत सम नवांश में ६ अक्षर के चोर के दो नाम होते हैं।

लग्नराशि से प्राप्त वर्ण को नामादि वर्ण, लग्न से चतुर्थ स्थानीय राशि से प्राप्त वर्ण को नाम का द्वितीय अक्षर, लग्न के सप्तम से प्राप्त वर्ण को नाम का तीसरा अक्षर, और लग्न से दशम स्थानीय राशि वश प्राप्त वर्ण को चोर के नाम का चौथा अक्षर समझना चाहिए। २२...२५।

क्रूरक्षेत्रगते चन्द्रे विद्याच्चोरस्य सम्भवः।
अवेधे सौम्यवेधे च नष्टं चौरविवर्जितम् ॥ २६ ॥
यत्संख्याः खेचराः क्रूराश्चन्द्रवेधे व्यवस्थिताः।
तत्संख्यास्तस्करा ज्ञेयाः सहायाश्चान्तराक्षरं ॥ २७ ॥
रूपं द्रेष्काणरूपेण तस्करस्य प्रजायते।
द्रेष्काणक्रमतो ज्ञेयाः कृशमध्यबलाधिकाः ॥ २८ ॥
पंक्तियुक्त्या लिखेद्वर्णान संख्ययाऽष्टोत्तरंशतम्।
सर्पाकारो भवेद्वेधस्तेन नामानि साधयेत् ॥ २९ ॥
उदयास्तमये द्रव्यं चौरनाम रसातले।
दशमे च धनस्याममेवं नामत्रयं भवेत् ॥ ३० ॥
वर्गांशकात्तु भूमानमष्टहस्तनिवर्त्तनम्।

अर्धक्रोशं तथा क्रोशं त्रिक्रोशं योजनादिकम् ।। ३१ ।।
वर्ष्डाहः पक्षमासर्त्तुषण्मासाब्दाः शुभाधिके ।
वर्गाक्षरगते चन्द्रे वर्णाश्चैकान्तरक्रमात् ।
यदुक्तं पुस्तकेन्द्रेण ज्ञानं तत्कालचन्द्रतः ।। ३२ ।।
एतत्सर्वं मयाख्यातमवस्थादिपरिस्फुटम् ।
येन ज्ञानेन सर्वाणि सत्यतां यान्ति भूतले ।
तत्कालचन्द्रजं ज्ञानं भणितं जनहेतवे ।। ३३ ।।

इति प्रथम परिच्छेदस्तुम्बुरावर्ते ।।

वस्तु चुराई गई है या गायब हो गई है—

चन्द्र राशि नवांश, द्रेष्काण गत प्रबल ग्रह का राशीश्वर ग्रह के वर्ण के अनुसार यदि क्रूर ग्रह का वर्ण होता है तो समझना चाहिए उस वस्तु को चोर ने ही चुराया है।

मुक्त चन्द्र पर क्रूर और शुभ ग्रह का वेध नहीं हो या केवल शुभ ग्रह का ही वेध होता हो तो भी क्रूर ग्रह के अक्षर गत होते हुए भी उस वस्तु को चोर ने नहीं चुराया है, ऐसा समझना चाहिए।

चन्द्रमा पर वेध करने वाले क्रूर ग्रहों की संख्या के तुल्य चोर के अन्य संरक्षक होते हैं।

चन्द्र राशि और वेध करने वाले क्रूर ग्रह की राश्यन्तरों की संख्या तुल्य सहायक चोरों की संख्या होती है।

द्रेष्काण राशि के वर्णादि के अनुसार चोर का रूप, रंग, कृशता, पुष्टता आदि समझनी चाहिए।

लग्न व सप्तम में जितने नवांश वर्णों पर चन्द्र का वेध होता है तदनुसार ही चोरी गई वस्तु का नामादि समझना चाहिए।

चर लग्न से चारों केन्द्रों की चर राशियों से लग्न सप्तमस्थ राशियों से चोरी गई वस्तु का नाम विचारना चाहिए तथा दशमस्थ राशि के नवांशों में जिन पर चन्द्रमा के वेध होता है उस आधार से चोरी गई वस्तु का स्थान कहां है? ऐसा विचार करना चाहिए।

जैसा यदि मेष के प्रथम नवांश में चन्द्रमा हो तो चर राशियों, मेष, कर्क, तुला और मकर के क, प, च, और य वर्ण चोर के नाम समझे जा सकते हैं।

चन्द्रमा जिस वर्ग के वर्ण में गया हो, उस वर्ण के काल के अनुसार प्राप्त समय का ज्ञान करना चाहिए। अर्थात् अ वर्ग हो तो १ दिन, क वर्ग से १ पक्ष च वर्ग से १ महीना ट वर्ग से ऋतु (७२) दिन प वर्ग से ६ महीना (अयन) और य वर्ग से १ वर्ष तथा अनुक्तोऽपि कालो स्वयं विचार्यः' से श वर्ग से बहुत दीर्घ लम्बा समय समझना चाहिए।

क्रूर ग्रह से युत-दृष्ट चन्द्रमा से वस्तु की प्राप्ति संभव नहीं होती। शुभाधिक्य दृष्ट युत चन्द्रमा से वस्तु प्राप्ति का संभव होता है।

चन्द्र नवांश द्रेष्काणादि वर्ग के अंशो के अनुसार मूलस्थान जहाँ से वस्तु का विनाश या चोरी हुई है, वहाँ से ८ हाथ की दूरी पर, १४४ वर्ग फीट भूमि के भीतर आधा क्रोश (लगभग २½ मील की दूरी) पर, १ क्रोश की दूरी २ क्रोश, एवं एक योजन = लगभग ४ क्रोश प्रायः ४×५=२० मील की दूरी पर नष्ट वस्तु है" विचार कर ऐसा कहना चाहिए। २६···३३।

अश्विन्यादीन्दुभुक्तानि भानि षष्टिहतानि च।
स्वभुक्तनाडीसंयुक्तं द्विघ्नं नन्दयुतं त्रिधा।
दिनेन्दोर्भुक्तभागादि जायते चेष्टकालिका ॥ १ ॥
दिनेन्दुभुक्तभागादि जायते चेष्टकालिकः।
उदयादिष्टनाड्यस्तु षड्गुणास्तत्र योजयेत्।
त्रिशद्भागाप्तराश्यादिश्चन्द्रस्तत्कालसम्भवः ॥ २ ॥
शशाङ्कवत्सर्वखेटान् कुर्यात्तत्कालसम्भवान्।
तत्कालराशिनक्षत्रे द्रेष्काणे च नवांशके ॥ ३ ॥

तात्कालिक चन्द्र स्पष्टीकरण विधि—

प्रश्न समय में चन्द्रमा की भुक्त नक्षत्र संख्या को ६० से गुणा कर उसमें वर्त्तमान नक्षत्र का भयात जोड़ने से जो प्राप्त हो उसमें ९ भाग देने से लब्ध तीन अवयवो में तात्कालिक चन्द्रमा के अंश कला एवं विकला हो जाते हैं।

सूर्योदयात् जो इष्टकाल उसे ६ से गुणा कर अंश स्थानीय अंक में ३० से

भाग देने से तात्कालिक चन्द्रमा का राश्यादिक नवांश हो जाता है।

इसी प्रकार चौरादि नष्ट वस्तु ज्ञान के लिए अन्य ग्रहों का भी तात्कालिकीकरण परमावश्यक है। जैसे चन्द्रमा का भयात गभोग घटयात्मक होता है तथैव उस उस ग्रह की वर्त्तमान नक्षत्र स्थिति प्रवेश से समाप्ति पर्यन्त मासीय दिनीय दिन घटिकादि संख्या तुल्य भभोग एवं गत नक्षत्र समाप्ति समय से वर्त्तमान नक्षत्र विभागीय स्थिति के वर्ष मास दिन घटिकादि के तुल्य उस ग्रह का वर्त्तमान नक्षत्र अन्य भयात होगा जो गणित सिद्ध है। १....३।

एताश्च द्वादशावस्था शशाङ्कस्य दिने दिने।
शुभाशुभेषु कार्येषु फलं नामानुसारतः ॥ ४ ॥
तथोत्तरबलाऽवस्था राशिद्रेष्काणनांशकाः।
तस्मात्सर्वंप्रयत्नेन भागावस्थां निरीक्षयेत् ॥ ५ ॥
नवांशका अमी भव्या हयकर्कितुलाझषाः।
वृषसिंहोक्षवा मध्याः शेषाः स्युर्मृत्युदायकाः ॥ ६ ॥
स्वक्षेत्रे स्वांशकावस्था शुभदृष्टोऽथवा युता।
शुभमध्यगतश्चन्द्रः सर्वकार्येषु शोभनः ॥ ७ ॥
शत्रुक्षेत्रांशनीचस्थः क्रूरदृष्टोऽथवा युतः।
क्रूरमध्यगतश्चन्द्रः स च हानिकरः स्मृतः ॥ ८ ॥
लग्नाम्बुसप्तमध्यस्थो भवेत्क्रूरग्रहो विधोः।
आत्मनो बन्धुवर्गस्य जायायाः कर्मणः क्रमात्।
विनाशो जायते शीघ्रं तद्वेलाकर्मकारकः ॥ ९ ॥
एवं शुभग्रहश्चन्द्राद्यदा भवति केन्द्रगः।
आत्मबन्धुकलत्राणां कर्मणश्च तदा जयः ॥ १० ॥
षष्ठा ६ ष्ठ ८ मांश १२ गाः सौम्याः
पापाः केन्द्रान्त्यवित्तगाः ॥ १ ॥ ४।७।१०।१२ ।२॥
चन्द्रात्प्रयत्नतस्त्याज्या अन्यत्रैव तु शोभनाः ॥ ११ ॥

तात्कालिक चन्द्र स्पष्ट का उदाहरण—सं. २०३८ ता० ३-९-१९८१ भाद्र शुक्ल पञ्चमी गुरुवार को हरि हर्ष निकेतन १।२८ नगवा काशी में प्रश्न

समय दिन के १.४५ p.m. का है। सूर्योदय से ५.४१ से १.४५ p.m तक ८ घण्टा ४ मि ×$\frac{5}{2}$=२० घटी १० पल के तुल्य इष्ट काल है।

स्वाती भभोग = ६६।१५ भयात = २६।२२ होता है। चन्द्रमा की भुक्त नक्षत्र संख्या चित्रा =१४ को ६० से गुणा करने से ८४० इसमें स्वाति भयात २६।२२ जोड़ने से ८६६।२२ को २ से गुणा करने से १७३२।४४ होता है। अतः १७३२।४४÷९, १९२।३१।३३ अंशात्मक लब्धि (२०।१०) ६=१२१।० अतः १९२।३१।३३+१२१।०=३१३।३१।३३ अतः ३१३।३१।३३÷३०=१०। २७।३.... यही तात्कालिक चन्द्रमा होता है। अर्थात् दैनन्दिनीय चन्द्रमा तुला राशि का है तो उसी दिन इष्ट समय में चन्द्रमा कुम्भ राशि का हो गया है।

इस साधन से तात्कालिक चन्द्रमा होता है किन्तु श्लोक ४में चन्द्रमा की१२ अवस्थाओं का उल्लेख किया गया है? अतः मूल में कुछ संशय मालूम पड़ता है।

यतः षष्टिघ्न गतभम् (चन्द्र नक्षत्र)भुक्तघटी युतम् युगाहतं शराब्धिहृल्लब्ध तोऽर्कं शेषेऽवस्थाः क्रियाद्विधोः। उक्त उदाहरण से, १४×६०=८४०, ८४०+ २६।२२=८६६।२२,८६६।२२×४=३४६४।८८=३४६५।२८, ३४६५।२८÷४५ =७ वीं गत अवस्था हुई वर्त्तमान के लिए लब्धि में एक जोड़ने से चन्द्रमा की वर्त्तमान ७+१=८ वीं अवस्था होती है। इस प्रकार मुहूर्त्त ग्रन्थों में चन्द्रमा की १२ अवस्था क्रमशः, (१) प्रवास, (२) नाश, (३) मरण, (४) जय, (५) हास्य, (६) रति, (७) क्रीड़ित, (८)सुप्त, (९) भुक्त, (१९) ज्वर, (११) कम्प और १२ वीं अवस्था का नाम स्थिर होता है।

यहां पर भी इस प्रकार इष्ट समय की अवस्था के ज्ञान पूर्वक शुभाशुभ फल विचार की विवेचना आर्चाय ने की है। चन्द्र राशि द्रेष्काण नवांश तथा चन्द्र अवस्था के आधार से भी चन्द्रमा का बलाबल देखा गया है।

धनु कर्क तुला और मीन नवांश गत चन्द्रमा श्रेष्ठ होता है। वृष, सिंह का मध्य, शेष नवांश गत चन्द्रमा को अशुभ कहा है। स्वक्षेत्र शुभ नवांश गत चन्द्रमा पर शुभ ग्रह का योग दृष्टि है और अवस्था भी शुभद हो तो शुभ फल कहना ही चाहिए। अशुभ ग्रह राशि नवांश गत चन्द्र पर क्रूर ग्रह की दृष्टि-योग से भी अवस्था अशुभ हो जाती है। चंद्र से १।४।७।१० स्थानगत क्रूर

ग्रह से स्वकीय, स्त्री, बन्धु के सभी कार्यों की क्षति होती है।

यदि चन्द्रमा से केन्द्र गत शुभ ग्रह है तो स्वयं को, स्त्री बन्धु वर्ग आदि सभी के कार्य वर्धमान होते हैं।

चन्द्रात् ६-८-१२, स्थानीय शुभ ग्रह एवं १।४।७।१०।२ स्थानीय अशुभ ग्रह स्थिति में कोई भी नया कार्य नहीं करना चाहिए। तदरिक्त के स्थानीय चन्द्र में कार्यारम्भ श्रेयप्रद होते हैं ॥ ४''' ११ ॥

चरराश्यंशके चन्द्रे यात्रा भवति निश्चितम्।
स्थिरेषु तु भवेन्नैव द्विःस्वभावे विलम्बता ॥ १२ ॥
नवांशकक्रमेणैव ज्ञेया अक्षरजा ग्रहाः।
तैश्च चन्द्राक्षरं विद्धं रज्जुवेधे निरीक्षयेत् ॥ १३ ॥
राशिद्रेष्काणधिष्ण्येंऽशे यस्य यस्याक्षरे स्थितिः।
तस्य तस्य फलं वक्ष्ये शशिना रज्जुवेधतः ॥ १४ ॥
राशितोऽत्र दिशो ज्ञेया नक्षत्रात्स्थाननिर्णयः।
द्रेष्काणैस्तस्करा ज्ञेया द्रव्यनाम नवांशकात् ॥ १५ ॥
मूलमाग्नेयपितृभे द्विदैवतयमाह्वयम्।
पूर्वात्रयं च नवकमधोमुखमिदं स्मृतम् ॥ १६ ॥
पुष्यार्द्रा श्रवणो ब्रह्मा वसुभं शतभं तथा।
उत्तरात्रितयं चैव ऊर्ध्वमास्यं नवकं त्विदम् ॥ १७ ॥
पुनर्वसुमृगशिरः सार्पदैवतकं तथा।
हस्तादीनि षडृक्षाणि तिर्यक्पश्यन्ति सर्वदा ॥ १८ ॥
कृष्णः पुमान् रक्तनेत्रो रौद्रः परशुशस्त्रभृत्।
प्रथमः स्त्री दीर्घमुखी लोहिताम्बरधारिणी।
स्थूलोदरैकपादा च द्वितीयः समुदाहृतः ॥ १९ ॥
मेषस्य पुरुषः क्रूरः कपिलो वसुरूपधृक्।
दण्डहस्ता तृतीयस्तु द्रेष्काणः कथितो बुधैः ॥ २० ॥
कुञ्चितः कचकेशा स्त्री स्थूलोदरसमन्विता।
दीर्घपादा वृषस्याद्यो द्वितीयः पुरुषाकृतिः ॥ २१ ॥

कलाविद्वेदशकटकर्मणां कुशली स्मृतः ।
बृहत्कायस्तृतीयस्तु बृहत्पादो नर स्मृतः ॥ २२ ॥
स्त्रीरूपं मिथुनस्याद्यो रूपयौवनशालिनी ।
नित्यं रजस्वला वन्ध्यालङ्कारेण कृतादरा ॥ २६ ॥
उद्यानस्थः पुमान् धन्वी द्वितीयः कवची स्मृतः ।
पुमास्तृतीयो धन्वी च रत्नभूषणभूषितः ॥ २४ ॥
कर्काद्यः पुरुषो हस्ती सूकरस्य मुखः स्मृतः ।
मध्यस्त्री यौवनोपेता सामर्षारण्यसंस्थिता ॥ २५ ॥
सर्पास्यश्च तृतीयस्तु पुरुषः सर्पचेष्टितः ।
सुवर्णाभरणो नौस्थद्रेष्काणः कथितो बुधैः ॥ २६ ॥
सिंहाद्यः श्वा जम्बुकास्योगृध्रास्यो शाल्मलीतरौ ।
द्वितीयः पुरुषो धन्वी नतनासः स्मृतो बुधैः ।
नरकूर्चो तृतीयस्तु चण्डकुञ्चितमूर्धजः ॥ २७ ॥
गुरोः कुलं वांछति कन्यका स्त्री कन्या दृकाणः प्रथमः प्रदिष्टः ।
पुष्यप्रपूर्णेन घटेन पिष्ट्वा नीलाम्बरं वं मुनिभिः प्रदिष्टः ॥ २८ ॥
श्यामो द्वितीयः पुरुषो दृकाणो विस्तीर्णवस्त्रो धृतलेखनीकः ।
धन्वी तृतीयो युवतिस्तु गौरी देवालये कुम्भदुकूलहस्ता ॥ २९ ॥
तौली तुलायां पुरुषो दृकाणो वीथ्यापणस्थः पुरुषो द्वितीयः ।
कुम्भः करे गृध्रमुखो बिभर्ति कन्दर्पमूर्तिपुरुषस्तृतीयः ॥ ३० ॥

चन्द्र से यात्रा विचार—प्रश्न समय चर राशि व तदंश गत चन्द्र से यात्रा अवश्य होती है, स्थिर राशि स्थिरांशके चन्द्रमा में यात्रा अवरुद्ध हो जाती है। द्विस्वभाव राशि अशं गत चन्द्र से विलम्ब से यात्रा होती है। इन सभी विषयों का रज्जुवेध चक्र के तारतम्य से विचार करना चाहिए। राशि से दिशा नक्षत्र से स्थान निर्णय, द्रेष्काण से चोर का नाम और नवमांश से द्रव्य का निर्णय किया जाता है। ज्योतिष फलित शास्त्रों में ऊर्ध्वा अधो मुखादि नक्षत्रों का समझ लेना चाहिए

१. मेष—१—द्रेष्काणगत चन्द्र से-कृष्ण वर्ण का आदमी, लाल आंखे भीषण

आकृति और फरसाधारी होता है।

२—द्रेस्काणगज चन्द्र से—लम्बे मुख की स्त्री काले कपड़े पेट बड़ा पैर मजबूत

३—क्रूर पुरुष, कपिल वर्ण, बहुरुपी हाथ में दण्ड धारी।

२. इसी प्रकार वृष राशि के तीनों द्रेस्काण का—

१—टेढ़े सिर की बालवाली लम्बा पेट, पैर बड़े।

२—कलाविद, बैलगाड़ी आदि कार्य कुशल :

३—बड़ा शरीर एवं पैर बड़ा।

३. मिथुन—१—युवती रूपवती स्त्री, नित्य रजस्वला, वन्ध्या और आभूषण प्रिया होती है।

२—धनुषधारी पुरुष, वाग वगीचे में रहने वाला होता है।

३—धनुषधारी एवं रत्न आभूठण धारी होता है।

४—कर्क—१—सूअर सूकर समान मुखाकृति

२—कलह से जंगल में रहने वाली स्त्री।

३—सर्प की तरह की चेष्टा, सर्प की मुखाकृतिक सूवर्णकृतिक नाव पर रहता है।

५—सिंह—१—कुत्ते या श्रृगाल या गीध की मुखाकृति, सेमर वृक्ष के पास रहता है।

२—धनुषधारी, नीची नाकका दोता है।

३—टेढ़े शिर का पुरुष हाथ में कूचा धारी, बाल लम्बे।

६—कन्या—१—गुरुकुल की चाह करने वाली कन्या, पुष्प भरे घड़े से पीस कर नील रंग की वस्त्र धारणी होती है।

२—श्याम वर्ण का पुरुष लम्बे कपड़े धारण कर हाथ में कलम लिए होता है।

३—धनुषधारणी स्त्री जो गौरी मन्दिर में घड़ा व वस्त्र के साथ आ रही है।।

७—तुला—१—तराजू धारी पुरूष होता है।

२—मार्ग में व्यापारकर्म प्रिय व्यक्ति

३—हाथ में घड़ा गृद्ध के समान आकृति कामदेव समान शरीर का होता है ॥ १२.....३० ॥

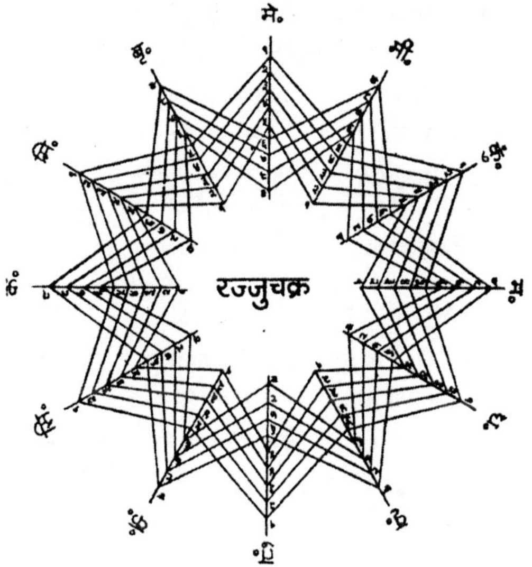

स्थानच्युता सर्पनिबद्धपाला कान्ता विवस्त्रा प्रथमो दृकाणः ।
कीटस्य मध्ये युवती सुरूपा भर्तुक्षता सर्पशरीरयष्टिः ॥
सा वांछति स्थानसुखं तृतीये एता दृकाणश्चिपिटास्ययुक्तः ॥

धनुषः पुरुषो धन्वी प्रथमः स्याद् द्वितीयकः ।
गौरवर्णस्तृतीयस्तु दण्डी कूर्ची बृहत्पुमान् ॥ ३२ ॥

मृगाविभो रोमशगात्रयष्टिः स्थूलद्विजो रौद्रमुखो धनुष्मान ।
द्वियीयकः श्यामललोहवर्णालिङ्कारयुक्ता युवतिर्दृकाणः ॥ ३३ ॥
तृतीयकस्तस्य पुमान् सतूणो धन्वी तथा दीर्घमुखः प्रविष्टः ॥

कुम्भाद्यः पुरुषो गृध्रतुल्यवक्त्रः सकम्बलः ।
मध्यो रक्ताम्बरा जाया श्यामान्त्यो रोमकर्णधृक् ।। ३४ ।।
मीनाद्यः पुरुषो नौस्थः गौराङ्गी वरस्थिता ।
झषस्तृतीयः पुरुषो नग्नः सर्पावृताङ्गकः ।।३५ ।।
इत्यादि स्वयमप्यूह्यं द्रव्यनाम नवांशकात् ।
ग्रहदृष्टिवशाद्वर्णाः संख्या भुक्तिप्रमाणतः ।। ३६ ।।
जीवज्ञशशिभिर्जीवं धातुपातार्किभूसुतैः ।
मूलमादित्यशुक्राभ्यां मिश्रैर्मिश्रं विनिर्दिशेत् ।। ३७ ।।
इति चन्द्रे ग्रहैर्दृष्टे कार्यो द्रव्यस्य निर्णयः ।
बलाधिकेन निर्देशः कर्तव्यो मिश्रिते ग्रहे ।। ३८ ।।
सजीवं जीवचन्द्राभ्यां निर्जीवं बुधवीक्षणात् ।
धाम्याधाम्यं क्रमाद्विद्याद्धातुं पातार्किभूसुतैः ।। ३९ ।।
मूलमादित्यशुक्राभ्यां शुष्काशुष्कक्रमेण च ।
मिश्रं मिश्रैर्वदेद् द्रव्यं तत्कालेन्दुनिरीक्षणात् ।। ४० ।।

८—वृश्चिक—१—नग्न स्त्री, स्थान च्युता सर्प लपेटे होती हैं ।
२—रूपवती स्त्री, पति ताड़ित सर्पाकृति की होती है ।
३—स्थान सुख की चाह भी चिपटे मुखाकृतिक स्त्री ।

९—धनु—१—धनुष धारी पुरुष ।
२—गौर वर्ण का पुरुष ।
३—लम्बे कद का दण्ड और कुन्जा धारी ।

१०—मकर—१—लकड़ी धारी, रोमांचिक, मोटे दांत धनुष धारी, भयंकर आकृति का पुंरुष होता है ।
२—श्याम वर्ण की लोह के आभूषणों से युक्त स्त्री होती है ।
३—धनुष वाण धारी और लम्बे मुख का मानव होता है ।

११—कुम्भ—१—गिद्ध के समान मुख कम्बलधारी पुरुष होता है ।
२—मध्य अंग में रक्त वस्त्र धारिण की हुई श्याम वर्ण की, जिसके कानों में रोम होते हैं ।
३—श्याम वर्ण की स्त्री जिसके कानों में बाल होते हैं ।

१२—मीन—१—नाव में बैठा हुआ मानव होता है।

२—गौर वर्ण की स्त्री होती है।

३—नग्न पुरुष जो सर्प को लपेटे हुए हों।

ग्रह दृष्टि वश द्रव्य का ज्ञान, नवांश से करना चाहिए। १,२,३,४ चरणों की ग्रह दृष्टि वश १,२,३,४ वर्ण कहने चाहिए।

गुरु बुध और चन्द्रमा से मानवादि जीव, राहु भौम शनि सेलौह चांदी सुवर्णादि धातु और सूर्य शुक्र से मूल पदार्थ के द्रव्यादि का निर्णय करना चाहिए। गुरु चन्द्र दृष्टि से सजीव, बुध दृष्टि से निर्जीव और राहु शनि भौम से धाम्या-धाम्या, सूर्य शुक्र से शुष्क व हरा पदार्थ मिश्रित, ग्रह दृष्टि के चन्द्र से मिश्रित फल कहना चाहिए ॥ ३१....४० ॥

द्विपदः स्त्री तुलायुग्मे ६। ७। ३
चापे ९ कुम्भे ११ पदोनितः ॥
बह्वंघ्री मीन १२ कर्का ४ ली ८
शेषेष्विदो चतुष्पदः ॥ ४१ ॥
चतुर्धा द्विपदा ज्ञेया देवनृयक्षराक्षसाः।
एवं मेषादिके चन्द्रे ज्ञातव्यं च भ्रमत्रये ॥ ४२ ॥
मेषसिंहहये देवा वृषस्त्रीमकरे नराः।
नृयुक्तुलाघटे यक्षा कर्कालिझषभे सुराः ॥ ४३ ॥
अपदानेकपादाश्च द्विधा स्थलजलोद्भवाः।
ते च राशिस्वभावेन ज्ञातव्या ये ऽऽगाः पशोः ॥ ४४ ॥
हेमं तारं च ताम्रं च वङ्गं नागारलोहकम्।
रंगं कांस्यं च विज्ञेयं नवांशकक्रमेण च ॥
गुल्मवल्ली तथा कंदं मेषाद्येकैकसंस्थिते ॥ ४५ ॥
पत्रं पुष्पं फलं मूलं त्वचं त्रिंशांशके विधो।
जातिविप्राधिकारी स्त्री अन्त्यजास्तस्कराः क्रमात् ॥ ४६ ॥
सूर्याधिगृहगे चन्द्रे चिन्तितः पुरुषो भवेत्।
सूर्याविवेश्मगे चन्द्रे कुष्ठं लांछनलोहकम् ॥ ४७ ॥

मशकं तिलकस्फोटं चौरस्य च विनिर्दिशेत् ।
गौरोऽतिगौरः श्यामश्च कृष्णो मर्कटसन्निभः ।। ४८ ।।

चन्द्रे त्रिंशांशका वर्णा मानवानां विलोमतः ।
ग्रहदृष्टिकृता वर्णास्ते च वर्णाः पुरोदिताः ।।
ज्ञातव्याः सर्ववस्तूनां मुष्टौ वा चिन्तितेऽपि वा ।। ४९ ।।

इति वेधतुम्बुरावर्ते द्रेष्काणादिज्ञानम् ।

तात्कालिक चन्द्रमा कन्या, तुला और मिथुन नवांश में होने से द्विपदजीव (मनुष्यादि) धनु कुम्भ नवांश से चरण विहीन जीव, कर्क वृश्चिक मीन नवांश गत तात्कालिक चन्द्रमा से बहुत पैर वाला जीव, शेष नवांश गत चन्द्रमा से चारपाद का चतुष्पाद जीव होता है ।

द्विपद=देवता मनुष्य, यक्ष और राक्षस, होते हैं । मेष सिंह धनु नवांश गत चन्द्र से देवता, वृष कन्या मकर नवांश गत चन्द्र से मनुष्य, मिथुन तुला कुम्भ नवांश गत चन्द्रसे यक्ष, कर्क वृश्चिक मीन नवांश गत चन्द्रसें देवता होते है । राशि स्वभावानुसार जलस्थ या स्थलस्थ जीव जो द्विपद या चतुष्पद जैसा हो विचारना चाहिए । नवांश क्रम से सुवर्ण, चांदी ताम्र, वंग, नाग, लोहा, रांगा और कांसा का ज्ञान करना चाहिए । मेषादि तीन राशि वक्ष गुल्म वल्ली और कन्दआदि का ज्ञान करना चाहिए ।

चन्द्रमा के त्रिशांश से पत्र पुष्प फल मूल त्वचादि का ज्ञान करना चाहिए । तथा राशि स्वरुपादि से ब्राह्मण क्षत्रियादि सभी पुरूष अन्त्यजादि का ज्ञान करना चाहिए ।

सूर्यादिक ग्रहों की राशियो में गत चन्द्रमा से, कुष्ठी, लाञ्छन, लोह, मशक तिलक, स्फोट, आदि घाव का विचार करना चाहिए । तथा ग्रह वर्णानुसार, गौर, विशेष गौर, श्याम कृष्ण और वानर के समान वर्ण का ज्ञान करना चाहिए । मुक्तिगत या मूकादि प्रश्न से उक्त तथ्यातथ्य सुनिर्णय करना चाहिए ।। ४१....४९ ।।

अथ अहिबलयचक्रम्

अहिचक्रं प्रवक्ष्यामि यथा सर्वज्ञभाषितम् ।
द्रव्यं शल्यं तथा शून्यं येन जानन्ति साधकाः ॥ १ ॥
निर्धिनवर्तनैकस्थः सम्भ्रान्तो यत्र भूतले ।
तत्र चक्रमिदं स्थाप्यं स्थानद्वारमुखस्थितम् ॥ २ ॥
ऊर्ध्वरेखाष्टकं लेख्यं तिर्यक् पञ्च तथैव च ।
अहिचक्रं भवत्येवमष्टाविंशतिकोष्ठकम् ॥ ३ ॥
तत्र पौष्णाश्वियाम्यर्क्षं कृत्तिकापितृभाग्यकम् ।
उत्तराफाल्गुनी लेख्यं पूर्वपंक्त्यां भसप्तकम् ॥ ४ ॥
अहिर्बुध्न्याजपादर्क्षं शतभं ब्राह्मसार्पभम् ।
पुष्यं हस्तं समालेख्यं द्वितीयां पंक्तिमास्थितम् ॥ ५ ॥
विधिविष्णुर्धनिष्ठाख्यं सौम्यरौद्रपुनर्वसू ।
चित्राभ च तृतीयायां पंक्तौ धिष्ण्यस्य सप्तकम् ॥ ६ ॥
विश्वर्क्षं तोयभं मूलं ज्येष्ठा मैत्रविशाखिके ।
स्वाती पंक्त्यां चतुर्थ्यां च कृत्वा चक्रं विलोकयेत् ॥ ७ ॥
एवं प्रजायते चक्रे प्रस्तारः पन्नगाकृतिः ।
द्वारशाखे मघायाम्ये द्वारस्था कृत्तिका मता ॥ ८ ॥
अश्वीशपूर्वाषाढादित्रिकं पञ्च चतुष्टयम् ।
रेवती पूर्वाभाद्रेंदोर्भाति शेषाणि भास्वतः ॥ ९ ॥
उदयादिगता नाड्यो भग्नाः षष्ट्याप्तशेषके ।
दिनेन्दुभुक्तियुक्तोऽसौ भवेत्तत्कालचन्द्रमाः ॥ १० ॥
चन्द्रवत्साधयेत्सूर्यमृक्षस्थं चेष्टकालिकम् ।
पश्चाद्विलोकयेत्तौ च स्वर्क्षे वा चान्यभे स्थितौ ॥ ११ ॥
चन्द्रऋक्षे यदार्केन्दू तत्रास्ति निश्चितं निधिः ।
भानुऋक्षे स्थितौ तौ चेत्तदा शल्यं च नान्यथा ॥ १२ ॥
स्वस्वभे द्वितयं ज्ञेयं नास्ति किञ्चिद्विपर्यये ।
नवांशकानुमानेन भूमानं तस्य कल्पयेत् ।
स्थितं न लभते द्रव्यं चन्द्रे क्रूरग्रहान्विते ॥ १४ ॥

पुष्टे चन्द्रे भवेन्मुद्रा क्षीणे चन्द्रेऽल्पको निधिः ।
ग्रहदृष्टिवशात्सोपि विज्ञेयो नवधा बुधैः ॥ १५ ॥
हेम तारं च ताम्रारं रत्नं कांस्यायसं त्रपु ।
नागं चन्द्रे विजानीयाद्भास्करादिग्रहेक्षिते ॥ १६ ॥
मिश्रैर्मिश्रं भवेद् द्रव्यं शून्यं दृष्टिविपर्यये ।
सर्वग्रहेक्षिते चन्द्रे निर्विष्टोसौ महानिधिः ॥ १७ ॥
शुभक्षेत्रगते चन्द्रे लाभः स्यान्नात्र संशयः ।
पापक्षेत्रे न लाभो हि विज्ञेयः स्वरपारगैः ॥ १८ ॥
हेम तारं च ताम्रं च पाषाणं मृन्मयायसम् ।
सूर्यादिगृहगे चन्द्रे द्रव्यभाण्डं प्रजायते ॥ १९ ॥
भुक्तराश्यंशमानेन भूमानं कामिकैः करैः ।
नीचे त्विच्छं परं नीचे जलस्थोऽसौ भवेन्निधिः ॥ २० ॥
स्वोच्चस्थे भूर्ध्वगं द्रव्यं नवांशकक्रमेण च ।
परमोच्चे परे तुङ्गे भित्तिस्थमृक्षसंक्रमे ॥ २१ ॥
चन्द्रांशभुक्तमानेन द्रव्यसंख्या विधीयते ।
तस्या दशगुणा वृद्धिः षड्वर्गेबुबलक्रमात् ॥ २२ ॥
अधिष्ठितं भवेद्द्रव्यं यत्र चन्द्रो ग्रहान्वितः ।
तदधिष्ठापको ज्ञेयो भास्करादिग्रहैः क्रमात ॥ २३ ॥
ग्रहो भुखे ग्रहश्चैव क्षेत्रपालं च मातृकाः ।
दीपेशं भीषणं रुद्रं यक्षं नागं विदुः क्रमात् ॥ २४ ॥
ग्रहे होमः प्रकर्तव्यो भुग्वे नारायणीबलिः ।
क्षेत्रपाले सुरामांसं मातृकायां महाबलिः ॥ २५ ॥
दीपेशे दीपजा पूजा भीषणे भीषणार्चनम् ।
रुद्रे च रुद्रजो जाप्यो यक्षे यक्षादिशान्तयः ॥ २६ ॥
नागे नागग्रहाः पूज्या गणनाथेन संयुताः ।
लक्ष्मीधरादितत्त्वानि सर्वकार्येषु पूजयेत् ॥ २७ ॥
एवं कृते विधानेति निधिःसाध्योऽपि सिध्यति ।
निधिप्राप्ता नरा लोके वन्दनीया न संशयः ॥ २८ ॥

भूमिगत द्रव्य ज्ञान के प्रश्न कालिक इष्ट समय से सूक्ष्मानि सूक्ष्म गणित-स्पष्टीकरण अत्यावश्यक है। प्रश्नकालिक २४ घण्टे से न्यूनाधिक या ६० घटी से न्यूनाधिक तिथि के पूर्ण भोग समय को १५ से विभाजित कर शेष-तुल्य उस तिथि से आगे गणना कर प्रश्नकालिक तिथि में सूक्ष्म वर्त्तमान तिथि-का ज्ञान एवं प्रश्नकालिक सूर्यादि वारों में प्रश्नकालिक अभीष्ट वार में तात्कालिक अभीष्ट वार का ज्ञान एवं प्रश्नकालीन तात्कालिक नक्षत्र का और ज्ञान आवश्यक है।

प्राय: प्राचीन राजमहलों एवं पुराने सामन्त जमीदार रईस आदिकों की वर्तमान खण्डहर रूप भूमि में भूमिगत निहित स्थापित और सुरक्षित धन की उपलब्धि संभव है।

प्राचीन वास्तु निर्माण विद्या में राजमहल का विस्तार निम्न भांति का रहा है।

"वितस्तिद्वितयं हस्तो राजहस्तश्च तद्द्वयम्।
दशहस्तैश्च दण्डः स्यात्त्रिंशद्दण्डस्तु निवर्त्तनम् ॥"

अर्थात् ३० दण्ड=३०×१० हाथ (राजहस्त) को द्विगुणित करने से ३००×२=६०० हाथ या ६००÷२=३०० गज या ३००×३=९०० फीट लम्बी एवं ९०० फीट चौड़ी अर्थात् ९००×९००=८१०००० वर्ग फुट जमीन को निवर्त्तन कहना चाहिए। या ९०००० वर्ग गज जमीन की निवर्त्तन संज्ञा कही गई है। इस माप का या जैसा भी ग्राम्य या नागर मकान हो उसमें इस रक्षित कोष स्थान जानने के लिए अहिवलयचक्र की स्थापन करनी चाहिए।

अहिवलय चक्र

जैसा ऊपर सर्पाकार क्षेत्र बनाया गया है, उसकी प्रथम पंक्ति में रेवती अश्वि. भर. कृ. मघा. पू. फा. उ. फा ये सात नक्षत्र द्वितीय पक्ति में उ. भा, पू. भा, शत. रोहि श्लेषा.पुष्य और हस्त,तृयीय पंक्ति में आभिजित श्र. ध. मृग आर्द्रा पुनर्वसु चित्रा और चतुर्थ पंक्ति में उ. षा. पू. षा. मूल ज्येष्ठा अनुराधा विशारवा और स्वाती एक एक पंक्ति में सात-सात नक्षत्रों के निवेश से ७ X ४ =२८ नक्षत्रों का स्थान नियत करना चाहिए।

इस प्रकार द्वार की-शाखा में मघा और भरणी और द्वार में कृतिका नक्षत्र होता हैं।

चन्द्रमा के १४ नक्षत्र, अश्वि, भरणी, कृतिका, आर्द्रा, पुनर्वसु, पुष्य,श्लेषा मघा, पूर्वाषाढ़, उत्तराषाढ़, अमिजित्, श्रवण, रेवती और पूर्वाभाद्र ये होते हैं। शेष १४ नक्षत्र सूर्य के होते हैं।

तात्कालिक चन्द्रमा का स्पष्टीकरण—सूर्योदयादिष्ट से चन्द्रमा की भुक्त घटिकाओं को २७ से गुणा कर ६० से भाग देने से लब्धि में चन्द्रमा की भुक्त नक्षत्र संख्या को जोड़ देने से तात्कालिक चन्द्रमा के नक्षत्र का ज्ञान होता है।

इसी प्रकार तात्कालिक सूर्य नक्षत्र का भी ज्ञान करना चाहिए।

प्रश्नकर्ता जिस समय पूछता है कि मेरी पुरानी इमारत में या अमुक हवेली में या अमुक राजमहल में या अमुकामुक स्थान में जमीन में निहित (स्थापित) धन (सोना चांदी सिक्के आदि) है कि नहीं उस समय को सूर्योदयादिष्ट मान कर प्रश्न कर्त्ता के प्रश्न के अनुसार फलादेश करना चाहिए।

१—यदि तात्कालिक सूर्य और चन्द्रमा दोनों अपने नक्षत्रों में हैं तो निश्चत रूप से उस भूमि या खण्डहर"'आदि में निहित द्रव्य कोष है" ऐसा आदेश करना चाहिए।

२—दोनों सूर्य नक्षत्र में हो तो उस भूमि में हड्डी-अस्थि (समाधि आदि) होती है। वास्तुविद्या के विचार के पश्चात उस भूमि में मकान, प्रसाद आदि का निर्माण करवाना चाहिए। हड्डी आदि की दिशा स्थान गहराई बता कर खोदवा कर जमीन शुद्ध कर मकान बनवाना चाहिए।

३—सूर्य चन्द्र दोनों अपने पृथक पृथक अपने अपने नक्षत्रों में हो तो उस स्थान में हड्डी और द्रव्य दोनों हो सकते हैं। सूर्य चन्द्र नक्षत्रों के नवम अंशों से भी भूमि की गहराई माप की दूरी का विचार करना चाहिए।

(१) यदि चन्द्रमा क्रूर ग्रह राशि के नवम अंशों में हो तो द्रव्य की उपलब्धि नहीं हो सकती।
(२) चन्द्रमा पूर्ण हो तो सम्पूर्ण निहित द्रव्य प्राप्त हो जाता है।
(३) चन्द्रमा क्षीण हो तो निहित द्रव्य की यत्किचित् प्राप्ति हो सकती है।

ग्रहों की दृष्टि वश द्रव्य भेद—सूर्य की दृष्टि से सुवर्ण,चन्द्र दृष्टि से चांदी, मंगल दृष्टि से ताम्र (तामा) बुधदृष्टि से पीतल,गुरु दृष्टि से बहुविध रत्न,शुक्र दृष्टि से कांसा, शनि दृस्टि से लोहा और राहु दृष्टि से शीशा कहना चाहिए।

अपनी राशि व अपनी उच्च राशि गत ग्रह की स्थिति दृष्टिवश भी उक्त द्रव्यादिकों का आदेश करना चाहिए।

चन्द्रमा का षड्वर्ग साधन (ग्रन्थान्तरों से) करना चाहिए। यदि षड्वर्ग साधन से चन्द्रमा परिपूर्ण बलवान है तो द्रव्य संख्या की दश गुनी उप-

लब्धि होती है षड्वर्ग संशोधित चन्द्रमा के बलाबल के तारतम्य से द्रव्य की प्राप्ति होती है।

सूर्यादिक ग्रहों से युक्त चन्द्रमा के आधार से जो देवता हो उसकी पूजा होनी चाहिए ।

यदि चन्द्रमा, सूर्य संयुक्त हो तो उस द्रव्य स्थान के अधिष्ठाता तत्तत् देवता ग्रह होते हैं ।

मंगल से देवता क्षेत्रपाल, बुध से मातृका, वृहस्पति से दीपेश, शुक्र से भीषण, रूप शनि से युक्त चन्द्रमा का देवता रुद्र, राहु युक्त चन्द्रमा का देवता यक्ष और केतु युक्त चन्द्रमा के देवता नाग होता है ।

देव पूजा विधान—किसी भी देव पूजन में सर्व प्रथम गणेश की पूजा आवश्यक होती है ।

स्थानाधिदेव ग्रह हो तो,हवन,उपग्रह हों तो नारायण बलि: ग्रहे होम:प्रकर्तव्यो मुग्धे नारायणी बलि: । क्षेत्रपाले सुरामांसं मातृकायां महाबलि:"॥ (नरपतिजयचर्या से) क्षेत्रपाल देवता हो तो शराव और मांस से पूजा; मातृका देवता में 'नरबलि' दीपेश, में दीप पूजा,भैरव में भैरव पूजा,रुद्र में रुद्र जप, यक्ष में यक्ष पूजा और द्रव्य देवता नाग हों तो नाग की पूजा होनी चाहिए । लक्ष्मी पूजा तो सर्वत्र ही करनी चाहिए । इस प्रकार के विधानों से असाध्य निधि भी सुसाध्य होकर स्वर शास्त्रज्ञ देवज्ञ मनुष्य समादरणीय हो जाता है ।

मेरा विचार है, ऐसे द्रव्यका उपयोग अपने उपयोग में न लाकर वह द्रव्य परहिताय हो ।

धन के लोभ या किसी भी लोभ से भी प्रवृत्त होकर नरबलि जैसी बलि देना जघन्य और अमानवीय अपराध होता है । उक्त बात लिखने में लेखनी को भी संकोच होता है । (लेखक)

तात्कालिक चन्द्र स्पष्टी करण का उदाहरण—

इन पंक्तियों के लिखते समय हरि-हर्ष निकेतन १।२८ की घटिकाओं में ४.२० p.m. है । काशी का लोकल स्टैण्डर्ड सूर्योदय सं २०३८ श्रावण कृष्ण द्वितीया रविवार (ता० १९-७-१९८१) ५.२० है, अतः सूर्योदय से ४.२० तक ११घण्टे=घटी २७ पल ३० यह इष्टकाल है । इस दिन धनिष्ठा नक्षत्र है

जिसका भभोग=घटी ६० पल ५० है और भयात २७।३०+३।१०=३०।४० है। ३०।४० × २७=८१०।१०८०=८१०+१८=८२८ होता है। इसमें ६० का भाग देने से लब्धि=१३ शेष=१० होता है। चन्द्रमा का वर्तमान नक्षत्र धनिष्ठा=२३। इसलिए गत नक्षत्र संख्या=२२=श्रवण हुई। उक्त लब्धि १३ में चन्द्रमा की गत नक्षत्र संख्या २२ को जोड़ देने से २२+१३=३५ होती है। चूंकि नक्षत्र २७ ही हैं अतः ३५÷२७=लब्ध १ और शेष=८ यहीं अर्थात पुष्य नक्षत्र चन्द्रमा का तात्कालिक नक्षत्र होता है। यतः लब्धि का मान १३।१० जिसे २२ में जोड़ने से २२+१३।१०=३५।१० होता है २७ से भाग देने पर ३५।१०÷२७=लब्धि १ और शेष=८।१०होने से यहां भी वर्तमान नक्षत्र पुष्य न कह कर ९ वाँ नक्षत्र आश्लेषा नक्षत्र कहना चाहिए यही चन्द्रमा का तात्का-लिक नक्षत्र होता है।

जब निश्चय होजाय कि अमुक जगह पर निधि है तो उस निधि को प्राप्त करने के लिए मन्त्र जप

पद्मासन से बैठ कर सन्ध्या समय से मन्त्र का जप ६ महीने तक करते रहने से निधि का लाभ होता है। मन्त्र इस प्रकार है—

"पद्मासने चद्रांतपेन ऐं क्लीं हुं वद वद वाग्वादिनि स्वाहा"

जप के पूर्व, संकल्प ध्यान आवाहन-आसन यथामिलीतोपचार पूर्वक पूजन कर्म, काण्ड विधि से होना चाहिए ॥ १···२८ ॥

अथ कविचक्रम्

हीनसैन्यः सदा स्थायो यायी सैन्याधिकः सदा।
अबलस्य बलोपायं वक्ष्येऽहं कविसङ्करे ॥ १ ॥
प्रयाणे चोत्प्रयाणे च निशीथे मृगयां गते।
शोकार्ते व्यसने प्राप्ते हीने सैन्ये विनायके ॥ २ ॥
अष्टधा कविकालस्तु कथितो दुर्बले नृपे।
इह युद्ध प्रकुर्वीत जयतीह न संशयः ॥ ३ ॥
कविः शिखो पिङ्गलिका कपोत्यर्कात्प्रवेशने।
युद्धार्णवात्तु निर्याणे उल्लेकी धकरी बकी ॥ ४ ॥

कवियुद्धे यत्र धिष्ण्ये तत्प्रश्ने त्रिपादकः ।
तदा भवेन्मार्गगमो मार्गरोधस्तु पृष्ठके ॥ ५ ॥
जीववारेऽर्कभे शिख्यां समयुद्धम्प्रजायते ।
स्वात्यां चार्केऽह्नि पिङ्गल्यां यायिनो वह्निजं भयम् ॥ ६ ॥
पुनर्वसौ भौमदिने कपोत्यां यायिनो मृतिः ।
युद्धार्णवायां मन्देऽह्नि वह्निभे म्रियते गमी ॥ ७ ॥
वैश्वे चन्द्रेऽह्नि चोल्लेख्यां हयं त्यक्त्वा व्रजेद्गमी ।
धकट्यां वारुणे भेऽह्नि यायिनस्सैन्ययोमृतिः ॥ ८ ॥
भद्रयां पुष्ये भृगुदिने यायी बन्धमवाप्नुयात् ।
सर्वेषामपि निर्वाणामुल्लेखीं वर्ज्जयेत्कवौ ॥ ९ ॥
उदयास्तौ स्वरौ येषां जन्मस्थः सप्तमो विधुः ।
तद्दिने ते भटाः सर्वे वर्ज्जनीयाः. कवौ रणे ॥ १० ॥
जन्मस्थः सप्तमश्चन्द्रः पञ्चमो नवमोपि वा ।
पुरस्य पुरनाथस्य तत्काले भङ्गमादिशेत् ॥ ११ ॥
चतुरस्रं त्रिनाडीकं कविचक्रं लिखेद्भुवि ।
प्रवेशनिर्गमे भानि स्थानधिष्ण्यादि विन्यसेत् ॥ १२ ॥
यदि नामोज्झिते स्थाने शत्रुसैन्यं व्यवस्थितम् ।
तत्र चक्रं समालेख्यं सेनाध्यक्षर्क्षपूर्वकम् ॥ १३ ॥
त्रीणि त्रीणि प्रवेशे च ईशादौ विदिशि क्रमात् ।
निर्गमे चतुष्कं च पूर्वाशादिक्रमेण च ॥ १४ ॥
ईशादौ बाह्यतो मध्यं मध्याद्बाह्यं तु पूर्वतः ।
प्रवेशो बाह्यतः कोणे मध्याद्दिक्षु विपर्ययः ॥ १५ ॥
सौम्याः क्रूरग्रहास्तत्र प्रवेशे निर्गमे तथा ।
वक्रातिचारगत्या च ज्ञात्वा कविरणं कुरु ॥१६ ॥
जीवपक्षे स्थिते चन्द्रे अकुलर्क्षे प्रवेशके ।
यानं कविरणे प्रोक्तं ज्ञात्वा प्रावेशनिर्गमौ ॥ १७ ॥
उदितास्तस्वरो येषां जन्मभर्क्षानुसंभवः ।

तद्दिने ते भटाः सर्वे वर्जनीयाः कवौ रणे ॥ १८ ॥
क्रूरे शीघ्रे प्रवेशर्क्षे यत्र तत्र विशोद्रणम् ।
वक्रेऽस्ते निर्गमे सौम्ये तद्दिशा निर्गमं कुरु ॥ १९ ॥
प्रवेशर्क्षे प्रवेशं च निर्गमे निर्गमस्तथा ।
भूबलं पृष्ठतः कृत्वा प्रोक्तः कविरणे जयः ॥ २० ॥

इति कवि चक्रम्

कवि-कोट-चक्र

कोट स्थित स्थायी राजा की सेना कम और चढ़ाई करने वाले यायी राजा की सेना अधिक होती है। अतः उक्त दोनों में निर्बल के लिए बलवान होने का उपाय कह रहा हूँ। इस प्रकार के युद्ध का नाम लोक में कवि सङ्ग्राम कहा गया है। डाका डालना भी इसे कहा जा सकता है।

कवि सङ्ग्राम (डाका आदि) आठ प्रकार का कहा गया है। (१) यात्रा समय में (२) या यात्रा निवृत्ति (३) अर्द्ध रात्रि समय में (४) आखेट (शिकार) की यात्रा में (५) शोक समय में (६) दुर्व्यसन के समय मे (७)सैन्य निर्बलता और (८) सेनापति के अभाव के समय अष्ट विध कवियुद्ध (डाका डालना) हो सकता हैं।

उक्त अष्टविध कविकाल से राजा को बल प्राप्ति होती है।

सूर्य से प्रवेश एवं निर्माण दोनों में क्रमशः कवि, शिखी, पिंगलिका, कपोती, युद्धार्णव, उल्लेखी, घटकी और वक्री ये आठ भेद होते हैं।

कवि युद्धारम्भ समय के नक्षत्र से आगे के तीन नक्षत्र पावक (शिखी) में युद्ध करने से कोट प्रवेश का मार्ग सुलभ हो जाता है। पीछे के तीन नक्षत्रों के युद्धारम्भ से मार्ग का अवरोध हो जाता है।

गुरुवार के दिन हस्त नक्षत्र के शिखी अवस्था का तुल्य युद्ध होता है।

रविवार के दिन के स्वाती नक्षत्र और पिंगला अवस्था का युद्धारम्भ से यायी को अग्निभय होता हैं। भौमवार, कपोती अवस्था और पुनर्वस नक्षत्र के युद्धारम्भ में यायी की मृत्यु होती है।

शनिवार कृतिका नक्षत्र, युद्धार्णव का युद्धारम्भ भी यायी के लिए मृत्युप्रद

है। उल्लेखावस्था, सोमवार उतराषाढ़ में घोड़ों को छोड़ कर यायी पलायित हो जाता है।

बुधवार शतभिषा और 'चटकी' अवस्था के युद्ध से यायी के सेना की मृत्यु हो जाती है।

शुक्र पुष्य और वक्री अवस्था के युद्धारम्भ से यात्री का बन्धन होता है।

दोष पूर्ण होते हुए भी निर्दोष उल्लेख अवस्था का कवि युद्ध में त्याग करना चाहिए।

उदित और अस्त स्वर तथा जन्म राशि से सप्तम चन्द्रमा जिस दिन हो उस दिन उस नाम के योद्धाओं से युद्ध नहीं करना चाहिए। जन्मराशि या सप्तम या पञ्चम या नवम चन्द्रमा जिस पुर, ग्राम और नगर की राशि से पड़ता हो वह सम्प्र यायी व स्थायी दोनों के विनाश के लिए कहा गया है।

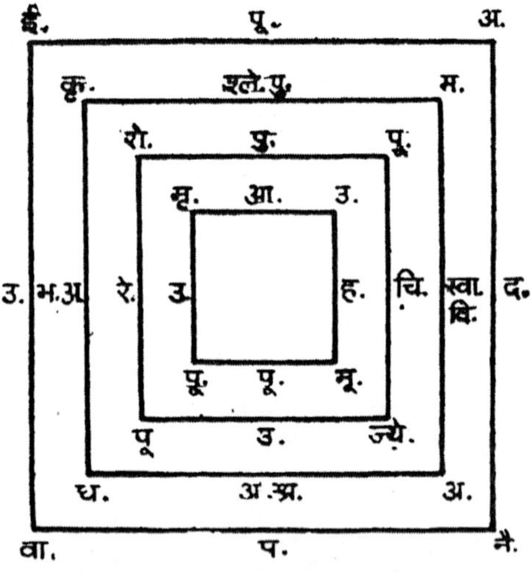

उपर के चित्र में, प्रवेश और निर्गम नक्षत्रों को समझ लेना चाहिए।

कवि चक्र के समीप अज्ञात स्थानीय शत्रु सेना जहाँ हो वहाँ उस तरफ

से सेनापति के नाम नक्षत्र से चक्र की रचना करनी चाहिए। ईशान कोण से विदिशाओं में तीन तीन नक्षत्र प्रवेश नक्षत्र होते हैं। यथा उक्त चक्र में ईशान कोण में कृ. रो.मृ. तथा अग्नि कोण में मघा. पू. फा.,उ. फा...प्रवेश के हैं तद्वत् अनु. ज्ये.मू. नैऋत्यं एवं धनि. श. पू. भा, नक्षत्र वायु कोण में प्रवेश के समझने चहिए।

इसी प्रकार पूर्वदिशा से आर्द्रा, पुन, पुष्य, श्ले. निर्गम के हैं तथैव चक्र देखकर दक्षिण पश्चिम उत्तर के निर्गम नक्षत्र समझने चाहिए।

शुभ या अशुभ क्रूर एवं वक्री जो ग्रह जहां हो उसे उस उस नक्षत्र में स्थापित कर कवियुद्ध करना चाहिए।

अपने जन्म नक्षत्र के अनुसार उदित और अस्त स्वर के दिन कवियुद्ध नहीं करना चाहिए।

क्रूर एवं शीघ्रगतिक ग्रह जहां प्रवेश नक्षत्र में हों उसी स्थान से युद्ध में प्रवेश आरम्भ करना चाहिए।

शुभ ग्रह वक्री होकर जिस स्थान से निर्गम कर रहे हैं उस दिशा से बाहर निकलना चाहिए।

अर्थात् प्रवेश स्थानीय नक्षत्रों में तत्तस्थान से प्रवेश एवं निर्गमस्थानीय नक्षत्रों में तत्तस्थान से निर्गम करना चाहिए।

चक्र में ईशान कोण से कृतिकादि नक्षत्र क्रम दिखाया गया है जो उपलक्षण है। वस्तुतः राजा या सेनापति या योद्धा आदि की नाम नक्षत्र से, अथवा आसन्न मृत्यु लक्षणगत रोगी के नाम नक्षत्र से कवि चक्र या कोट चक्र की रचना कर उपरोक्त परम्परा से जय-विजय-पराजय एवं रोग मुक्ति या मृत्यु आदि का दैवज्ञ ने सुविचार पूर्वक भविष्य आदेश करना चाहिए।

॥ १...२० ॥

अथ खल चक्रम्

चतुरस्रं चतुर्द्वारं खलचक्रं लिखेद् बुधः।
नन्दादितिथयो न्यस्य पूर्वद्वारक्रमेण च॥ १॥

पूर्वाशादिचतुष्केषु सप्तसप्तक्रमेण च ।
कृत्तिकादि लिखेन्मध्ये खले भान्यष्टविंशतिः ॥ २ ॥
शनिचन्द्रौ कुजः सौम्यो भानुशुक्रौ गुरुस्तमः ।
मध्ये बहिर्गता ज्ञेया अपसव्यदिशां क्रमात् ॥ ३ ॥
यद्दिने यद्दिशि स्युस्ते तिथिधिष्ण्यदिनाधिपाः ।
प्रवेशः खलकद्वारे कर्तव्यस्तद्दिशां सदा ॥ ४ ॥
खलकाभ्यन्तरे जालः शनिसूर्येज्यमङ्गलैः ।
बुध शुक्रेंदुभिर्बाह्ये स्थायी यायी क्रमाज्जयी ॥ ५ ॥
खलके मध्यनक्षत्रे यो ग्रहो यत्र संस्थितः ।
तत्र स्थानगते चन्द्रे फलं वक्ष्ये शुभाशुभम् ॥ ६ ॥
सूर्यस्थानगतः शूरो म्रियते चन्द्रमिश्रिते ।
भौमस्थाने महाक्रोधी बुधस्थाने महद्भयम् ॥ ७ ॥
गुरुस्थाने मतिस्थैर्यं भङ्गमायाति भार्गवे ।
शनिस्थाने क्षतं युद्धं राहुस्थे मरणं ध्रुवम् ॥ ८ ॥
वक्रस्थाने भवेद्भङ्गः शीघ्रस्थाने च धावति ।
समाचारगते स्थायी क्षीणेन्दावबगूहति ॥ ९ ॥
क्रूरे पृष्ठे जयो युद्धे सौम्ये पृष्ठे पराजयः ।
क्रूरे च सम्मुखे मृत्युर्जयः सौम्येऽग्रसंस्थिते ॥ १० ॥
योधयोः पृष्ठगा क्रूरा उभयोर्मृत्युकारकाः ।
सौम्याः सन्धिप्रदा युद्धे मिश्रामिश्रफलप्रदाः ॥ ११ ॥
दिननक्षत्रमारभ्य लिखितः सप्तो द्विशोधके ।
शून्यैकशोधे ग्राह्यस्तु जगतीति विनिश्चितम् ॥ १२ ॥

इति खलकोटचक्रम् ।

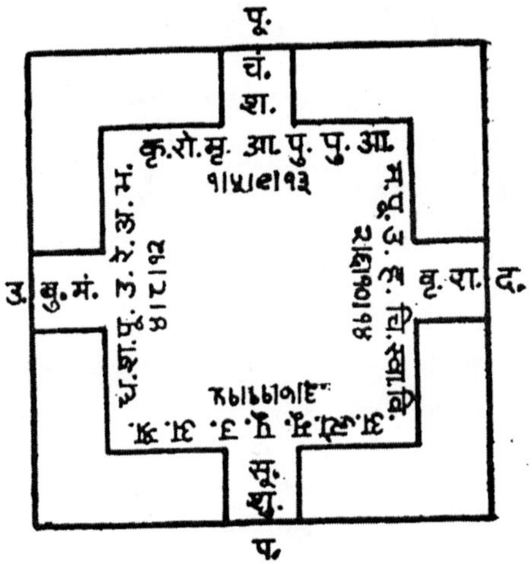

क्षेत्र देखिए। पूर्वदिशा के द्वार मध्य में शनि एवं बाहर चन्द्रमा, उत्तर दिशा में द्वारमध्य मंगल बाहर बुध, पश्चिम द्वारमध्य सूर्य, बाहर शुक्र एवं दक्षिण दिशा द्वारमध्य में बृहस्पति और बाहर में राहु लिखना चाहिए।

पूर्वादि उत्तर द्वार क्रम से नन्दादि १,२,३,४ तिथियाँ अर्थात पूर्व में १।५।९। १३ दक्षिण में २, ६, १०, १४, पश्चिम में ३, ७, ११, १५ और उत्तर में ४; ८, १२ तिथियों को स्थापित करना चाहिए। एवं पूर्व में कृतिकादि ७ नक्षत्र; दक्षिण में मघादि ७ पश्चिम में अनुराधादि ७, और उत्तर में धनिष्ठादि भरणी पर्यन्त २८ नक्षत्रों का समावेश करना चाहिए।

पूर्व दिशा में जो ७ नक्षत्र, और ४ तिथियाँ और शनि चन्द्र दो ग्रह ये पूर्व दिशा के प्रवेश नक्षत्र तिथि वार समझने चाहिए।

कोट के भीतर में स्थायी राजा के लिए शनि,सूर्य,गुरु, और भौम ये चार काल हैं। और खलक या कोट के बाहरी यात्री के लिए बुध, शुक्र और चन्द्रमा ये काल हैं।

कोट या खलक के मध्यस्थित नक्षत्रों में जहां जो ग्रह हों उन्हें स्थापित

कर उन स्थानीय नक्षत्रों में चन्द्रमा के सञ्चार वश शुभाशुभ फल कहा जा रहा है।

सूर्य स्थानीय नक्षत्र पर चन्द्रमा के जाने से सेना के शूर वीर की मृत्यु हो जाती है। भौम स्थानीय गत चन्द्र नक्षत्र पर भयंकर क्रोध, बुध स्थानीय चन्द्र नक्षत्र से बहुत भय होता है।

गुरु स्थानीय चन्द्र नक्षत्र से बुद्धि में स्थिरता, शुक्र स्थानीय चन्द्रनक्षत्र पर विशेष हानि, शनिस्थानीय चन्द्रनक्षत्र से युद्ध और राहु स्थानीयगत चन्द्रनक्षत्र से मृत्यु होती है।

वक्री ग्रह स्थानीय चन्द्र से हानि एवं शीघ्रगामी ग्रह स्थानीय चन्द्रमा से दौड़ होती है। समगतिक ग्रह स्थानीय चन्द्र से और क्षीण चन्द्र से युद्ध की वृद्धि होती है।

पृष्ठगत क्रूर ग्रह से युद्ध में विजय, पृष्ठगत शुभ ग्रह से पराजय। ऐसी जगह पर नक्षत्र और दिशा के अनुसार पृष्ठ दिशा समझनी चाहिए। योद्धा (सेना) के पीछे के क्रूर ग्रह से दोनों सेना के योद्धायों की मृत्यु होती है। शुभग्रहों की पृष्ठ स्थिति से सन्धि एवं शुभ क्रूर दोनों की पृष्ठ स्थिति से मिश्रित शुभाशुभ फल होता है ॥ १…१२ ॥

अथ समचतुरस्रादिकोटचक्राणि

अथातः संप्रवक्ष्यामि कोटयुद्धस्य निर्णयम् :
स्तोकारिः कुरुते यत्र भूरिसैन्यपराभवम् ॥ १ ॥
यस्याश्रयबलादेव राज्यं कुर्वंति भूतले।
विग्रहं चतुराशासु सीमास्थैः शत्रुभिः सह ॥ २ ॥
विषमं दुर्गमं घोरं चक्रं भीरुभयावहम्।
कपिशीर्षैस्तु शोभाढ्यं रौद्राट्टालकमंडितम् ॥ ३ ॥
प्रतोली यस्य कालःस्यात्परिखा कालरूपिणि।
रणतूर्यकृताटोपं   ढिकुलीयंत्रयंत्रितम् ॥ ४ ॥
मुशलैर्मुद्गरैः पाशैः कुन्तखड्गैर्धनुःशरैः।
संयुतैः सुभटैः शूरैरिति दुर्गं समादिशेत् ॥ ५ ॥

दुर्गस्थो दुर्गमः शत्रुरसाध्यो येन सिध्यति ।
कोटचक्रं प्रवक्ष्यामि विशेषादष्टधा पुनः ॥ ६ ॥

युद्धस्थल में समचतुरस्रादि कोट चक्र से विचार—

अल्प सैन्य सम्पन्न सेनापति भी बहु सैन्य सम्पन्न सेना व सेनापति को कैसे पराजित कर सकता है और अपनी चारों सीमाओं से भी सुरक्षित रह सकता है।

असाध्य दुःख में पारङ्गत लोहस्तम्भ निर्मित चक्रों से भीरू को भयभीत करने वाला, कसीस रंग से रञ्जित शोभमान कपि शिरस्तुल्य पाषाण खण्डों से निर्मित,बड़ी भयंकर अट्टालियों से युक्त,जिसके पनाले का मुख यमराज के मुख के समान जिसकी कोट की चारों तरफ की खाई जल से पूर्ण जिसमें नाना प्रकार के भयंकर हिंसक जन्तु भी रहतें हैं ऐसे और जो काल स्वरूप रणलिप्सा के योद्धाओं से सुशोभित, जिसमें पाषाण के गोले फेंकने वाले अनेक यन्त्र भी लगे हैं जैसे मुशल, मुद्गर, पाश, भाला, तलवार,धनुष वाणादिकों से सुसज्जित योद्धाओं से शत्रुवर्ग को भयभीत करने वाले कोट=दुर्ग=किला का व्याख्यान किया जारहा है ।

दुर्गस्थ जो असाध्य शस्त्र भी जो साध्य हो जाते हैं इस प्रकार के आठ के कोट चक्रों का वर्णन किया जा रहा है ॥ १…६ ॥

प्रथमं मृण्मयं कोटं जलकोटं द्वितीयकम् ।
तृतीयं ग्रामकोटं च चतुर्थं गिरिगह्वरम् ॥ ७ ॥
पंचमं गिरिकोटं च षष्ठं कोटं च डामरम् ।
सप्तमं वक्रभूमिस्थं विषमाख्यं तथाष्टमम् ॥ ८ ॥
मृण्मये साधयेत् खंडि जलस्थे बंधमोक्षणम् ।
ग्रामदुर्गेऽग्निदाहं च प्रवेशं गह्वरे तथा ॥ ९ ॥
पर्वते स्थानभेदं च भूवलं भूपडामरे ।
वक्राख्ये कवियोगं च विषमे स्थायियायिनाम् ॥ १० ॥
अतिदुर्गं कालकर्णं चक्रावर्तं च टिपुरम् ।
तलावर्तं च पद्माख्यं यक्षभेदं शमाख्यकम् ॥ ११ ॥

एतन्नामाष्टकं ज्ञेयं वर्गाष्टकक्रमेण च।
अस्य वर्गस्य यो भक्ष्यः स वर्गस्तस्य भंगदः ॥ १२ ॥
अ-गरुडः क-मार्जारश्च सिंहश्च, ट-शुनीसुतः।
त-सर्पश्च प-आखुश्च य-मृग्रः श-अजात्मजः ॥ १३ ॥
तार्क्ष्यस्य भक्ष्यो भुजगो बिडालस्य च मूषकः।
सिंहस्य भक्ष्यो हरिणः शुनो भक्ष्य स्त्वजात्मजः ॥ १४ ॥
दुर्गवर्गस्य ये भक्ष्या वर्गास्तन्नामजा नराः।
तद्दुर्गे ते रणे त्याज्या न कर्तव्या गढाधिपाः ॥ १५ ॥
स्ववर्गात्पंचमे स्थाने खंडिभंगश्च जायते।
अवर्गाद्यष्टकं ज्ञेयं पूर्वाद्यष्टदिशि क्रमात् ॥ १६ ॥
कोटचक्रं लिखेच्चादौ चतुरस्रं त्रिनाडिकम्।
कृत्तिकादीनि धिष्ण्यानि साभिजिन्ति न्यसेद् बुधः ॥ १७ ॥
बहिः कोटे च मध्ये च दुर्गमध्ये बहिः पुनः।
प्रवेशो निर्गमस्तत्र ज्ञातव्यः स्वरवेदिभिः ॥ १८ ॥

अष्टविध कोट—(१) केवल मिट्टी से बना हुआ, (२) केवल जलमय कोट (३) ग्राम ही स्वतः अपने में कोट (४) पर्वतों की गुफाओं से बना हुआ (५) पर्वतों से बना हुआ, (६) डामर पहाड़ का गड्ढा, (७) वक्रातिवक्र भूमि से बना हुआ और (८) वाँ विषम भूमि ऊंच नीच भूमि से निर्मित कोट होता है।

आठों कोटों में विजय के उपाय—(१)आयुधों से खण्डित कर देना तोड़ देना, (२) में जल की निकासी (३) ग्राम नामक दुर्ग की आठों दिशाओं में अग्नि प्रज्वालित करने से (४) गुफा में प्रवेश कर (५) पत्थरों को काट देने से, (६) समतल कर देने से,(७) वें में कवि युद्ध से और (८)वें स्थायी और यायी के परस्पर के युद्ध से राजा विजयी होता है।

अष्टविधि कोटों के नाम व वर्गादि—

(१) नाम अतिदुर्ग, स्वामी = अ वर्ग (अ आ इ ई उ ऊ = ऋ ॠ ऌ ॡ ए ऐ ओ औ अं अः

(२) नाम कालकर्ण ,, =क वर्ग (क ख ग घ ङ)

(३) नाम चक्रावर्त्त ,, = च वर्ग (च, छ, ज, झ, ञ,)
(४) नाम टिम्पुर ,, = ट वर्ग (ट, ठ, ड, ढ, ण)
(५) नाम तलावर्त ,, = त वर्ग (त, थ, द, ध, न)
(६) नाम पद्मावर्त्त ,, = प वर्ग (प, फ, ब, भ, म)
(७) नाम यक्षभेद ,; = य वर्ग (य, र, ल, व)
(८) नाम शम ,, = श वर्ग (श, ष, स, ह)

वर्ग स्वामी—भक्ष वर्ग से हानि होती है। जैसे अ वर्ग का स्वामी गरुड एवं अ से पञ्चम त वर्ग का स्वामी सर्प होने से अ वर्ग के योद्धा या राजा से त वर्ग के योद्धा या राजा को हानि होती है ।

(१) अ वर्ग का स्वामी गरुड (२) क वर्ग का मार्जार (विडाल) (३) च वर्ग का सिंह (४) ट वर्ग का श्वान् कुत्ता (५) त वर्ग का सर्प (६) प वर्ग का मूषक (चूहा) (७) य वर्ग का मृग (हरिण) और (८) वें श वर्ग का स्वामी क्रमशः अज भेड़ होता है।

जैसे गरुड़ का भक्ष सर्प, विलार का चूहा, सिंह का हरिण और कुत्ता का भक्ष भेड़ (वकरी जाति) होता है ।

दुर्ग नाम के वर्ग का भक्ष वर्ग के नामादिक व्यक्ति को उस दुर्ग का स्वामी या विशेष कर्मचारी नहीं बनाना चाहिए ।

जैसे इन्द्रप्रस्थ नामक दुर्ग में दयासागर नामक व्यक्ति को सेनापति या कर्मचारी नहीं बनाना चाहिए ।

एवं भारत राष्ट्र नामक राष्ट्र दुर्ग के लिए स्थल-जल-वायु सेनानायकों का नाम क वर्ग सम्बन्धेन नहीं होना चाहिए। इस प्रकार के अपने से पञ्चम वर्गाक्षरादि नाम के व्यक्तियों को गढ़ का अध्यक्ष भी नहीं बनाना चाहिए। तथा अ वर्गादि आठों वर्गों की दिशा भी निम्न भांति समझ कर उसका उपयोग करना चाहिए ।

अपने नाम वर्ग से पञ्चम दिशा की नाम वर्ग शत्रु होने से शत्रु दिशा में स्थित होकर युद्ध नहीं करना चाहिए। कोट चक्र देखिए उसमें नक्षत्रादिकों सुस्पष्ट स्थिति समझिए।

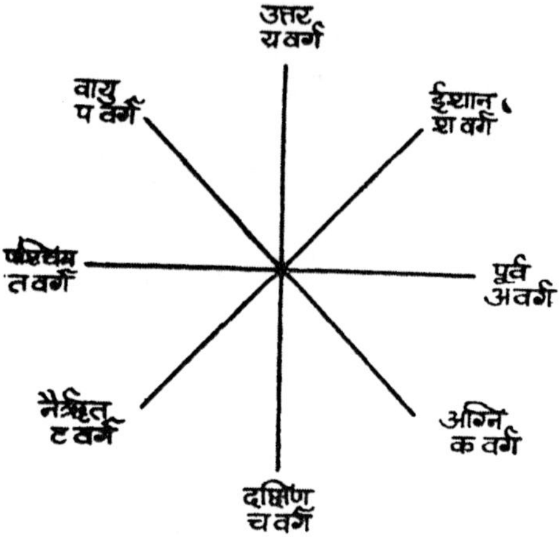

कोट चक्र का वाह्य वप्र मध्य वप्र एवं दिशादि चक्र देख कर समझिए ।

कुछ नक्षत्र कोट में प्रवेश कर रहे हैं जैसे कृतिका रोहिणी मृगशीर्ष प्रवेश नक्षत्र एवं आर्द्रा पुनर्वसु,पुष्य और आश्लेषा ये निर्गम नक्षत्र समझिए एवं सर्वत्र समझना चाहिए ॥ ७…१८ ॥

बहिर्द्वादशमान्यत्र प्राकारे तारकाष्टकम् ।
दुर्गमध्ये तथा चाष्टौ मध्ये स्तंभचतुष्टयम् ॥ १९ ॥
कृत्तिका पुष्यसार्पे च मघा स्वातीविशाखिके ।
अनुराधाभिजित्कर्णौ धनिष्ठाश्वियमाह्वयम् ॥ २० ॥
ब्राह्मं पुनर्वसुर्भाग्यं चित्रा ज्येष्ठोत्तरा तथा ।
शतभं रेवती चैव प्राकारे तारकाष्टकम् ॥ २१ ॥
मृगं रौद्रोत्तराहस्तं मूलमाषाढपूर्वकम् ।
पूर्वोत्तरा तथा भाद्रा मध्ये ऋक्षाष्टकं त्विदम् ॥ २२ ॥
पूर्वे रौद्रं यमे हस्तं पूर्वाषाढा च वारुणे ।

उत्तरे उत्तरा भाद्रा एतस्स्तंभचतुष्टयम् ॥ २३ ॥
कृत्तिकाद्यं मघाद्यं च मैत्राद्यं वासवादिकम् ।
त्रीणि त्रीणि प्रवेशे च द्वादशान्यानि निर्गमे ॥ २४ ॥
कृत्तिकादिरयं न्यासः सुबोधार्थं प्रदर्शितः ।
दुर्गभाद्गणना चात्र ग्रहैर्वाच्यं ततः फलम् ॥ २५ ॥
दुर्गनामस्थितं वर्णं यद्वर्गोदीरितं स्फुटम् ।
तदीशादि लिखेच्चक्रं क्रमात्स्वरविचक्षणः ॥ २६ ॥

कृतिका, पुष्य, श्लेषा, मघा, स्वाती, विषाखा, अनुराधा, अभिजित् श्रवण, धनिष्ठा, अश्विनी और भरणी ये कोट के वाहर के १२ नक्षत्र हैं।

रोहणी, पुनर्वसु, पूर्वा फा. चित्रा, ज्येष्ठा, उत्तराषाढ़ शतभिष और रेवती ये ८ कोट के भीतर प्राकार में होते हैं। तथा मृगशि; आर्द्रा; उत्तराफाल्गुनी, हस्त, मूल, पूर्वाषाढ़ और उत्तराभाद्रपद ये ८ नक्षत्र दुर्ग (कोट-किला) के भीतर के हैं।

आर्द्रा, हस्त, पूर्वाषाढ़ और उत्तराभाद्रपद ये चार नक्षत्र पूर्वादि दिशाओं में कोट के स्तम्भ नक्षत्र होते हैं।

कृतिकादिक, मघादिक तीन तीन अनुराधादिक तीन और और धनिष्ठादिक तीन तीन एवं कुल १२ नक्षत्र ये कोंट प्रवेश के नक्षत्र होपे हैं

शेष १२ नक्षत्र कोट के निर्गम होने के लिए हैं, जो चक्र देखने से स्पष्ट है।

दुर्ग या कोट के नाम का आदिम वर्ण जिस अक्षर का है उसके नक्षत्र से गणनानुसार जो ग्रह जिस नक्षत्र में हो वह वाहर भीतर स्तम्भ आदि में कहां हैं? समझ कर फलादेश करना चाहिए।

दुर्ग या कोटके नामादिक वर्ण की दिशा से चक्रलिखना या वनाना चाहिए॥ १९....२६

चतुरस्रं चतुर्दीर्घं त्रिकोणं वृत्तदीर्घकम् ।
अर्धचंद्रं तथा ज्ञेयं गोस्तनं धनुराकृतिः ॥ २७ ॥
चतुरस्रे यथाभ्यासो भूमिभागक्रमेण च ।

प्रवेशनिर्गमस्तंभास्तथावृत्तादि सप्तके ॥ २८ ॥
दुर्गभित्तिविभागेन वातव्यं धिष्ण्यमंडलम् ।
तत्रस्थैः खेचरैः सर्वैः फलं वाच्यं यथोदितम् ॥ २९ ॥
बाह्यमे मध्यमे चैव यत्रस्थाः क्रूरखेचराः ।
तत्र स्थाने कृते यत्ने हन्ति दुर्गं ससैन्यकम् ॥ ३० ॥

चतुष्कोण, चार दीर्घरेखा युक्त, त्रिकोण उसे वृत्ताकार, दीर्घवृत्ताकार, अर्द्धचन्द्राकार, गोस्तन के आकार का एवं धनुषाकार का कोट चक्र होता है। चतुरस्त्र कोट चक्र के निर्माण व नक्षत्र ग्रहादिक निवेश के अनुसार सर्वत्र सभी कोट चक्रों में ग्रहादि स्थापित करने चाहिए।

बाहर या भीतर या स्तम्भ आदि में जहां जिस नक्षत्र पर क्रूर ग्रह बैठे होते हैं दुर्ग के उसी स्थान पर ससैन्य दुर्ग भंग हो जाता है ॥ २७··· ३०॥

बुधशुक्रेन्दुजीवाश्च सदा सौम्यग्रहा मताः ।
शन्यर्कराहुमाहेयाः केतुः क्रूरग्रहा मताः ॥ ३१ ॥
त्रिःप्रकारो ग्रहे चारो वक्र-शीघ्र-समो मतः ।
उच्चनीचसमास्ते च त्रिधा चक्रे भ्रमन्ति च ॥ ३२ ॥
ऊर्ध्वं चाधः समस्तिर्यग् दृष्टिभेदश्चतुर्विधः ।
स्वकं मित्रं समं शत्रुः स्थानभेदश्चतुर्विधः ॥ ३३ ॥
इज्यो भौमो भृगुर्यत्र बुधः पूर्वादिदिक्स्थितः ।
कुर्याद् भङ्गं वाऽथ भङ्क्ता क्रूरश्चन्द्रसमन्वितः ॥ ३४ ॥
सूर्यमुक्ता उदीयन्ते शीघ्रगाश्च द्वितीयगे ।
समास्तृतीयगे ज्ञेया मन्दा भानौ चतुर्थगे ॥ ३५ ॥
वक्राः पंचमषष्ठेऽर्के त्वतिवक्राष्टसप्तमे ।
नवमे दशमे भानौ जायते कुटिला गतिः ॥ ३६ ॥
शीघ्रगाश्च भवन्त्येते द्वादशैकादशे तथा ।
राहुकेतू सदा वक्रो रवीन्दू शीघ्रगौ सदा ॥ ३७ ॥
शीघ्रोऽतिचारगत्या च समश्च सममन्दयोः ।
वक्रातिवक्रकुटिला वक्रगत्या ग्रहा मताः ॥ ३८ ॥

क्रूरोऽतिक्रूरतां याति सौम्यो याति सुसौम्यताम् ।
वक्रचारे समुत्पन्ने शीघ्रेऽप्येवं विपर्ययः ॥ ३९ ॥
मेषो वृषो मृगः कन्या कर्कमीनतुलाः क्रयात् ।
आदित्यादिग्रहेषूच्चं नीचं यत्तस्य सप्तमम् ॥ ४० ॥
उच्चान्नीचाच्च यत्तुर्यं समस्थानं तदुच्यते ।
उच्चस्थं मध्यगं नीचं चक्रे चात्र व्यवस्थितम् ॥ ४१ ॥
ऊर्ध्वदृष्टि च भौमार्कौ केकरौ बुधभार्गवौ ।
समदृष्टि च जीवेन्दू शनिराहू स्वधोदृशौ ॥ ४२ ॥

सूर्यादिक राहु केशु युक्त ९ नौ ग्रहों में बुध गुरु शुक्र और चन्द्रमा शुभ ग्रह, शनि सूर्य राहु भौम और केतु ये क्रूर ग्रह या पापग्रह कहे जाते हैं।

वक्र, शीघ्र, सम, और उच्च नीच और सम इस प्रकार की ग्रहों की स्थिति समझ कर कोट चक्र में कौन ग्रह किस प्रकार भ्रमण कर रहा है देखना या विचारना चाहिए।

गुरु, मंगल, शुक्र, बुध ये क्रमश; पूर्वादिक दिशाओं में हों, तथा तथैव क्रूर ग्रह के साथ चन्द्रमा भी हो तो, कोट भंग होगा, या कोट भंग करने वाले यायी राजा का भंग होगा। दोनों के नाम नक्षत्रों से विचार करना चाहिए।

सूर्य राशि की दूसरी राशि का उदयी ग्रह को शीघ्रगतिक, तृतीयस्थ को समगतिक, चतुर्थस्थ मन्दगतिक, पञ्चमषष्ठस्थ को वक्र, सप्तम अष्टमस्थ को अति वक्र,नवमदशमस्थ को कुटिल और एकादश द्वादशस्थ को शीगध्रगतिक ग्रह समझना चाहिए। सूर्य चन्द्र सदा शीघ्रगतिक और राहु केतु को सदा वक्रगतिक समझना चाहिए। वक्री होने से क्रूर विशेष क्रूर स्वभाव का हो जाता है। शीघ्रगतिक होने से शुभ ग्रह विशेष शुभफलद हो जाता है ॥३१...४२॥

सुहृदोऽर्केन्दुभौमेज्या एवं शुक्रज्ञभानुजाः ।
अन्योन्यवैरिणो ह्येते राहोः सर्वे च शत्रवः ॥४३ ॥
स्वक्षेत्रस्थे बलं पूर्ण पादोनं मित्रभे ग्रहे ।
अर्द्धं समगृहे ज्ञेयं पादं शत्रुगृहस्थिते ॥ ४४ ॥
क्रूरा गर्भे पुरं घ्नन्ति प्राकारे भंङ्गकारकाः ।

बहिःस्था वेष्टके सैन्यमृत्युदा नात्र संशयः ।। ४५ ।।
क्रूरागर्भे शुभा बाह्ये गृह्यते निश्चितं पुरम् ।
सौम्या मध्ये बहिः क्रूरा असाध्यं दुर्गमुच्यते ।। ४६ ।।
क्रूरं चतुष्टयं मध्ये प्राकारे सौम्यखेचराः ।
भेदाद्भंगो भवेत्तत्र विना युद्धेन गृह्यते ।। ४७ ।।
प्राकारे संस्थिताः क्रूरा मध्ये सौम्यग्रहा यदि ।
दुर्गभंगे समुत्पन्ने भंगमायाति वेष्टकः ।। ४८ ।।
मध्यनाडीस्थिताः सौम्याः क्रूरा बहिरवस्थिताः ।
सैन्यावर्तो बहिः शत्रोर्विना युद्धेन जायते ।। ४९ ।।

फलित ज्यौतिष के ग्रन्थान्तरों से तथा वर्गादि से ग्रहों की परस्पर की मित्रता समता और शत्रुता समझ लेनी चाहिए। राहु केतु के सभी शत्रु ग्रह हैं।

अपने घर का ग्रह पूर्णबली, मित्र घर का $\frac{3}{4}$, समगृही $\frac{1}{2}$ बली, और शत्रु घर के ग्रह का बल $\frac{1}{4}$ होता है।

कोट गर्भस्थ नक्षत्र गत क्रूर ग्रह से कोट का विनाश, और कोट वहिर्गत नक्षत्र गत क्रूर ग्रहों से आक्रमण कारी राजा ससैन्य विनष्ट हो जाता है।

कोट गर्भगत क्रूर एवं वहिर्गत शुभ ग्रहों की स्थिति के समय में तो निश्चय ही उस नगर या राजधानी पर शत्रु सेना विजय पा ही लेती है।

जिस ग्रह स्थिति में शुभ ग्रह कोट मध्य और पापग्रह वहिर्गत होते हैं तो ऐसी ग्रह स्थिति पर कोट पर विजय पाना असंभव हो जाता है।

क्रूर ग्रह कोट मध्यगत, शुभ ग्रह प्राकार गत होने से शत्रु द्वारा विना युद्ध के ही दुर्ग पर विजय हो जाती है।

मध्यगत शुभग्रह, प्राकार गत पाप ग्रह से दुर्ग भंग की स्थिति में दुर्ग संरक्षक ही नष्ट होते हैं।

मध्य में शुभ ग्रह बाहर क्रूर ग्रह हों तो कोट या दुर्ग पर अधिकार करते समय सैन्यावर्त हो जाता है अर्थात् हाथी घोड़े सैनिक आदि व्याकुल होकर इतस्ततः भागने लगते हैं।। ४३…४९ ।।

प्राकारे पुरमध्ये च यदा क्रूरा अधिष्ठिताः ।
सौम्या बाह्ये तदा दुर्गमयत्नेनापि सिध्यति ॥ ५० ॥
सौम्या मध्ये च कोटे च बाह्ये पापग्रहा यदि ।
देवैर्ब्रह्मादिभिर्दुर्गं गृह्यते न कदाचन ॥ ५१ ॥
प्राकारे बाह्यगाः क्रूराः सौम्या मध्यगता यदि ।
युद्धं प्राकारखंडिश्च पुरभंगो न विद्यते ॥ ५२ ॥
स्तंभान्तरगता यस्य ग्रहाः सौम्याः शुभान्विताः ।
भवेयुस्तस्य कोटस्य न नाशो विद्यते क्वचित् ॥ ५३ ॥
यदि साक्षादहं तत्र युद्धे चात्मगणान्वितः ।
तथापि न भयं विद्यादिति सत्यं वरानने ॥ ५४ ॥
स्तंभान्तरगता यत्र रविराहुशनैश्चराः ।
भूमिपुत्रश्च तस्याशु नाशः कोटस्य निश्चितम् ॥ ५५ ॥
मयैव रक्षिते तत्र युद्धे कोटे न संशयः ।
तथापि न भवेत्सम्यग् ग्रहदोषाद्वरानने ॥ ५६ ॥
सौम्या बाह्ये तथा कोटे मध्ये क्रूरग्रहाः स्थिताः ।
स्वयं दुर्गं प्रयच्छंति वेष्टकाय गढाधिपाः ॥ ५७ ॥
बाह्याभ्यन्तरगाः क्रूराः प्राकारे शोभना ग्रहाः ।
रिपुद्वयं क्षयं याति विना युद्धेन निश्चितम् ॥ ५८ ॥
प्राकारस्था ग्रहाः क्रूरा बहिर्मध्ये शुभाः स्थिताः ।
समं युद्धं भवेत्तत्र खंडिपातो दिनेदिने ॥ ५९ ॥
सौम्याः क्रूरास्तथा चाष्टौ प्राकारे मध्यबाह्यगाः ।
एकस्था यत्र कुर्वन्ति संग्रामं तत्र दारुणम् ॥ ६० ॥
गजाश्वरथभूपालाः सामन्ता मण्डलेश्वराः ।
भटा मर्दं प्रकुर्वन्ति सैन्ययोरुभयोरपि ॥ ६१ ॥
चापकुन्तगदापाशखड्गहस्तैर्महाभटैः ।
अभग्नयोर्द्वयो राज्ञोः सैन्यावर्तः प्रजायते ॥ ६२ ॥
वाहिन्यो रक्तवाहिन्यो दुस्तराः प्रेतसंकुलाः ।
वसासृक्पंकलिप्तांगो यन्त्रमन्त्रावगुंठिताः ॥ ६३ ॥

गृध्रकाकशिवाश्येनडाकिनीप्रेतसंकुला: ।
वेतालपालभूताद्या: पिशाचोरगराक्षसा: ॥ ६४ ॥
वेतालचपला भूता: पिशाचा: स्वेच्छया वृता: ।
ईदृशं च महायुद्धं तत्काले जायते ध्रुवम् ।
न कश्चिद्विजयी युद्धे द्वयं याति यमालयम् ॥ ६५ ॥

शुभ ग्रह बाहर, प्राकार तथा मध्यगत क्रूर ग्रहों से विना प्रयास के ही आक्रामक को दुर्ग प्राप्त हो जाता है।

शुभ ग्रह मध्य में पाप ग्रह कोट के बाहर की ग्रह स्थिति में सर्वशक्तिमान् ब्रह्मादिक देवता भी दुर्ग को प्राप्त नहीं कर सकते। पाप ग्रह प्राकार और बाहर में, शुभ ग्रह मध्यगत में तो युद्ध होता है किन्तु प्राकार और नगर का भंग नहीं होता। शुभ ग्रह से युक्त शुभग्रहों की स्तम्भ गत स्थिति में कोट सदा सुरक्षित रहता है। शंकर जी पार्वती से कह रहे हैं कि ऐसी उक्त ग्रह स्थिति में भी अपने गणों के साथ दुर्ग लाभाय युद्ध करूँगा तो असफल ही होऊँगा।

रवि राहु शनि भौम की स्तम्भस्थिति में शीघ्र कोट भंग होता है। इस स्थिति को शंकर जी भी नहीं सम्हाल सकते हैं। अर्थात् ग्रह दोष ही विशेष बली होता है।

पाप ग्रह मध्यगत और शुभ ग्रह वहिर्गत स्थिति में दुर्ग का स्वामी स्वयं अपने शत्रु को अपना दुर्ग हस्तान्तरित कर देता है।

बाहर मध्यगत क्रूर ग्रह और प्राकार गत शुभ ग्रहों में विना युद्ध किये ही दोनों राजा नष्ट हो जाते हैं।

क्रूर ग्रह प्राकार बाहर एवं मध्यगत शुभग्रहों से समान युद्ध होता है। और किले का प्रतिदिन पतन ही होते रहता है।

शुभ एवं पाप, आठों प्रकार में, मध्य या बाहर कहीं भी एकत्र हों तो संग्राम (युद्ध) भीषण होता है। ऐसी स्थिति में, सामन्त, मण्डलेश्वर, हाथी, घोड़े, और उभय पक्ष की सेनाओं में सैनिकों का विनाश होता है।

धनुष, भाला, गदा, पाश, तलवार, हस्तगत दोनों सेनाओं का सैन्यावर्त्त

पलायन होने लगता है।

रक्तवाहिनी, दुस्तर, चर्वी रक्त से कीचड़ भूमि अतड़ियों की माला धारण की तरह सेना प्रेतमयी हो जाती है।

युद्ध स्थल में गिद्धा, काक, सियार, वाज पक्षी, डाकिनी, वेताल भूत, पिशाच, उरग, राक्षस,चन्चल वेताल भूत आदि स्वच्छन्द युद्ध स्थल में आ जाते हैं। भयंकर महायुद्ध होते हुए भी विजयी कोई नहीं हो पाता है ।।५०…६५।।

समसंख्याः शुभाः क्रूरा बहिर्मध्ये यदा स्थिताः ।
तदा सन्धि विजानीयात सैन्ययोरुभयोरपि ।। ६६ ।।
क्रूरैर्भंगो जयः सौम्यैर्मिश्रैर्मिश्रफलं मतम् ।
विचार्य कुरुते युद्धं कोटचक्रे स्वरोदयी ।। ६७ ।।
प्रवेशधिष्ण्यगे चन्द्रे जीवपक्षर्क्षसंस्थिते ।
निशीथे कवियुद्धं तु कर्तव्यं बाह्यसैन्यकैः ।। ६८ ।।
निर्गमर्क्षस्थिते चन्द्रे दुर्गाभ्यन्तरगैर्नृपैः ।
कर्त्तव्यं कवियुद्धं च रात्रौसुप्तं बहिर्जने ।। ६९ ।।
प्रवेशनिर्गमाद्यक्तो सैन्ययोरुभयोर्निशि ।
कवौ कोटे जयो युद्धे विपरीते पराजयः ।। ७० ।।
गढाधीशाः स्मृताः सौम्या वेष्टाधीशास्तु पापकाः ।
क्षेत्रयुग्मे स्थिता ये ते ज्ञातव्याश्च प्रयत्नतः ।। ७१ ।।
गढाधीशो भवेच्चन्द्रो वेष्टाधीशस्तुभास्करः ।
चन्द्रसूर्यविभागेन ज्ञातव्यं च बलाबलम् ।। ७२ ।।
आशाधीशो भवेच्चन्द्रस्ताराधीशश्च भास्करः ।
चन्द्रसूर्यगतिं ज्ञात्वा पश्चाद्दिशस्तु कारयेत् ।। ७३ ।।
वेष्टाधीशो भवेन्मध्ये गढाधीशस्तु बाह्यतः ।
स्वयं दुर्गं प्रयच्छंति वेष्टकाय गढाधिपाः ।। ७४ ।।
भूबलं पृष्ठतः कृत्वा पुरः कृत्वा विचक्षणान् ।
घातपातदिशो हित्वा कवियुद्धं समारभेत् ।। ७५ ।।
क्रूरो वक्री प्रवेशर्क्षे पुरमध्ये स्थितो यदा ।
तदा कोटविनाशाय कोटस्थो बाह्यभूपतेः ।। ७६ ।।

तुल्य संख्यक शुभपाप ग्रहों की कोट वहिर्गत और अनन्तर्गत स्थिति में दोनों राजाओं में परस्पर सन्धि हो जाती है।

क्रूर ग्रहों से पराजय शुभ ग्रहों से विजय, मिश्रित शुभक्रूर ग्रहों से जय या पराजय तारतम्य से समझनी चाहिए।

राहु मुक्त १३ नक्षत्र जीव नक्षत्र यदि प्रवेश में हों उन्हीं में चन्द्रमा भी हो ऐसे समय में वाह्य सेना (शत्रुसेना) के साथ अर्द्ध रात्रि में कवि युद्ध (डाका लूट पाट) करना चाहिए।

निर्गम चन्द्र नक्षत्र गत चन्द्रमा हों तो दुर्गस्थ राजा के साथ वहिर्गत की सुप्तावस्था में कवि युद्ध (डाका, लूट) करना चाहिए।

कवि कोट चक्र में दोनों सेनाओं का कवि कोट में कथित-प्रवेश निर्गम को समझ कर युद्ध करने से विजय प्राप्त होती है। विपरीत ग्रह स्थिति के युद्ध से पराजय ही होगी ॥ ६६…७६ ॥

प्रवेशं बाह्यगे वक्रे सक्रूरे सैन्यविग्रहः।
दुर्भिक्षं मृत्युभंगौ च बहिः सैन्यस्य जायते ॥ ७७ ॥
निर्गमर्क्षे बहिःस्थे च क्रूरो वक्रं करोति चेत्।
प्राकारस्य भवेद्भंगः प्राकारस्थे पुरस्य च ॥ ७८ ॥
पुरभे निर्गमे वक्री कथंचित् क्रूरखेचरः।
दुर्गं मुक्त्वा तदा काले दुर्गस्थः प्रपलायते ॥ ७९ ॥
यथा क्रूरैस्तथा सौम्यैः फलं ग्राह्यं विपर्ययात्।
मिश्रे मिश्रं विजानीयात् कोटचक्रे न संशयः ॥ ८० ॥
दुर्गग्रहे हिताः पापा वेष्टकानां पुरः स्थिताः।
शुभग्रहाश्च बाह्यस्थाः शीघ्रा वा वक्रिणोऽथवा ॥ ८१ ॥

कोट वहिर्गत १२ द्वादश संख्यक नक्षत्रों में वक्री क्रूर ग्रहों की स्थिति से वहिर्गत सेना को दुर्भिक्ष से मृत्यु एवं पराजय भी होती है।

बाहर के निर्गम नक्षत्रो में बली क्रूर ग्रह से प्राकार भंग हो जाता है। यदि बली क्रूर ग्रह प्राकार में हो तो पुर=नगर का विनाश हो जाता है।

कदाचित् बली क्रूर ग्रह वक्री होकर यदि निर्गम में हो तो कोटस्थ (दुर्ग-

स्थ) जन कोट से भाग जाते हैं। शुभग्रह से फल में इसका विपर्यय समझना चाहिए। तथैव क्रूर एवं शुभ ग्रहों की स्थिति से मिश्रित शुभाशुभ फल समझना चाहिए।

दुर्ग रक्षण के लिए अर्थात् स्थायी राजा के लिए पाप ग्रह हितकर होते हैं। दुर्ग वेष्टक या आक्रामक राजा के लिए पुरस्थित ग्रह हिताय समझने चाहिए।

वाह्य के लिए शीघ्रगतिक होने पर भी या वक्री होने पर भी शुभ ग्रह ठीक होते हैं ॥ ७७…८१ ॥

पुरमध्ये हताः सौम्याः पापा बहिरवस्थिताः।
गढाधिपस्य जयदाः फलमार्गान्निसर्गतः॥ ८२ ॥
उभयोर्विपरीतस्थाः पापाः सौम्याः पुरग्रहाः।
भंगो मृत्युस्तदा काले वर्जयन्ति पुरग्रहम् ॥ ८३ ॥
पुरभंगप्रदान् योगान् ज्ञात्वा परपुरं व्रजेत्।
यायी स्थायी च तंकालं दानोपायैः समं नयेत् ॥ ८४ ॥
उच्चं नीचं समं स्थानं पुरावुक्तं पुनर्ग्रहे।
ऊर्ध्वदृष्टिरधोदृष्टिः समतिर्यग्दृशौ पुनः। ८५ ॥
दुर्गसैन्यं सदैवोच्चैः प्राकारे मध्यबाह्यकम्।
नीचस्थं वेष्टकं सैन्यं ज्ञातव्यं स्वरवेदिभिः॥ ८६ ॥

पुरमध्य में शुभ ग्रह और पाप ग्रह हितकर होते हैं जो कोटाधिप के लिए विजय सूचक होते हैं ।

उक्त-ग्रहों की विपरीत स्थिति अर्थात् भीतर पाप ग्रह यायी अर्थात् आक्रामक के हित में, बाहर होने से अहित कर अर्थात् मृत्युप्रद भी होते हैं।

अन्तर्गत शुभ ग्रह स्थायी के हित में, और वहिर्गत अशुभ होते हैं। अतः विचार तारतम्य से युद्ध करना चाहिए।

अर्थात् शत्रु के पुर = नगर = राजधानी भंग होने वाली ग्रह स्थितियों में आक्रमण करना चाहिए। उभय पक्ष को अपनी विजय कामना हेतु उक्त मुहूर्त्त को युद्ध के लिए या बचाव के लिए सिद्धकरना चाहिए।

ग्रहों की उच्च-नीच सम अदिक स्थितियाँ पूर्व में बता दी गई हैं।

दुर्ग में उच्च स्थान स्थित सेना, प्राकार गत मध्यभाग का नाम सम स्थान और आक्रामक सेना स्थान का नाम नीच स्थान समझना चाहिए ॥ ८२⋯८६ ॥

कोटं कोटाधिपं नीचे निघ्नन्तो भौमभास्करौ ।
समस्थौ च पुरं सर्वमुच्चस्थौ निष्फलौ च तौ ॥ ८७ ॥
प्राकारे वेष्टकान् घ्नति उच्चस्थौ राहुसूर्यजौ ।
प्राकारस्थौ बहिःसैन्यं नीचस्थौ तौ तु निष्फलौ ॥ ८८ ॥
समदृष्ट्या गुरुश्चन्द्रः पश्यतः सर्वतः सदा ।
तिर्यक्स्थौ बुधशुक्रौ च फलदौ नात्र संशयः ॥ ८९ ॥
उर्ध्वदृष्टिग्रहे कुर्याड्ढिकुलीयन्त्रसाधनम् ।
समे च साधयेत्खांडि रन्ध्रपातमधो मुखे ॥ ९० ॥
दुर्गमध्ये गते सूर्ये जलशोषः प्रजायते ।
चन्द्रे भंगः कुजे दाहो बुधे बुद्धिबला नराः ॥ ९१ ॥
वाक्पतौ दुर्गमध्यस्थे सुभिक्षं प्रचुरं जलम् ।
चलचित्तनराः शुक्रे मृत्युरोगौ शनैश्चरे ॥ ९२ ॥
राहौ मध्यगते दुर्गे भेदभंगौ महद् भयम् ।
केतौ मध्यगते तत्र विषदानं गढाधिपे ॥ ९३ ॥

वाह्य नाडी नक्षत्र गत मंगल और सूर्य, नीच राशि गत होने से कोट=दुर्ग और कोट के मालिक का नाश करते हैं । सम राशिस्थ होने से समग्र नगर का नाश करते हैं और अपनी उच्च राशि गत हों तो निष्फल हो जाते हैं ।

राहु और शनि अपनी उच्च गत राशियों में (मिथुन, तुला) होकर अन्तर्नाडी में होने से दुर्ग और आक्रामक दोनों का विनाश करते हैं । ये नीच राशि गत होने से निष्फल होते हैं ।

गुरु-चन्द्र की तथा वुध शुक्र भी सदा समदृष्टिक होते हैं । अर्ध्वदृष्टिक सूर्य मंगल की पुर मध्यगत स्थिति में, पुर के मध्य में, ढिकुली यन्त्र शत्रु पर फेंके जाले वाले बम तोप आदि अस्त्र का पाषाण निर्मित कवच का निर्माण करना चाहिए । वाहर हों तो वाहर में ढिकुली यन्त्र रचना करनी चाहिए । उक्त

सूर्य मंगल यदि समदृष्टिक हों तो दुर्ग का एक देश खण्डि छेद से तोड़ देना चाहिए ।

अधो दृष्टिक हों तो कोट में अधोगत छिद्र निर्माण करना अर्थात् नीचे सुरंग आदि खोद कर किले में विजय प्राप्ति का उपाय करना चाहिए ।

दुर्ग मध्यगत सूर्य नक्षत्र से दुर्गस्थ जल सूख जाता है, चन्द्रमा से दुर्ग भंग होगा । भौम से अग्नि भय,बुध बुद्धि,बृहस्पति से सुमिश्र एवं पर्याप्त जल प्राप्ति, शुक्रसे जनता चच्छल चित्त की हो जाती है । शनि की दुर्ग मध्यस्थिति में मृत्यु एवं रोग दुर्गमध्यगत नक्षत्रस्थ राहु से आपस में विरोध एवं दुर्ग भंग होता है । पुरमध्य स्थित केतु से कोंट पति=दुर्ग के अधिपति को विष दिया जाता है । इसी प्रकार दुर्ग के वहिर्गत शुभाशुभ ग्रह वश भी विचार करना चाहिए ।

।। ८७…९३ ।।

इत्युक्तं तु फलं मध्ये एवं बाह्यगतैर्ग्रहैः ।
उपग्रहसमायोगादत्यन्तं प्राणसंशयः । ९४ ।।
अकारादिस्वराः पंच पूर्वाद्याशाचतुष्टये ।
मध्यांताः सव्यमालिख्य अन्तस्थाःखंडिकारकाः ।। ९५ ।।
दुर्गनाम्नः स्वरो यस्मिन् बालो वाऽस्तमितोपि वा ।
तद्दिने प्रारभेद्युद्धं दुर्गं सिध्यति नान्यथा ।। ९६ ।।
दुर्गस्थो यदि मार्गस्थः शीघ्रमित्र-समन्वितः ।
उपस्थितेपि तत्सर्वं भंगं कुर्याच्च वैरिणि ।। ९७ ।।
एकार्गलविधानं तु कर्तव्यं दुर्गरक्षणे ।
भंजने यमराजाख्यमित्युक्तं ब्रह्मयामले ।। ९८ ।।

इति कोटिचक्राणि सम्पूर्णानि

मध्य एवं वाह्यगत क्रूर ग्रहों की स्थिति से प्राण संशय रहता है ।

अ कार को पूर्वदिशा में इ कार को दक्षिण, अकार को पश्चिम ए कार को उत्तर एवं ओ कार को मध्य में स्थापित कर जिस दिन जिस दिशा का स्वर अस्त होता है उस दिन उस दिशा में दुर्ग खण्डित होना संभव है । (मालूम पड़ता है कि यह नियम व्यापक नहीं है ।) लेखक ।

बाल या अस्तंगत दुर्ग नाम के स्वर के दिन आक्रमक को दुर्ग पर चढ़ाई करनी चाहिए ऐसे समय में युद्ध करने से दुर्ग की प्राप्ति हो जाती है ।

दुर्ग के वर्णस्वर की तिथि में युद्ध प्रारम्भ करने से विजय होगी ।

अथवा दुर्ग के अस्तंगत स्वर में पाचवें मृत्यु स्वर तिथि में आक्रमण करने से दुर्ग प्राप्ति होगी ।

दुर्गस्थ मार्गी ग्रह और जो शीघ्र गतिक हो कर मित्र ग्रह के साथ होने पर सभी साधनों की उपलब्धि के बावजूद भी दुर्ग भंग हो जाता है ।

दुर्ग रक्षा के लिए तन्त्रशास्त्रों में कथित एकार्गल=बज्रार्गल यज्ञ कर्म विधान (ग्रह शान्ति आदि) करना चाहिए ।

तथा आक्रामक को दुर्ग भंग के लिए ब्रह्मयामल ग्रन्थों तथा मन्त्र तन्त्र शास्त्रों में वर्णित यमराज यज्ञ=विधान करना चाहिए ॥ ९४···९८ ॥

देश विशेष में जैसे कूर्माचल कुमायू आदिक देश में तत्रस्थ ज्योतिर्विद समाज वाहुल्येन उक्त कोट चक्र का उपयोग रोगी की कठिन अवस्था के समय विचारते आ रहे हैं ।

रोगी के नाम नक्षत्र ग्रहों के अनुसार पकारादि नाम वर्ग के अनुसार कोट-पाल यदि कोट वर्हिर्गत होता है तो रोगी की मृत्यु की सूचना होती है इत्यादि प्रसिद्ध है ।

जैसे—अ | क | च | ट | त | प | य | श | =ये ८ वर्ग सर्वत्र प्रसिद्ध हैं ।

सू | मं | शु | बु | बृ | श | च | रा | =ये ग्रह प्रत्येक वर्ग के अधि-पति भी प्रसिद्ध हैं ।

उक्त चक्र का विचार

वृद्ध रोगियों के (या साधारण रोगी की रोग निवृत्ति) मृत्यु समय में विचारा जाता है । जिस किसी रोगी के नाम का जो वर्गादिक अक्षर हो उस वर्गपति ग्रह को कोट के बाहर होना चाहिए । जैसे केदारदत्त नाम के वर्गादि अक्षर का स्वामी ग्रह मंगल है उसकी उक्त कोट के बाहर के नक्षत्रों में स्थिति होनी चाहिए ।

तथा केदारदत नाम की जो नक्षत्र हो वस्तुतः आर्द्रा नक्षत्र है । (पुनर्वसु होना चाहिए) नक्षत्र से राशि मिथुन होती है उसका स्वामी बुध ग्रह होता है

जिसे कोट पति या गृहपति कहते हैं इस ग्रह को कोट के भीतर होना चाहिए या पञ्चाङ्ग देख कर जिस समय सञ्चार वश कोट पाल, या राशीश्वर क्रमशः बाहर भीतर होने जा रहें हैं उस समय से रोगी की रोग निवृत्ति होने लगती है अर्थात् नीरोग होकर स्वस्थ हो जाता है। अत्यन्त आतुर और वृद्ध आयु के स्त्री पुरुषों की मृत्यु अवश्य भावी है जब कोट पाल भीतर एवं राशीश्वर बाहर आ गया है।

कूर्माञ्चल (कुमायू) में यह विचार सटीक सही होने से यह कोट विचार प्रसिद्धिगत हुआ है।

॥ श्रीः ॥

परिशिष्ट [क]

श्वास से प्रवेश-निर्गम स्वर

सोऽहम्,अहं+सः=अहं सः+=हंसः। शि+वः=शिवः। ता+लः=तालः। रा+मः =रामः, इत्यादि–

शरीर के नाभि में कुण्डलिनी नाम की महाशक्ति का एक केन्द्र है। शक्ति केन्द्र से २० नाड़ियाँ (१० ऊपर और १० नीचे) चार सीधी (दो दाहिने और दो बायीं) गई हुई हैं। ये २४ प्रधान नाड़ियाँ (धमनियाँ) हैं। वास्तव में स्थूलतया "शतञ्चैंका हृदस्य नाड्यः' १०१ नाड़ियों की और भी अनेक सहायक नाड़ियाँ शरीर में (वायु वेग) श्वास के आदान प्रदान के माध्यम से रक्त प्रवाह कर रही हैं।

(१) इडा (२) पिंगला (३) सुषुम्ना (४) गान्धारी (५) हस्तिजिह्विका, (६) पूषा, (७) यशा, (८) व्यूषा (९) कुहू, और (१०) शंखनिका प्रधान दश नाड़ियों के ये नाम हैं।

इडा नाडी का नाम चन्द्र-नाड़ी और पिंगला का नाम सूर्य नाडी है। सुषुम्ना का नाम शम्भु नाड़ी है।

चन्द्र नाड़ी शीत प्रधान है, शक्ति इसकी अधिष्ठात्री है, इसलिए यह वाम नाड़ी=वाम स्वर रूप में है। सूर्य नाड़ी उष्ण प्रधान शिव अधिष्ठान, दाहिनी नाड़ी या दक्षिण स्वर, श्वास की होती है। वैदिक परम्परा में "अग्नि सोमौ"इन्ही को कहा गया है। आज का बिज्ञान इस प्रकृत क्रम को सम्भवतः ओक्सीजन (०) कारवनडाई ओकसाइड (Co_2) से कहता होगा।

जिस प्रकार सूर्य चन्द्रमा अग्नि-सोम हैं इसी प्रकार सौर मण्डल में, मंगल पार्थिव तत्त्व (पृथिवी से उत्पन्न कुज) बुध वाक् तत्त्व, बृहस्पति श्रेष्ठमतिक जीव तत्त्व, शुक्र तामस और ज्ञान तत्त्व, और शनि दुःख स्वरूप वायु तत्त्व है।

प्राणी (जीव) के हृदय में, हंस-चार सोऽहं की भावना-

जीव के श्वास प्रवेश नाभि में—सूर्य तत्त्व दूषित वायु को दूर करता है तथा चंद्र तत्त्व वायु प्रवेश के लिए होता है। परमहंस योगी उक्त सोऽहम्-या हंसः भाव से प्राण और अपान की एकरूपता की साधनिका से ब्रह्मीभूत होता है इस प्रक्रिया से ह और ठ, या-रा और म, या-शि और व, या-ता और ल की एकता से हठ, राम, शिव और ताल या अनेक प्रकार की शब्द सृष्टि होती रहती है।

"सिद्धसिद्धान्त" पद्धति में—

हकारः कीर्त्तितो सूर्यः सकारश्चन्द्र उच्यते।

हकारः निर्गमे प्रोक्तः सकारोऽन्तः प्रवेशने अतः हंसः,

तथा "गारुड" में,

"रकारेण वहिर्याति मकारेण विशेत्पुनः

राम रामेति रामेति जीवः जपति सर्वदा" कहा गया है।

स्वर, आत्म स्वरूप भी कहा है, जो योगगम्य है, स्वर शास्त्र में चारों वेद और शास्त्रान्तर, संगीत के साथ सारा त्रैलोक्य स्वर में स्थित है।

"स्वरे वेदाश्च शास्त्राणि स्वरे गन्धर्वमुत्तमम्

स्वरे च सर्वं त्रैलोक्यं स्वरमात्मस्वरूपकम्"

इत्यादि ("शिव स्वरोदय")

पञ्च तत्त्वात्मक (आधुनिक विज्ञान के अनेक तत्त्वात्मक) शरीर में दृढ़ योगी सञ्जीवन तत्त्व को ही ग्रहण करता है, निर्जीवन तत्त्व को शरीर से बाहर करते हुए अमृतत्त्व को प्राप्त होता है। किस समय किस तत्त्व की प्रधानता हो रही है, यह योग गम्य या गुरु गम्य है। तथापि सिद्धसाधक जन नासिका में दक्षिण वाम स्वरों की गति विधि से परिचित होते रहते हैं।

कुछ लोग एक शंकु १२ अंगुल की लम्बी चिक्कन लकड़ी या पत्थर से नासिका के अग्रभाग (मुह) से श्वास की गति का ज्ञान कर लेते हैं।

(१) वाय या दक्षिण नासापुत्र के श्वास गमन से पार्थिव-तत्त्व (पृथिवी) की प्रधानता कही गई है।

(२) नासापुट के ऊपर श्वास के आदान पदान से अग्नि तत्त्व।

(३) नासापुट से नीचे से बहते हुए वायु से जल तत्त्व।

(४) नासिका के दोनों पार्श्व ले श्वास गमनागमन से वायु तत्त्व।

(५) नासिका के मध्य से प्रचलित वायु, से स्वरज्ञ, संक्रमण कालीन वायु भी कहते हैं; उसे आकाश तत्त्व की प्रधानता समझते हैं।

हृदय कमल के मुख्यतया आठ विभागों के भी प्रत्येक विभाग के दो विभागों के १६ भागों में ५ तत्त्वों का एक पाली में आरोह दूसरी पाली में अवरोह होता है। जिसे निम्न तालिका से स्पष्ट किया जा सकता है।

	आरोह			अवरोह		
	२ मिनिट	तक	पार्थिव तत्त्व	१० मिनट	तक	आकाश
	४ ,,	,,	जल	८ ,,	,,	वायु
आरोह	६ ,,	,,	तेज ,,	६ ,,	,,	तेज
	८ ,,	,,	वायु ,,	४ ,,	,,	जल
	१० ,,	,,	आकाश ,,	२ ,,	,,	पृथ्वी
	३० मिनट में पाचों तत्त्व			३० मिनट में ५ तत्त्व		

हृदय के आठ विभागों के एक विभाग में आरोह-अवरोह के क्रम से १ घण्टे में एक विभाग, तो ८ घण्टे में ८ विभागों में तत्त्वों का सञ्चालन, होने से इस प्रकार २४ घण्टे में प्रत्येक तत्त्व की ८ × २ × ३=४८, ४८ आवृत्तियाँ हो जाती है।

श्वास की गति :—

२ मि०=५ पल=५ × ६=३० असु (प्राण) अतः १ मिनट में $\frac{३०}{२}$=१५ साधारणतया श्वास सञ्चार का क्रम होता रहता है।

इस प्रकार २४ घण्टे में, २४ × ६० × १५= ९०० × २४= २१६०० असु=प्राण, श्वास सञ्चार होगा। इस प्रकार एक अहोरात्र में २१६०० असु या $\frac{२१६००}{६}$=३६०० पल ÷ ६० = ३० असु, एक पल में जो मि का $\frac{२}{५}$ या २४ सेकेण्ड के बराबर होता है।

अतः १ मिनट में $\frac{३६००}{२४} \times \frac{१}{१०}$ = १५ श्वास की गति सिद्ध होती है। स्वस्थ

पुरुष के श्वास के तार तम्य से १ श्वास में ५ नाडी गति तो १५ श्वासों में १५ × ५=७५ हृदयगति या नाडी गति होगी।

"एकविंशति सहस्राणि षट्शतानि तथोपरि, हंस हंसेति हंसेति जीवो जपति नित्यशः" पुराणों में स्पष्ट कहा गया हैं।

श्वास की जगह यहां श्वास गति का अभिप्राय, नाडियों की गति या हृदयगति (धड़कन) से सम्बन्ध रखता है।

चान्द्र दिन (तिथियों में) में दक्षिण वाल स्वर चलन क्रम :–

योगियों का अनुभव है कि शुल्कपक्ष को प्रतिपद से तृतीया तक में एक एक घटी क्रम से पहिले चन्द्र स्वर (वाम स्वर) चलता है, तथा कृष्णपक्ष की प्रतिपद तिथि से तृतीया तिथि तक पहिले सूर्य स्वर (दक्षिण स्वर) चलता है।

शुक्ल और कृष्ण पक्ष में चन्द्र सूर्य चक्र

मुक्लपक्ष	तिथि	१	२	३	४	५	६	७	८	९	१०	११	१२	१३	१४	१५
	स्वर	चं.	चं.	चं.	सू.	सू.	सू.	चं.	चं.	चं.	सू.	सू.	सू.	चं.	चं.	चं.
कृष्णपक्ष	तिथि	१	२	३	४	५	६	७	८	९	१०	११	१२	१३	१४	१५
	स्वर	सू.	सू.	सू.	चं.	चं.	चं,	सू.	सू.	सू.	चं.	च.	चं.	सू.	सू.	सू.

१५ से पूर्णमासी, ३० से अमावस्या होती है।

फल विचार:–

जिस तिथि में जो स्वर चल रहा हो वह ५ घटी तक पांच तत्वों के साथ चलेगा तत्पश्चात ५ घटी तक दूसरा स्वर चलेगा। जैसे शुल्क पक्ष की प्रतिपद तिथि को ५ घटी तक चन्द्र (वांया स्वर) पुनः ६ से १० तक सूर्य (दक्षिण स्वर) चलने के क्रम से ६० घटी २४ घण्टे में $\frac{६०}{५}$=१२ या ६० × $\frac{२}{५}$ × $\frac{१}{२}$= १२ संक्रान्तियां एक अहोरात्र में पृथिवी आदि तत्त्व चलन में हो जाती है।

उक्त प्रकृतिक क्रम में व्यत्यय, चन्द्र स्वर के (बांये स्वर के) उदय के समय यदि सूर्य स्वर, अथवा सूर्य स्वरोदय काल (दाहिने स्वर) में चन्द्र स्वरोदय जिस दिन प्रतीत होता है, उस दिन अशुभ संकेत, हानि तथा मन में उद्वेग होगा ।

रात्रि में चन्द्र स्वर तथा दिन भर सूर्य स्वर प्रचालन की साधनिका जिनसे की जाती है, निस्सन्देह वे योगी हैं ।

(१) यात्रा, विवाह, वस्त्र अलंकार भूषग परिधान सन्धि, गृह प्रवेश आदि के लिए बांया स्वर शुभ है । दक्षिण या वाम जो भी स्वर चले यात्रा आरम्भ के समय प्रथमतः वही पैर चलाना चाहिए । स्वर साधन कुशल महात्मा "कबीर दास" ने भी—

"जो स्वर चलै सो पग दीजै ।
लोक वेद का कहा न कीजै" ।।

कहा है ।

(२) युद्ध, जुआ की प्रतिस्पर्धा, स्नान, भोजन, मैथुन, व्यवहार-भय भंग-के लिए दाहिना स्वर उत्तम कहा गया है । पृथ्वी आदि किस तत्व को कैसे जाना जायगा—

(१) पृथिवी तत्त्व	पीत वर्ण
(२) जल तत्त्व	श्वेत वर्ण
(३) तेज तत्त्व	रक्त वर्ण
(४) वायु तत्त्व	नील बर्ण

और (५) आकाश तत्त्व को धूम्र वर्ण से समझना चाहिए,

हृत्कमल के पूर्व आदिक दल में पृथिवी आदिक तत्त्वों में, तत्त्व बिशेष के प्रचलन को समझ कर स्वर शास्त्रज्ञ, योगी, दैवज्ञ, प्रश्न कर्त्ता के अनुसार फलादेश करता है ।

पूर्व में वायु तत्त्व के चलने से संग्राम करने की इच्छा होती है।

अग्नि	,,	,,	भोजन	,,	,,	,,
दक्षिण	,,	,,	क्रोध	,,	,,	,,
नैॠत्य	,,	,,	भोग विषय	,,	,,	,,
पश्चिम	,,	,,	सुखानुभूति	,,	,,	,,
वायु	,,	,,	यात्रा करने की	,,	,,	,,
उत्तर	,,	,,	किसी पर कृपा करने	,,	,,	,,
ईशान	,,	,,	राज्य प्राप्ति	,,	,,	,,

सन्धि स्थान (दो पत्रों की) परम आनन्द की अनुभूति होती है।

इस प्रकार ज्योतिष और योग-शास्त्र का परस्पर अभेद सूचित होता है।

॥ इति ॥

दो नामों से आपस की मैत्री या शत्रुता का विचार

मित्रों, (दोस्तों) स्त्री, पुरुषों, प्रत्येक के साथ व्यवहार, राज्य-व्यापार-धन या किसी भी अभीष्ट कार्य के लिए निम्न क्रम से भी विचार किया जाता है।

ऋण और धन के साधन का चक्र ("समरसार" से)

साध्याङ्क	त ६	त ६	त ६	न ०	ग ३	भू ४	मा ४	नु ०	नि ०	नि ०	गा ०
	अ	आ	इ	ई	उ	ऊ	ए	ऐ	ओ	औ	अं
	क	ख	ग	घ	ङ.	च	छ	ज	झ	ञ	ट
	ठ	ड	ढ	ण	त	थ	द	ध	न	प	फ
	ब	भ	म	य	र	ल	व	श	ष	स	ह
साधकांक	त२	त२	म५	न०	न०	र२	य१	न०	भ४	व४	गा ३

यहाँ स्वामी=साधक, सेवक=साध्य, पति=साधक, पत्नी=साध्य, गुरु=साधक, शिष्य=साध्य इत्यादि ।

जैसे—राम-साधक, सीता-साध्य है ।

अतः र् + आ + म्+अ] साधक अंको से=९
०+२ +५+२]

स् + ई + त्+आ] सध्य अंकों से ९
०+०+ ३+६]

साधक और साध्य के अंकों के प्रथम योग में ९ का भाग देने से शेष ग्रहण करना चाहिए ।

राम सीता दोनो के अंक योग ९, ९, में आठ का भाग देने से शेष १, १ बचने से दोनों में परस्पर अभेद है या साम्य है ।

जहां जन्मपत्रियाँ उपलब्ध न हों ऐसी स्थिति में उक्त चक्र से वर-वधू का मेलापक विचार अच्छी तरह किया जा सकता है ।

साधक गुरु का नाम (१) श्री पं० रामयन्त ओझा और (२) श्री पं० बलदेव पाठक, साध्य शिष्य का नाम केदारदत्त जोशी

र् + आ + म्+अ+य् + ३+त्+न्+अ ओ + झ्+आ ०+२+५+२ + ०+२+० + ४ + २+४+४+२=२७—२१ भी=२७

क + ए + द् + आ + र्+अ + द् + अ+त् + त्+अ+ज + ओ+श्+ई+६+४+ + ४+६ + ३ + ६+४ + ६ + ३+४+६+० + १=५१

२७ ÷ ८=शेष ३
५१ ÷ ८=शेष ३

['जिसका शेष अधिक हो वह ऋणप्रद होता है ।"

दोनों गुरु नामों से यहां भी उत्तम साम्य है ।

यहाँ दोनों गुरु और एक शिष्य में साध्य तो है, किन्तु स्वनाम धन्य स्वर्गीय पं० रामयत्न ओझा तथा स्व० श्री पं० बलदेव पाठक मेरे अराध्य गुरु (प्रधानाचार्य ज्योतिष विभाग का.हि.वि.वि.) थे, समस्त गणित ज्योतिष के साथ उक्त स्वर शास्त्र का भी ज्ञान इन पंक्तियों के लेखक को गुरु कृपा से ही प्राप्त हुआ था । अतः इस शरीर पर गुरु का ऋण भारस्वरूप नहीं, अपितु गुरु गौरव स्वरूप है जिसका भुगतान सम्भव नहीं है । लेखक ।

मानव जीवन और ज्योतिष शास्त्र

ज्यातिष शास्त्र की अपनी महत्ता तो है ही पर ईश्वर अराधना एवं उसकी कृपा सर्वोपरि है। कभी-कभी साधारण से साधारण मनुष्य भी इस अनन्त शक्ति की प्रेरणा से ऐसी बात बोल देता है कि जो कालान्तर में सत्य घटित होती है। कहने का तात्पर्य यह है कि ज्योतिष का मानव के दैनिक जीवन से भी घनिष्ठतम सम्बन्ध है जिसे अस्वीकार नहीं किया जा सकता। इस प्रकार ज्योतिषशास्त्र किसी एक की थाती नहीं अपि च जन-जीवन की सम्पत्ति है।

१. मनो विभङ्ग भी किसी अनिष्ट की सूचना देता है।

बम्बई में एक महिला, भाई की कुशल न मिलने से बहुत अधिक चिन्ता से कर्त्तव्य शून्य सी हुई थी। वाराणसी के एक तार से उसे वाराणसी में जन्माष्टमी के दिन भाई के डूब कर मृत्यु की सूचना मिल ही गई। कुछ घण्टों के पश्चात् बहिन की भी हद्गात शून्य हो गई। सच्चे अर्थ के भाई बहिन थे। इस भविष्य के ज्ञान में परिवार का ज्योतिषी पूर्ण असफल रहा।

२. एक बड़े मकान के विभिन्न परिवारों के कुछ सदस्य उसी मकान की एक बैठक में उपस्थित थे। एक सज्जन अपना दाहिना हाथ चूम रहे थे, इसलिए कि उसमें खुजलाहट हुई थी। दूसरे दोस्त उनका मजाक उड़ा रहे थे कि आपको हाथ चूमने की आदत पड़ गई है। १०, १५ मिनट के भीतर एक कम्पनी से उन्हें बोनस का रुपया धनादेश से (धन) भी मिल गया। तब मजाक उड़ाने वाले उनके दोस्त ने भी अपनी हाथ चूमा, हथेली की सच्ची खुजलाहट के मित्र ने उनसे कहा, हाथ चूमने का नशा हो गया है क्या ?

३. छात्रावास में रात की नींद से एक छात्र रोते हुए जग गया। उसके साथियों ने रोने का कारण पूछा तो उसे स्वप्न में मां की मृत्यु का समाचार मिला वह रोने लगा था। उसके साथियों ने उसे सान्त्वना दी कि स्वप्न का फल प्रतिकूल होता है। हंसना अशुभ, रोना शुभ होता है तुम्हारो माँ की आयु बढ़ गयी है। किन्तु प्रातः होते ही स्वप्न का ही समाचार सही हुआ, उसके घर से उसके माता की मृत्यु का समाचार पत्रालय विभाग से उसे मिल गया।

४. कभी चिर अतीत के किसी मित्र आदि की अप्रासंगिक स्मृति हो जाती है जो दूरस्थ है। संयोग है कि वह मित्र किसी समय घर पर उपस्थित होते देखा गया है। यह दूरानुभूति [Telipathy] है।

५. हाथ की हथेली की खुजलाहट जिस दिन हो निश्चय है उस दिन कहीं न कहीं से पैसा हाथ में आ ही जाता है।

६. दाहिने तल के पैर की खुजलाहट किसी यात्रा की सूचना देती है। अनेक उदाहरण सही हैं।

७. प्रातःकाल शयन त्याग के अनन्तर अशुभ दर्शन, अरुचि का शब्द श्रवण आदि ये समग्र दिनचर्या में व्यवधान की सूचना देते हैं। आवाल प्रसिद्धि है।

८. कुत्ता, बिल्ली, गौ आदि के क्रन्दन भी गृहस्थों को क्लेश प्राप्ति का संकेत करते हैं।

९. कभी कदाचित् मुख्य द्वार के आसन्न पल्ली आदिकों का संघर्ष भी अशुभ सूचना देता हैं।

१०. आदरणीय सहृदय का प्रातःकाल का दर्शन की शुभचर्या का अवश्य द्योतक होता है।

११. अच्छे सुस्वादु भोजन का दिन मङ्गलाय होता है।

१२. पुत्र पौत्रवती, मंगलमुखी, सती, साध्वी और सौभाग्यवती महिला का दर्शन दिन चर्या में शुभोदय की सूचना देता है।

१३. प्रातःकाल, ईशान से अग्नि कोण तक अच्छे शब्द के साथ उड़ने वाले पक्षियों में कौआ आदि की वाणी इष्ट-मित्र मिलन की सूचना देती है।

१४. एवं दक्षिण नैऋत्य दिशोन्मुख पक्षियों का र व (शब्द) अशुभ सूचना देता है।

१५. प्रकृति के लक्षणों से भी गृहस्थ लोग सुभिक्ष-दुर्भिक्ष (सुवृष्टि सूखा) आदि का अनुमान लगा लेते हैं।

१६. घाग की लोकोत्तियाँ अपनी सटीकता से आज भी ग्रामों में सुप्रसिद्ध सुनी जाती हैं। इत्यादि।

परिशिष्ट (ख)

स्वर विज्ञान नाम की ज्योतिष शास्त्र की एक शाखा, भारतीय संस्कृति की अपूर्व निधि रही है। कुछ लोगों ने भ्रमवश इसको आज के वैज्ञानिक युग की नवीन उपलब्धि मान लिया है।

वस्तुतः यह हमारी प्राचीन देन में ही संकलित की जा सकती है। अधिक उल्लेख या घुमाने की आवश्यकता नहीं है, भारतीय संस्कृति के सर्व प्रसिद्ध ग्रन्थ, वाल्मीकि रामायण और श्रीमद्‌भागवत इसके प्रत्यक्ष प्रमाण है।

गणित ज्योतिष शास्त्र को वेद मूलकता जिस प्रकार सिद्धान्त शिरोमणि (ग्रह गणिताध्याय) के तृतीय विभाग की भूमिका में दिखाई गई है, इसी प्रकार फलित ज्योतिष की प्रामाणिकता, आदिकाव्य वाल्मीकि एवं श्रीमद्-भागवत पुराणों के माध्यम से यहाँ दी जाती है।

बाल्मीकि-रामायण में फलित ज्योतिष की पर्याप्त उपलब्धि है। शंकुन स्वप्न, ग्रहयोग, नक्षत्र, नक्षत्र सम्बन्ध से मुहूर्त्त आदि का उल्लेख-आदि काव्य वाल्मीकि मे मिलता है।

बाल्मीकि में जातक ज्योतिष

बाल काण्ड सर्ग १८ श्लोक ८—१०

"ततश्व द्वादशे मासि चैत्रे नावमिके तिथौ,
नक्षत्रेऽदितिदैवत्ये स्वोच्चसंस्थेषु पञ्चसु।
ग्रहेषु कर्कटके लग्ने वाक्पताविन्दुना सह,
कौशल्याऽजनयद्रामं दिव्यलक्षणसंयुतम्"।

चैत्र मास (वैशाख से प्रारम्भ कर बारहवाँ) नवमी तिथि, पुनर्वसु नक्षत्र, कर्क लग्न, वृहस्पति के साथ चन्द्रमा था, और पांच ग्रह उच्च के थे, ऐसे समय साम्राज्ञी कौशल्या ने दिव्य लक्षणों से युक्त श्री "राम" को जन्म दिया था।

आचार्य वाराह से आज तक फलित ज्योतिष में ग्रहों की उच्च राशियाँ निम्न भाँति से कही गई हैं। सूर्य ग्रह मेष राशि में १० दश अंश तक अश्विनी के तीसरे चरण में पूर्ण उच्च का कहा गया है।

चन्द्रमा ,, वृष राशि के ,, तीन अंश में कृतिकानक्षत्रके द्वितीय चरण में
मङ्गल ,, मकर ,, ,, अठाईस ,, ,, घनिष्ठा ,, ,, ...
बुध ,, कन्या ,, ,, पन्द्रह ,, ,, हस्त द्वितीय ......
बृहस्पति ,, कर्क ,, ,, पाँच ,, ,, पुष्य द्वितीय ......
शुक्र ,, मीन ,, ,, सत्ताईस ,, ,, रेवती चतुर्थ ......
शनि ,, तुला ,, ,, बीस ,, ,, स्वाति चतुर्थ चरण में
पूर्ण उच्च के कहे गए हैं।

उक्त वाक्य में पक्ष का उल्लेख नहीं है। किन्तु श्री राम का जन्म चैत्र शुल्क नवमी तथा श्री कृष्ण का जन्म भाद्र कृष्ण अष्टमी तिथियों में हुआ है। इसमें कोई विकल्प नहीं है। तुलसी दास जी ने पक्ष का स्पष्ट उल्लेख किया है

"चैत सुदी नवमी मधुमास पुनीता
सुकुल पक्ष अभिजित् हरि प्रीता"

अभिजित मुहूर्त ११।३६ बजे दिन से १२।२६ बजे दिन तक अयोध्या में हो सकता है। तथा ११।५० बजे से २।८ बजे तक कर्क लग्न का समय भी हो सकता है।

पुनर्वसु नक्षत्र के चौथे चरण में श्री राम का जन्म होता है, क्योंकि बृहस्पति के साथ चन्द्रमा है, बृहस्पति कर्क राशि में उच्च का होता है। तिथि और चन्द्रमा के ज्ञान से स्पष्ट सूर्य की राशि, ग्रह गणित से सुखेन ज्ञात की जा सकती है, अर्थात् सूर्योदय से ६ घण्टा आगे तक पुनर्वसु का मान होने से कर्क लग्न के साथ बृहस्पति चन्द्रमा और पुनर्वसु की संगति गणित से ठीक होती है। ऐसी स्थिति में अष्टमी की समाप्ति नवमी का प्रारम्भ अर्थात मध्यान्ह व्यापिनी नवमी की भी संगति ठीक बैठती है। अतः सूर्य की राश्यादि मीन के (७ वें ८ वें या नवें नवांश) में होने से, सूर्य ग्रह उक्त अपनी उच्च राशि में नहीं होता है इस प्रकार बुध और शुक्र ग्रह जो सूर्य के आसन्न तथा

आगे कभी पीछे सदा रहते हैं बुध और शुक्र भी यदि मीन में हो तो दोनों में एक शुक्र ही उच्च का होता हैं। चन्द्रमा जो अपनी राशि कर्क का है, उच्च में नहीं है। मङ्गल मकर में उच्च का हो सकता है। इस प्रकार, मङ्गल, बृहस्पति, शुक्र और शनि (शनि तुला में होने से उच्च का हो सकता है) ये चार ग्रह उच्च राशियों के हो सकते हैं न कि पांच। इस क्रम से श्री राम की जन्म कुण्डली निम्न प्रकार की होगी। प्रायः प्रत्येक जातक की जन्म पत्रियों मे श्री राम की जन्मपत्री मङ्गल प्रकरण में इस भांति की दी हुई देखी जाती है।

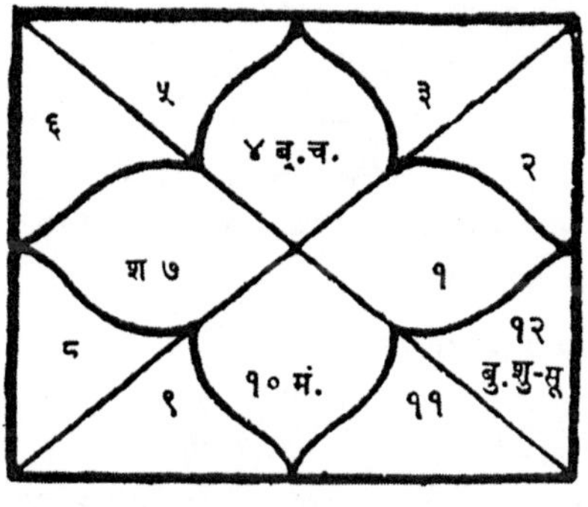

ग्रह गणित की उच्च राशियाँ

[1]उच्च नाम—प्रत्येक ग्रह कक्षा का एक आकर्षण केन्द्र है उससे छ राशि आगे सातवीं राशि में तत्तद्ग्रह का नीव संज्ञक आकर्षण बिन्दु है। उच्चाकर्षण विन्दु पर पहुँचते हुए ग्रह बिम्ब भूमि से दूर होने से छोटा एवं नीच आकर्षण बिन्दु पर पहुँचने से भूस्थित दृष्टि से बड़ा दिखाई देता है। कक्षा-वृत्त

१ 'दूरे स्थितः स्वशीघ्रोच्चाद ग्रहः शिथिलरश्मिभिः
सव्येतराकृष्टतनुर्भवेद्वक्रगतिस्तदा । (सू. सि.)
उच्चस्थितः व्योमचरः सुदूरे नीचस्थितः स्यान्निकटे धरित्र्याः

(कान्ति वृत्त) का भूमि से परम दूरी का विन्दु उच्च एवं समीपस्थ बिन्दु का नाम नीच है। उच्चाकर्षण वेग के शैथिल्य से ग्रह भू-स्थिति से वक्र (विलोम) गतिक हो जाता हैं। साथ ही यह उच्च बिन्दु भी सदा नियत न होकर गतिशील होते हुए ग्रह की तरह कक्षा में भिन्न-भिन्न राशियों पर जाता है। अर्थात ग्रह गणित सिद्धान्त से उच्च स्थान भी चल राशियों में ग्रहों की तरह चलायमान होते है। किन्तु फलित ज्योतिष के उच्च सदा एक रूप स्थिर कहे गए हैं। अतः संशय होता है–कि बाल्मीकि के समय में, वराहाचार्य कालीन ग्रहों की स्थिर उच्च राशियाँ ही यदि उच्च राशियाँ कही गयी हैं तब तो बाल्मीकि में कथित राम-जन्म की ५ ग्रहों की उच्चस्थिति में संशय-प्रद समस्या उपस्थित होती है, जैसा कि ऊपर कहा जा चुका है। अथवा आदिकाव्य कालीन फलित ज्योतिष उच्च राशियों और साम्प्रत की फलित की उच्च राशियों में परस्पर अन्तर माना जाय ? अथवा "उच्च संस्थेषु पञ्चसु" का कोई गहन-गूढ़-अभिप्राण हो सकता है। जैसा कालिदास ने भी "रघुवंश" के सम्राट दिलीप पुत्र रघु की जन्म कालीन ग्रह स्थिति में भी—"पाँच ग्रह उच्च के थे" ऐसा कहा है इस शोध के विषय पर विद्वानों का ध्यान आकृष्ट किया जाता है।

राहु और केतु को ग्रह मानकर उनकी भी उच्च-नीच, राशि, तथा उनकी स्वतन्त्र की भी मित्र शत्रु आदि राशियों की कल्पना में फलिताचार्यों के अनेक मत हैं। राहु के सम्बन्ध में विसम्बाद में किसी पक्ष को स्वीकार कर लेने से कदाचित् "पांच ग्रह उच्च के थे" सङ्कोच से ऐसा कहा जा सकता है।

क्योंकि फलिताचार्यों ने—

"बल से युक्त चार तारा ग्रह (मं० बृ० शु० और शनि) अपनी राशियों

अतोऽणु बिम्बः पृथुलश्च भाति भानोस्तथासन्नसुदूरवर्त्ती ।
यो हि प्रदेशोऽपम मण्डलस्य
दूरेभुवस्तस्य कृतोच्च संज्ञा
सोऽपि प्रदेशश्चलतीति तस्मात्प्रकल्पिता
तुङ्ग गतिर्गतिज्ञैः"

("भास्कराचार्य" सिद्धान्त शिरोमणि-ग्रह गोलाध्याय)

या अपनी उच्च राशियों में जिस जन्म पत्री में बैठे हो ऐसे योग से पंच महा-पुरुष का जन्म होता है" कहा है । जैसे—

शुक्र वृहस्पति केन्द्र में गए हों, अपने उच्च में बैठा शनि भी केन्द्रगत हो, चर लग्न में जन्म हो, तो ऐसे अवतार योग में कोई अवतारी पुरुष जन्म लेता है ।

अवतार योग में उत्पन्न पुरुष का फल—

अवतारयोगज पुरुष का नित्य नाम स्मरण किया जाता है । वह तीर्थ होता है, उसके सकल मनोरथ सफल होते हैं । वह काल कर्त्ता (समय के वश में वह नहीं उसके वश में समय) इन्द्रिय-जेता, वेदान्तवेत्ता, वेदशास्त्र-ज्ञान का उत्तम सत्पात्र राजा और लक्ष्मीपति होता है।

ज्योतिष में तारा ग्रहों की संख्या ५ मानी गई है । पञ्चतारा स्पष्टी-करणाधिकार में आचार्यों ने मंगल, बुध, वृहस्पति, शुक्र और शनि को, पांच तारा ग्रह से उच्चारण किया है ।

पांच तारा ग्रह एक साथ उच्च राशियों में नहीं हो सकते हैं, ४ तारा ग्रह मं० बृ० शु० और शनि का उच्च सस्थत्व सम्भव है ।

फलित की उक्त विचार मीमांसा से भी चर लग्न के जन्म से सम्बन्धित ४ तारा ग्रहों की उच्चादि सत्पद संस्थान गत स्थिति मर्यादा पुरुषोत्तम अव-तरित श्रीराम की जन्मपत्री में चरितार्थ देखी जा रही है । उक्त जन्म पत्री में शुक्र की दशम की स्थिति मानने से सूर्य की वर्गोत्तम नवांश (मीन राशि के अन्तिम नबांश में) मीन नवांश की ११।२७° मानने से चैत्र शुल्क नवमी कर्क लग्न गुरुचान्द्री योग में श्रीराम का जन्म समीचीन होता है किन्तु उच्च संस्थेपु पञ्चसु की जगह "उच्च संस्थेषु चतुर्षु" पाठ पढ़ना निरापद होगा ?

"ताराग्रहैः बलयुतैः स्वक्षेत्रस्वोच्चगैश्वतुष्टयेः
पञ्च पुरुषाः प्रशस्ताः जायन्ते तानहं वक्ष्ये ।
केन्द्रगौ सित देवेज्यौ स्वोच्चे केन्द्रगतेऽर्कजे
चरलग्ने यदा जन्म योगोऽयमवतारजः
पुण्यश्लोकस्तीर्थचारी कालादर्शः कालकर्त्ता जितात्मा

वेदान्तज्ञो वेदशास्त्राधिकारी जातो राजा श्रीधरोऽत्रावतारे"

("जातक पारिजात")

आदिकाव्य में ग्रह योग फल—

दैवज्ञों ने सूर्य मङ्गल और राहु के योग से राजा दशरथ की मृत्यु का संकेत किया है।

आवेदयन्ति दैवज्ञाः सूर्याङ्गारकराहुभिः

प्रायेण हि निमित्ताना-मीदृशानां समुदभवे

राजा मृत्युमवाप्नोति घोरां वापदमृच्छति"

आ० का० स० ४ श्लो १७

ज्यौतिष शास्त्र के अनुसार—

पुष्य नक्षत्र में भरत की, और श्लेषा में लक्ष्मण शत्रुघ्न की उत्पत्ति कही गई है। "पुष्ये जातः प्रसन्नधीः भरतः सार्पर्क्षे शत्रुघ्नलक्ष्मणौ"।

इससे चैत्र शुक्ल दशमी में श्री भरत जी एवं चैत्र शुक्ल एकादशी (कामदा) में लक्ष्मण शत्रुघ्न की समुत्पत्ति हुई थी। युक्तिबुद्धि से पुनर्वसु की समाप्ति और पुष्य प्रवेश के आसन्न श्री राम, तथा पुष्य समाप्ति अश्लेषा प्रारम्भ के समीप श्री भरत जी, तथा श्लेषा की समाप्ति एवं मघा के प्रारम्भ में श्री शत्रुघ्न लक्ष्मण, त्रैलोक्यनाथ श्री विष्णु के अंशों से ये चारों भाई भूमण्डल में अवतरित हुये थे।

ज्यौतिषशास्त्र का कथन है कि रेवती अश्विनी, अश्लेषा मघा, ज्येष्ठा और मूल की सन्धियों में उत्पन्न बालक विशेषतः ज्येष्ठा मूल में उन नक्षत्रों के एकादि चरण वश पिता माता धन के विनाश के लिए तथा अश्लेषा मघा में ···धन माता एवं पिता के निधन के लिए होते हैं। यह योग, ४, ८, १२,१६, २० वर्षों की अवधि तक घटित होते देखे गये हैं। अतः राजा दशरथ की मृत्यु में उक्त कारण भी उपस्थित था। मूल शान्ति कर्म से, उक्त अनिष्ट योग कट

वर्ष ई० सन् १९६७ में—

सं० २०२३ शक वर्ष १८८८ सन् १९६६ के मई जून में सूर्य मङ्गल राहु का योग हुआ था। राष्ट्र पर इस योग का कैसा शुभाशुभ प्रभाव पड़ा? पाठक स्वयं समझ सकेंगे।

आता है। आज के विकसित ज्योतिष में मूल शान्ति पर भी स्वतन्त्र ग्रन्थ उपलब्ध होते हैं, किन्तु

वाल्मीकि में मूल शान्ति का उल्लेख नहीं है। इसी प्रकार क्षय और अधिमास आदिका भी स्पष्ट उल्लेख सा नहीं है। वाल्मीकि ने मूल नक्षत्र (धनु राशि या धनुष राशि) को (रघुवंशियों के लिए पुष्य) राक्षसों का नक्षत्र कहा है। अवान्तर कालीन आचार्यों ने भी मूल नक्षत्र का अधिपति राक्षस कहा है।

"ऋक्षेषा:"—"शक्राग्नी खलु मित्रइन्द्रनिऋतिः, क्षीराणि" इत्यादि

(नक्षत्र प्रकरण, मुहूर्त्त चिन्तामणि)

युद्धाभिमुख प्रस्थित राम ने, "हमारा नक्षत्र शुभ है। राक्षसों का राक्षस नक्षत्र "मूल" मूलवता धूम केतु से स्पृष्ट हो गया हैं। महाकाल से ग्रहीत राक्षसों के नक्षत्र ग्रहों से पीड़ित हो गये हैं। गह सब राक्षसों के विनाश का काल हो गया है" इत्यादि कहा है।

"नक्षत्र वरमस्माकमिक्ष्वाकूणां महात्मनाम्,
नैर्ऋतं नैर्ऋतानां नक्षत्रमभिपीड्यते।
मूलो मूलवता स्पृष्टो धूप्यते धूमकेतुना,
सर्वं चैतद्विनाशाय राक्षसानामुपस्थितम्।
काले कालगृहीतानां नक्षत्रं ग्रहपीडितम्,
प्रसन्नाः सुरसाश्चापो बनानि फलबन्ति" ॥

वा. युद्ध. स. ३ श्लो. ५२—५५

वाल्मीकि में मुहूर्त्त ज्योतिष—

राम राज्यभिषेक के लिए बसिष्ठ ने आदेश किया है, सूर्य चन्द्र की उत्तम स्थिति, (उत्तम नक्षत्र योग) उत्तम मुहूर्त्त उत्पन्न होते ही बशिष्ठ ने उत्तम अयोध्यापुरी में राम राज्याभिषेक के लिए प्रवेश किया।

सुविमल आकाश में सुप्रभ सूर्य उदित हुआ, पुष्य नक्षत्र का दिन था। कर्क लग्न तथा कर्क के चन्द्रमा में रामराज्यभिषेक किया जा रहा था।

"ततः प्रभातां रजनीमुदिते च दिवाकरे पुण्य नक्षत्रयोगे च मुहूर्ते च समागते

वसिष्ठो प्राविवेश पुरीम्……

उदिते विमले सूर्ये पुष्ये चाम्यागतेऽहनि

लग्ने कर्कटके प्राप्ते चन्द्रे रामस्य च स्थिते," अयो० का० स० १५-३

वैवाहिक संस्कार में ज्यौतिष

विवाह के पूर्व नान्दी श्राद्ध (वृद्धिश्राद्ध) पितृ पूजन आवश्यक होता है (धर्म शास्त्र) तदनन्तर विवाह संस्कार किया जाता है। आज मघा है तीसरे दिन उत्तराफाल्गुनी में (रामादि चारों भाइयों का) वैवाहिक संस्कार करो। आज भी उत्तराफाल्गुनी नक्षत्र विवाह के लिए आचार्यों के आदेश से उत्तम प्रचलित हैं।

"पितृकार्यञ्च भद्रन्ते, ततो वैवाहिकं कुरु

मघा ह्यद्य महाबाहो तृतीये दिवसे विभो

फल्गुन्यामुत्तरे राजंस्तिष्ठन्वैवाहिकं कुरु॥"

(बाल स० ७१-२३-२४)

विवेचना

त्रिकालज्ञ वशिष्ठ ने उत्तम मुहूर्त्त में स्वयं अयोध्यापुरी में प्रवेश किया। इसलिए देवताओं के निमित्त विशेष लक्ष्य को स्वीकार कर रावण वध के प्रयास के लिए राम का (बनवास रूप) यात्रा मुहूर्त्त वशिष्ठ ने दिया था। १४ वर्ष तक की यात्रा के लिए रावण वध के लिए मुहूर्त्त था, और १४ वर्ष की पूर्ति में ही भरद्वाजाश्रम प्रयाग में रावण वध के अनन्तर श्रीराम पहुँचे थे।

"पूर्णे चतुर्दशे वर्षे पञ्चम्याम् लक्ष्मणाग्रजः

भरद्वाजाश्रमं प्राप्य ववन्दे नियतो मुनिम्" युद्ध १२७ श्लो० १

पञ्चमीतिथि का उल्लेख है। वर्ष के २४ पक्षों में पञ्चमी तिथि २४ अधिक मास में २६ होती है। किस मास पक्ष की यह पञ्चमी थी ग्रह गणित ज्यौतिष का यह आवश्यक शोध विषय है। मेरी प्रज्ञा इसे चैत्र शुक्ल पञ्चमी मानती है।

भरत प्रियाख्यान अध्याय में—हनुमान दूत रूप में–"कल पुष्य नक्षत्र सम्बन्धित दिन में, हे भरत ! तुम श्रीराम को देखोगे।" अपने उत्तरदायित्व से मुक्त होकर रामराज्य का सुखानुभव करोगे।"

"भरद्वाजाभ्यनुज्ञातं द्रक्षस्यद्यैव राघवम्

अविघ्नं पुष्ययोगेन श्वो रामं दृष्टु महंति'' १३१-५३

इसी सर्ग में सम्मान से विभीषण की विदाई कर राम ने राज्य सिंहासन सुशोभित किया।

लब्धवरं कुलधनं राजा लङ्कां प्रायाद्विभीषण:",

सं० १३१-९३

युद्ध के लिए किष्किन्धा छोड़कर युद्ध प्रयाण के मुहूर्त्त का भी उल्लेख आदि कवि ने किया है कि "सुग्रीव ! आज उत्तरा फाल्गुनी नक्षत्र है कल उत्तरा युक्त हस्त नक्षत्र में, समग्र सेना के साथ रावणवध के लिए लङ्का प्रस्थान उचित है।

"उत्तरा फाल्गुनी ह्यद्य श्वस्तु हस्तेन योक्ष्यते"

अभिप्रयाम सुग्रीव ! सर्वानीक समावृत्ता" यु० ४ श्लोक ६

वर्त्तमान मुहूर्त्त ज्योतिष में, उक्त आधार की परिपुष्टि होती है कि हस्त नक्षत्र में प्रस्थान कर स्वाती और चित्रा में स्थानान्तर में रुक कर पुन: विषाखा नक्षत्र में अपनी जय की इच्छा करने वाला राजा ने युद्ध के लिए देशान्तर में यात्रा करनी चाहिए।

प्रस्थाय हस्तेऽनिलतक्षधिष्ण्याये स्थित्वा जयार्थी प्रवसेद्विदैवे"

"मुहूर्त्त चिन्तामणि यात्रा प्रकरण"

हस्त नक्षत्र दिग्द्वार नक्षत्र कहा गया है जिसमें चारों दिशा की यात्रा सविशेष है, तथापि दक्षिण दिशा की यात्रा के लिए तो हस्त नक्षत्र विशेष महत्त्व का है। तथा "दक्षिणां चापराह्णे" वसिष्ठ वचन से दिन के चतुर्थ विभाग में, पूर्व के आसन्न प्रदेश में रणयात्रा प्रवृत्त राम की सेना ने रात्रि बिताई होगी।

इसी प्रसंग में "चन्द्रमा का प्रिय रोहिणी नक्षत्र बुध ग्रह से आक्रान्त है जो प्रजा के लिए अशुभ सूचक है।"

कौसलेय समाज के ज्येष्ठा नक्षत्र पर मंगल ग्रह ने आक्रमण किया है आकाश में विषाखा की तरह—

"प्राजापत्यं तु नक्षत्रं रोहिणी शशिनः प्रियाम्
समाक्रम्य बुधस्तस्थौ प्रजानामशुभावहः
कोसलनां च नक्षत्रं व्यक्तमिन्द्राग्नि दैवतम्
आक्रम्याङ्गरकस्तथौ विषाखामिव चाम्बरे"

युद्ध का १०३-३४,३५

फलित ज्योतिष में मङ्गल ग्रह को सेनापति (नेता) ग्रह कहा है, बुध ग्रह को कुमार ग्रह कहा है। नेता और कुमार की स्थिति से भी विजय की सूचना ज्यौतिष से प्राप्त है।

वाल्मिकि में शुभाशुभ निमित्त—(शकुन ज्यौतिष) तथा पशुपक्षियों की बोली का ज्ञान—

रावण के रथ सञ्चालक घोड़े काले वर्ण के दिखाई दिए।''''···

राम के पक्ष में, सुन्दर निमित्त (शकुन) देखे गए जो सब प्रकार विजय की सूचना देते थे। इस प्रकार अपनी जय के निमित्तों (शकुनों) को देख कर श्री राघव प्रसन्न हुए "रावण का बध अवश्य होगा" ऐसा राम को धैर्य हुआ।

"रथं राक्षसराजस्य नरराजो ददर्श ह,
कृष्णावाजिसमायुक्तां युक्तां रौद्रण वर्चसा।
एवं प्रकारा बहवः समुत्पाता भयावहाः,
रावणस्य विनाशाय दारुणाः संप्रजज्ञिरे।
रामस्य निमित्तानि सौम्यानि च शुभानि च,
बभूवुर्जयशंसीनि प्रादुर्भूतानि सर्वशः।
निमित्तानि च सौम्यानि राघवः स्वजयाय च,
दृष्ट्वा परं संहृष्टो हृतं मेने च रावणम्, ॥

युद्ध का० १०८-२५-२७

इसी प्रकार विवाह के अनन्तर अयोध्या प्रस्थान के समय अनेक अशुभ निमित्तों (शकुनों) के देखने से राजा दशरथ भयभीत एवं चिन्तित हुए और

कुलगुरु वशिष्ठ ने भी अशुभ निमित्तों में कोई अन्तरिक्ष भय उत्पन्न हुआ है जो पक्षियों के मुख से सुना जा रहा है" ऐसा स्वीकार किया एक अंधकार सा सामने उपस्थित हुआ जिससे सारी दशरथ सेना भस्म से आच्छादित सी हो गई. तथापि कुलगुरु ने दशरथ को आश्वासन दिया "धैर्य राखिए सब ठीक होगा" इत्यादि ।

"घोरास्म पक्षिणो वाचो व्याहरन्ति समन्ततः,
भीमाश्चैव मृगाः सर्वे गच्छन्ति स्म प्रदक्षिणाम् ।
तान् दृष्ट्पो राजशार्दूलो वसिष्ठ परिपृच्छत,
असौम्याः पक्षिणो घोरा मृगाश्चापि प्रदक्षिणाः ।
······श्रुत्वा वाक्यं महानृषिः
"उवाच मधुरां वाणीं श्रूयतामस्य यत्फलम्,
उपस्थितं भयं घोरं दिव्यं पक्षि मुखाच्च्युतम् ।
मृगाः प्रशमयन्त्येते सन्तापस्त्यजतामयम्,
ससंज्ञा इव तत्रासन् सर्वमन्यद्विचेतनम् ।
तस्मिन्तमसि घोरे तु भस्मच्छन्नेव सा चमूः,
ददर्श भीमसंकारं जटामण्डल धारिणम्,
भार्गवं जामदग्न्यं तं राजराजविमर्दनम् ।"

अयोध्या ७१-१३-१९ २३-२४

वाल्मीकि में स्वप्न ज्यौतिष

प्रेषित दूत द्वारा राजा दशरथ की मृत्यु का समाचार तथा भरत के ननिहाल से भरत को अयोध्या ले आने के लिए कारवाई की गई । ननिहाल में दूत पहुँचने की पूर्व रात्रि में भरत को भयंकर दुः स्वप्न हुए, जिन्हे स्मरण कर दूसरे दिन भरत अपने सहयोगियों से उदास मन से बात कर रहा था, जब कि साथियों ने भी भरत की उदास आकृति देखकर उदासी का कारण भी पूछा था । भरत ने गत रात्रि के स्वप्न का व्याख्यान किया । "मलिन वेश में खुले बालों से अभव्याकृति, पहाड़ से गिरते हुए कलुषित तालाब में गिरते हुए अञ्जलि से तेल पान करते हुए, बारम्बार हँसते हुए, तिल चावल भक्षण

करते हुए, निम्न शिरस्क, तैल लिप्त पिता को" कल रात मैंने स्वप्न में देखा। "समुद्र को शुष्क, चन्द्रमा को गिरते हुए तथा खर वाहक रथ से दक्षिण दिशा की यात्रा करते हुए अपने पिता को "कल स्वप्न में मैंने देखा है। मित्रों! यह स्वप्न अच्छा नहीं है, इसीलिए आज मैं उदास हूँ।

अयोध्या काण्ड सर्ग ६९ श्लोक १···२१ उक्त दुःस्वप्न भरत के भविष्य ज्ञान के लिए था। कि "जो मनुष्य गदहे के रथ में दक्षिण की यात्रा करते हुए स्वप्न में दिखाई देता है उसकी मृत्यु अवश्यभावी है।" मेरी या राम की या लक्ष्मण की या राजा दशरथ की किसी न किसी एक की मृत्यु अवश्य होगी।

नरो यानेन यः स्वप्ने खरयुक्तेन याति हि,
अचिरात्तस्य धूमाग्रं चितायां सम्प्रदिश्यते
शुष्यतीव च मे कण्ठो न स्वस्थमिव मे मनः,
न पश्यामि भयं स्थानं भयञ्चैवोपपधारये।
—भ्रष्टश्च स्वरयोगो मे छाया चोपहता मम॥

अयोध्या १–२१

बाल्मिकी में अङ्कगणित—इतिहास भूगोल (अनेक वंश परम्परा तथा वास्तविक भारतवर्ष, जिसमें कान्धार, इराक, काकेशस प्रभृति अनेक देश भी थे) के साथ जोड़, गुणन, भाग, वर्ग, धन आदि का स्थल विशेष पर उल्लेख मिलता है।

मध्ययुग के गणिताचार्यों ने, १ एक अङ्क के दश गुणित उत्तरोत्तर संख्याओं को "एक दश शत सहस्र अयुत लक्ष प्रयुत कोटि अर्बुद खर्व निखर्व महापद्म शङ्कुवस्तस्तस्मात् जलधिश्चान्त्य परार्ध्यं" इस प्रकार के नाम दिए हैं, जिनका मूल बालमीकि रामायण के किष्किन्धा और युद्ध काण्डों में बाहुल्येन उपलब्ध होता है।

शतः शतसहस्रैश्च वर्त्तन्ते करिभिस्तथा,
अयुतैश्चावृता वीर। शंकुभिश्च परन्तप।
अर्बुदैरर्बुदशतैर्मध्यै श्चान्त्यैश्च वानराः,

समुद्राश्च परार्धाश्च हरयो हरियूथपाः ॥

कि. स. ३८ श्लो ३०–३१

ततः पद्म सहस्रेण वृतः शंखशतेन च,

युवराजोऽङ्गदः प्राप्तः पितुस्तुल्यपराक्रमः । ३९–२९

दश गुणोत्तर संख्या की संज्ञा अनन्त होती है अपार अनन्त की जगह पर अमोघ शब्द का प्रयोग हुआ है ।

अमोघ शब्द सर्वशक्तिमान ईश्वर के लिए हिन्दू संस्कृति में सर्वत्र व्यवहृत होता है ।

पुराणों के पश्चात् मध्ययुग में श्रीधर-भास्कराचार्य-आर्यभट्ट प्रभृति गणितज्ञों ने गणित की अच्छी गवेषणा की है । शून्य परिक्रमाष्टक का भी मूल बाल्मीकि युद्ध काण्ड के अन्तिम सर्ग १३१ के अन्तिम श्लोक में (११९) में मिलता है ।

मध्य युग के आचार्यों ने शून्य अंक को अनिर्वाच्य सूक्ष्म से सूक्ष्म तथा महान् से महत्तम कहा है । श्री तुलसी दास जी "शून्य के चले जाने से अंक का मान शून्य, तथा अंक की वाम स्थिति में शून्य को दाहिनी मानने से प्रत्येक अंक का दश गुणित मान बढ़ता है" जैसे—

सकल साधना, तुलसी पतिरति अंक सम सून ।

अंक रहित कछु हाथ नहीं अंक सहित दस गून ॥ तुलसी रामायण में कहा है ।

जिस प्रकार किसी भी अंक की दाहिनी ओर शून्य लिखने से उस अंक का मान दश गुना, दो शून्य रखने से एक सौ गुना, हजार लाख गुना तक अनन्त मान बढ़ जाता है और अंक बराबर बायें चला जाता है । इसे स्वीकार कर ज्योतिष शास्त्र में "अङ्कानां वामतो गतिः" सिद्धान्त उत्पन्न होता है ।

जैसे "द्व्यब्धीन्द्रोनितशक" वर्त्तमान शक वर्ष में द्वि=२, अब्धि=४, इन्द्र=१४ अतः वाम क्रम से १४४२ (चौदह सौ बयालिस) अंक ही ग्रहण किया जावेगा । यदि द्वि+अब्धि+इन्द्र

२ ४ १४=२४१४ लिखेंगे तो अपेक्षित अभीष्ट मान १४४२ नहीं होगा । और सिद्धान्त विपरीत (वामगतिक) क्रम से ग्रह गणित अनर्थ कर देगा । जैसे वामगति से अंक मान प्रवर्द्धमान हो रहा है इसी ध्येय

को मन में रखकर पत्नी के लिए भी शास्त्रों ने "वामा" शब्द व्यवहार किया है। शून्य दाहिने रखने से अनन्त गुणित तक बढ़ते हैं तैसे ही पति की वाम भाग में पत्नी की उत्तरोत्तर पुत्रपौत्रधनधान्य से वर्धमान होने के अभिप्राय का संकेत "वामा" है। प्राग्गणितज्ञ शून्य को ब्रह्म कहते हुए उसे अविभाज्य अंक कहते हैं।

मन बुद्धि इन्द्रियाँ जहाँ तक नहीं पहुँचती वहीं शेष अथवा शून्यावतार है।

बाल्मीकि प्रभृति सभी वेदान्त वेत्ता अखण्ड परिणाम हीन स्वतन्त्र सत्तावान् सर्वशक्तिमान् को, ब्रह्म शब्द से कहते है।

इसी प्रकार राम नाम, ब्रह्म का अपर पर्याय भी है।

शुद्ध ब्रह्म परात्पर राम !
कालात्मक परमेश्वर राम !
शेषतल्पसुखनिद्रित राम !

इत्यादि ब्रह्म के अष्टोत्तर ही तक नाम नहीं, अपि च सहस्र लक्ष, अनन्त नाम कहे गए हैं। लीला जगत् में अखण्ड ब्रह्म ने चार प्रकार से विभक्त होकर दशरथ (दश इन्द्रियों का) के साथ पुत्र सम्बन्ध स्थापित किया है।

अतः यहाँ पर, ब्रह्म की विभक्त स्थिति पर भी उसकी परिपूर्णता स्थिर बनी रहती है।

जैसे बीज गणित से

अ÷क=ल। क्रिया से, क) अ (ल
+क×ल
अ—(क ल) =अ—क×ल=शेष

अथवा ल×क+अ—क×ल=अ। तात्पर्य है कि अ रूप ब्रह्म को क रूप हर से विभक्त करने से ल रूप लब्धि और अ—क×ल रूप शेष की उपलब्धि होते हुए भी प्रकारान्तर से अ का स्वरूप विकार रहित है यथावत् है।

अंकगणित से १७÷३=३) १७ (५
+१५
१७—१५=२

अथवा ५ × ३ + २=१७

यहाँ १७ भाज्य, ३ भाजक, ५ लब्धि और दो शेष का सम्बन्ध १७ पूर्णाङ्क से ज्यों का त्यों बना है ।

भरत) राम (शत्रुघ्न

+ भरत × शत्रुघ्न

राम—भरत × शत्रुघ्न

अथवा

शत्रुघ्न × भरत + राम—भरत × शत्रुघ्न=राम

(धनर्णयोस्तुल्यत्त्वान्नाशे कृते राशिरविकृदेव ।) तुल्य परिमाण की धन और ऋण राशियाँ जिस राशि से सम्बन्ध रखती है वह विकार शून्य राशि होती है अर्थात् ज्यों की त्यों रहती है ।

लीला जगत् में चतुर्धा विभक्त ब्रह्म भी पारमार्थिक स्थिति में स्वतन्त्र एवं अखण्ड ही रहता है ।

इस प्रकार बाल्मीकि का वेदान्त सम्मत गणित कौशल भी असाधारण गणित प्रतिभा का द्योतक होता है ।

"आदि देवो महाबाहुर्हरिर्नारायण प्रभुः

साक्षाद्रामो रघुश्रेष्ठो

शेषो लक्ष्मण उच्यते"

प्रीयते सततं रामः स हि विष्णुः सनातनः"

इस प्रकार बाल्मीकि में खोज करने पर आधुनिक विज्ञान बहुत अन्तर्निहित मिलेंगे ।[1]

प्रकृत के स्वर विज्ञान शीर्षक का बाल्मीकि पथ पर राम रावण के युद्ध में किसकी विजय होगी ? इस प्रश्न का हल स्वर शास्त्र से उदाहरण द्वारा

---

१. युद्ध कौशल भी बाल्मीकि में पर्याप्त उपलब्ध हैं । जैसे कबूतरों की उड़ान द्वारा शत्रु सेना की गतिविधि आज भी जानी जा रही है । तद्वत् राम रावण के युद्ध में परस्पर का सैन्य बलादि जानने के लिए शुक सारण प्रेषणध्याय (युद्ध काण्ड २५) दृष्टव्य है ।

प्रस्तुत किया जा रहा है।

हल—

बाल्मीकि के "राम" नाम की स्वर साधनिका

राम के अनेक नाम हैं तथैव रावण के भी हैं। जैसा पौलस्त्य दशानन, दशग्रीव रावण···तो युद्ध में जयाजय के लिए किस नाम को ग्रहण किया जाय ?

बाल्मीकि के पूर्व भी राम नाम विश्रुत था तथा बालकाण्ड में इक्ष्वाकुवंश प्रभवो रामो नाम जनैः श्रुतः वा–८ वा–१० कौशल्याऽजनयद्रामम्।

ज्येष्ठं रामं महात्मानं भरतं कैकेयी सुतम्,
सोमित्रि लक्ष्मण मिति शत्रुघ्नमपरन्तथा" बा० का० १८

राजा दशरथ के चारों पुत्रों का नाम, राम, भरत, लक्ष्मण, शत्रुघ्न था लोक विश्रुत सार्थक नाम हैं।

इसी प्रकार उत्तर काण्ड सर्ग १६ श्लोक ४७ में, प्रसिद्ध रावण नामकरण महेश्वर ने (शिव) किया था—

"अवशातं यदि हि ते मामेवैष्यत्यसंशयः
एवं महेश्वरेणैव कृत नाम स रावणः"

तथा राम रावण का युद्ध उपमा हीन है, जो राम रावण के ही युद्ध के सदृश है। जैसे—"गगनं गगनाकारं"—आकाश की उपमा का सादृश्य आकाश से ही है। तथैव–"रामरावणायो र्युद्धं रामरावणयोरिव" लोकोक्ति प्रसिद्ध है।

अतः राम रावण के युद्ध विजय का विचार राम और रावण नाम से ही होगा।

(१) राम नाम का मात्रा स्वर—

राम नाम के आदि वर्ण र में आ स्वर अ स्वर का दीर्घ भेद है

अतः राम नाम का मात्रा स्वर अ होता है।

इसीं प्रकार रावण नाम का भी मात्रा स्वर अ होता है।

(२) वर्ण स्वर—

राम और रावण नाम से वर्ण स्वर चक्र में नाम का आदि वर्ण र, ए स्वर के नीचे हैं इसलिए

राम का वर्ण स्वर ए रावण का वर्ण स्वर भी ए =४	)	दोनों का समान स्वर है, इसलिए सब तिथियों में दोनों का समान शुभ या अशुभ होगा ।

(३) ग्रह स्वर—

दोनों में रा आदि अक्षर पे पो रा री चित्रा से तुला-राशि राशि का ईश शुक्र ग्रह-स्वर चक्र में ए आता है, =४

इसलिए समान स्वर होने से दोनों का दोनों पक्षों में (कृष्ण और शुक्ल) समान बल रहेगा ।

(४) जीव स्वर—

राम नाम में र्+आ+म्+अ जीव स्वर चक्र से

२+२+५+२=१०÷५=शेष ० या ५=ओ

एवं रावण में र्+आ+व्+ण्+अ

२+२+४+५+१=१५÷५=शेष ० या ५=ओ

दोनों का समान जीव स्वर होने से १२ बारहों महीनों के वर्ष के प्रत्येक मास में युद्ध के लिए तुल्य बल रहेगा ।

(५) राशि स्वर—

राशि स्वर चक्र से तुला के आठवें नवांश में (दोनों का रा होने से) राशि स्वर ए सिद्ध होता है जिसकी संख्या=३ है वर्ष भर की पांचों ऋतुओं में दोनों का समान बल रहेगा । युद्ध में न किसी का जय और न किसी की पराजय ।

(६) नक्षत्र स्वर—

नक्षत्र स्वर चक्र से दोनों का (चित्रा नक्षत्र होता है) नक्षत्र स्वर उ सिद्ध होता है । अतः उत्तरायण या दक्षिणायन किसी में युद्ध होने से दोनों का समान बल रहेगा । नक्षत्र स्वर संख्या ३ है ।

(७) पिण्ड स्वर—

पिण्ड स्वर चक्र से

र्×आ+म्+अ=राम

४+२+२+१=८÷५=३ उ संख्या ३ ।

र्+आ+व्+अ+ण्+अ

४=१=२=१=१=१=१०÷५=० ओ संख्या=५

इस जगह पर स्वरों में वैषम्य है ।अतः जिस वर्ष के जिस समय में रावण का पिण्ड स्वर ओ से पञ्चम स्वर ए, मृत्यु स्वर चलेगा, तथा राम के पिण्डस्वर उ से युवा स्वर ओ जिस वर्ष के जिस समय में चला था, उस समय राम ने रावण पर विजय पाई थी ।

(८) योग स्वर—

राम के मात्रादिक पिण्डपर्यन्त स्वर संख्या योग—

१=४=४=५=३=३=३=२३/५=शेष ३=उ होता है

रावण के मात्रादि पिण्ड पर्यन्त स्वर संख्या योग—

१=४=४=५=३=३=५=२५—४=० या ५ शेष से ओ होते हैं

प्रभवादि १२ सम्वत्सरों के १२ वर्ष के उस चक्र में राम ने युद्ध में उसके बध के लिए रावण को ललकारा था जब रावण का मृत्यु स्वर ए और राम का युवा स्वर ओ का भोग चल रहा था ।

६० सम्वत्सरों के नाम पूर्व में दे दिए हैं । रा सम्वत्सर ४८ वें से ६० सम्वत्सर तक के १२ वर्ष के बीच राम ने रावण का वध किया होगा ।

सम्भवतः यह स्थिति राम के बनवास की समाप्ति के अन्तिम १४ वें वर्ष में होतो है इसके पूर्व ए सम्वत्सर १२ वर्षों में राम के योग स्वर उ से दूसरा कुमार स्वर चलता था । कुमार स्वर में युद्ध करने से राम की विजय में अवश्य सन्देह था ।

तथा च सम्भाव्य नहीं अवश्यम्भावी राम की जय, जय पराजय चक्र (समर सार ग्रन्थ लगभग १५ वीं शती के शासन्न श्रीराम-वाजपेयी रचित है । संस्कृत की प्राचीन दो टीकाएँ (१) भरत टीका (२) रामटीका है । तीसरी हिन्दी में हनुमान् शर्मा जयपुर लगभग १९११ में क्षेमराज श्री कृष्ण दास बम्बई से छपी है) उसके जय पराजय चक्र से—

"अङ्कास्तुलारि भजतीधभुगानकाः"—श्लोक ७)

राम के, र् २ आ ३ म् ६ अ ६=१७

रावण के, र २+अ ३+व् ८+अ ६+ण् ३÷अ ६=२८

सत्रानुसार १७—१२=५÷८=शेष ५

२८—१२=१६÷८ शेष=०

"शेष बहुत्वतः स्याज्जेता स एवं बलपः सुधिया विधेयः" अधिक शेष विजयी कम शेष पराजित होता है। अन्वय व्यतिरेक से राम की विजय प्रत्यक्ष स्पष्ट होती है।

मल्लयुद्ध कुश्ती आदि अनेक स्थलों पर इस विद्या का उपयोग किया जा सकता है। इति।

वाल्मीकि रामायण के साथ फलित ज्योतिष विद्या का जैसे उक्त प्रकार समन्वय किया गया है, उसी प्रसङ्ग से वैष्णप धर्म प्रधान श्री भद्रभागवत पुराण के अध्ययन से मेरी दृढ़ और चिर कालीन शङ्का का समाधान जो मैं समझ सका वह भी पाठकों के विचारार्थ यहाँ पर देते हुऐ अपनी मनस्तुष्टि कर रहा हूं। अतः उक्त शङ्का समय-समय पर विद्वज्जन सम्पर्क से उनसे समाधान की बुद्धि से की गई थी। परिपक्व समाधान यदि कुछ हो तो प्रार्थना पूर्वक विद्वानों का ध्यान पुनः आकृष्ट करते हुए अपनी स्थूल बुद्धि से समस्मा का हल जैसा समझ में आया उसे निम्न भाति स्पस्ट किया जा रहा है।

श्रीमद्भागवत के १२ स्कन्ध (१२ भाव)
और ज्यौतिष के १२ भाव (१२ स्कन्ध)

कात्यायन-कृत चरण व्यूह में, चारों वेदों के मन्त्रों की संख्या १ लाख महाभारत और व्याकरण में भी क्रमशः एक एक लाख केवल तथा ज्यौतिष में ४ लाख मन्त्रों का उल्लेख मिलता है।

"लक्षं वेदाश्चत्त्वारः लक्षं भारतमेव च, लक्षं व्याकणं प्रोक्तं चतुर्लक्षन्तु ज्यौतिषम्"

उक्त वाक्य से ज्यौतिष शास्त्र की अधिक व्यापकता प्रतीत होती है। श्रीमद्भागवत के प्रथम स्कन्द प्रथम श्लोक से—

"जन्माद्यस्य यतो ऽन्वयादितरतश्चार्थेष्वभिज्ञः स्वराट्"—जन्म की ध्वनि के साथ पुराण प्रारम्भ कर १२ वें (अन्तिम) स्कन्द के (अन्तिम श्लोक से) १३ वें अध्याय श्लोक २३ वें में—

"नाम संकीर्तन यस्य सर्वपापप्रणाशनम्।
प्रणामो दुखशमनस्तं नमामि हरिं परम्॥"

"पाप रूप शरीर का व्यय=प्रणाशन हरि-नाम संकीर्तन से होता है" इत्यादि कहा हैं।

प्रश्न होता है, किसका मोक्ष या किसे शुभ लोक की प्राप्ति होगी। शरीर का व्यय अवश्यम्भावी है। शरीर को जन्म मृत्यु के बन्धन से मुक्त करना ही

श्रीमद्भागवत् का मुख्य उद्देश्य या विषय है।

सभी प्राणी (जड़ या चेतन) जीवन मरण के बन्धन से मुक्त नहीं हो सकते तो कौन किस प्राणी की मुक्ति होगी, और कौन प्राणी पुनर्जन्म के प्रपञ्च में पड़ेगा ? इसका समाधान ज्योतिर्विद्या के सूत्र ग्रन्थ (जो महर्षि जैमिनि प्रणीत है) से स्पष्ट होता है।

सूर्य ग्रह से लेकर शनि ग्रह तक सात, राहु तक ८ ग्रहों में जिस स्पष्ट ग्रह का, अंश कला विकलादिक सब ग्रहों में से अधिक हो वह ग्रह आत्म कारक ग्रह होता है।

"आत्माधिकः कलादिभिर्नभोगः सप्तानामष्टाना वा"

"जैमिनि सूत्र" पाद १. सूत्र ११

तत्पश्चात् उत्तरोत्तर कम के अंश से

तस्यानुसरणादमात्यः	१३ सूत्र
तस्य भ्राता	१४ ,,
तस्य माता	१५ ,,
तस्य पुत्रः	१६, तस्य ज्ञातिः १७, तस्य दाराश्च १८

१. आत्म कारक २. अमात्य कारक ३. भ्रातृ कारक, ४. मातृकारक, ५. पुत्र कारक ६. ज्ञाति कारक, और ७. स्त्री कारक ग्रह होते हैं।

'स ईष्टे बन्ध मोक्षयोः' (जैमिनीय सूत्र प्रथम पाद १२) इस सूत्र का स्पष्ट आशय है कि—

आत्म कारक ग्रह नीच राशि पापदि योग से बन्धन का स्वामी होता है और उच्चादि शुभ राशि योग से मोक्ष प्रद होता है।

"उच्चे शुभे शुभ लोकः" (द्वितीया पाद ६८ सूत्र)

यदि आत्मकारक के नवांश से द्वादश नवांश में शुभ ग्रह हो तो स्वर्गादि शुभ लोक प्राप्ति होती है।

तथा

"केतौ कैवल्यम्" (सूत्र ६८)

आत्मकारक नवांश से १२ वें (व्यय भाव) नवांश में केतु हो तो मोक्ष होता है। तो—

"क्रियचापयोर्विशेषेण" ॥ ७० ॥ सूत्र से जिसका अभिप्राय टीकाकारों ने अपने व्याख्यानों में "आत्मकारक नवांश से भागवत पुराण के प्रथम स्कन्ध से १२ वें स्कन्ध रूप) १२ वें नवांश में मेष या धन राशि होने पर भी सायुज्य मोक्ष होता है" बताया है।

महर्षि जैमिनि ने फलित ज्यौतिष के १२ वें भाव (व्यय) से जैसे जन्म ग्रहण करने वाले मानव की मृत्यु मोक्षादि विचार किया है इसी अर्थ को प्रकारान्तर से महर्षि वेद-व्यास ने श्रीमद्भागवत के १२ वें स्कन्द (व्यय) मोक्ष से कहा है।

परीक्षित का देह त्याग (मोक्ष) तथा महाप्रलय लीला-आदि का दर्शन भी इसी स्कन्ध में वर्णित हैं। जैसे भी पाठकों के विचार मनन के लिए उदाहरण स्वरूप एक दृष्टान्त उक्त आधार की पुष्टि में रखा जाता है।

"चरणव्यूह" ग्रन्थ या शास्त्रोक्त ग्रन्थों में-

"लक्षं वेदाश्चत्वार: लक्षं भारत एव च।
लक्षं व्याकरणं प्रोक्तं चतुर्लक्षन्तु ज्यौतिषम्" ॥

चारों वेदों की मन्त्र संख्या एक लाख १००००० के तुल्य, महाभारत श्लोक संख्या भी एक लाख के नियम और व्याकरण शास्त्र की श्लोक या सूत्र संख्या एक लाख के तुल्य कहते हुए ज्योतिषशास्त्र श्लोक संख्या का मान चार लाख=४००००० के तुल्य कहा है।

ज्यौतिष की चार लाख श्लोक संख्या क्या हो सकती है ? मन संशय ग्रस्त रहता रहा। दैवात् बुद्धि में आया कि समग्र अष्टादश पुराण प्रकाश स्वरूप है या यही पुराण विद्या ही ब्रह्म प्रापक विद्या है जो प्रकाण रूपी विज्ञान प्रदान करते हैं, । ज्यौतिष विद्या, अर्थात् प्रकाश या ब्रह्म की सलोकता, समीपता, सरूपता और सायुज्यता प्राप्त करने की विद्या है। अष्टादश पुराणों की श्लोक संख्या चार लाख के तुल्य है उसी के अध्ययनादि आचरण व्यवहार से सायुज्य मुक्ति प्राप्त होती है अत: "चतुर्लक्षन्तु ज्यौतिसम्" कहना समीचीन होता है।

तथा

चतुर्लं क्षन्तु ज्यौतिषम्" की उक्ति भी महर्षि वेद व्यास के १२ वें स्कन्ध के ४ से नवें श्लोक-ब्राह्मं दशसहस्राणि, पाद्मं पञ्चोनषष्टि च ·········

श्री वैष्णावं त्रयोविंशच्चतुर्विंशति शैवकम् ॥
दशाष्टौ श्रीभागवतं नारदं पञ्चविंशतिः ।
मार्कण्डं नव वाह्नं च दशपंचन्वतुःशतम् ॥
चतुर्दश भविष्यं स्यात्तथा दशपञ्च शतानि च ।
दशाष्टौ ब्रह्मवैवर्त्तं लिङ्गमेकादशैवतु ॥
चतुर्विंशति वाराहमेकाशीति सहस्रकम् ।
स्कान्दं शतं तथा चैकं वामनं दशकीर्तितम् ॥
कौर्मं सप्तदशाख्यातं मात्स्यं तत्तुचतुर्दश ।
एकोनविंशत् सौपर्णं ब्रह्माण्ड द्वादशैव तु
"एवं पुराण सन्दोह श्चतुर्लक्ष उदाहृतः ।
तत्राष्टादशसाहस्रं श्रीभागवतमिष्यते"

में वर्णित क्रम से ज्योतिषशास्त्र के ४लाख मन्त्रों की संगति श्रीमद्भागवत कि उक्त वचन से भी ठीक बैठती है ।

(१) ब्रह्म पुराण की श्लोक (सूत्र या मन्त्र) संख्या १०००० दस हजार
(२) पद्म ,, ५५००० पंचावन ,,
(३) विष्णु ,, २३०००तेईस ,,
(४) शिव ······ ······२४००० चौबीस ,,
(५) भागवत ··· ··· ··· १८००० अठारह ,,
(६) नारद ··· ··· ··· २५००० पचीस ,,
(७) मारकण्डेय ··· ··· ··· ९००० नौ ,,
(८) अग्नि ··· ··· ··· १५४०० पन्द्रह हजार चारसौ
(९) भविष्य ··· ··· ··· १४५०० चौदह हजार पाँचसौ
(१०) ब्रह्म वैवर्त्त ··· ··· ··· १८००० अठारह हजार ,,
(११) लिङ्ग ··· ··· ··· ११००० इग्यारह ,,
(१२) वराह ··· ··· ··· २४००० चौबीस ,,

(१३) स्कान्द	...	...	...	८१००० एक्कासी ,,
(१४) वामन	...	...	...	१०००० दशहजार
(१५) कूर्म	...	...	...	१७००० सत्रह
(१६) मत्स्य	...	...	...	१४००० चौदह
(१७) सौपर्ण	...	...	...	१९००० उन्नीस ,,
(१८) ब्रह्माण्ड	...	...	...	१२००० बारह ,

पुराण संख्या १८' सूत्र संख्या में संकलित चार लाख ४००००० "चतुर्लक्षन्तु ज्योतिषम्" यह वाक्य यहाँ घटित हो रहा है।

स्वतन्त्र ज्योतिष में ग्रन्थों के सूत्रों का संकलन ४ लाख तुल्य कहीं न उपलब्ध हुआ। क्वचित् पुराणों में कहीं कहीं "चतुर्लक्षन्तु ज्योतिषम्" य वाक्य मिलता ही है।

इससे यह मालूम पड़ता है कि पुराण भी अपने को ज्योतिष में ही अन्तर्निहित मानते हैं। ज्योतिष का अर्थ ज्ञान है। इस लिए कहा जा सकता है कि ज्योतिष में सभी शास्त्र निहित हैं। लग्न, धन, भ्रातृ, मातृ, पुत्र, अरि काम, आयु, धर्म, कर्म, लाभ, और व्यय, इन द्वादश भावों का साम्य श्रीमद्भागवत के १२ स्कन्धों में भी मालूम पड़ता है।

कोई विद्वान् व्यक्ति, गम्भीर अध्ययन अनुसन्धान की उक्त गतिवि से द्वितीय से एकादश तक के स्कन्धों में भी यह प्रतीकात्मक साम्य खोज सकता है। ऐसा मैं सोचता हूँ।

अल्मोड़ा-जुनायल ग्राम निवासी, स्वर्गीय पूज्य १००८ पितृचरण
श्री पं० हरिदत्त ज्योतिर्विदात्मज श्री केदारदत्त
जोशी, द्वारा (वर्त्तमान नलगाँव (नगवा)
श्री काशी धाम) "ज्योतिष- में
स्वर-विज्ञान" ग्रन्थ सम्पन्न
हुआ।